JN000717

福祉住環境

コーディネーター

検定試験®

3級

テキスト&問題集

3級公式テキスト 改訂6版に
完全対応!

成美堂出版

３級公式テキスト『改訂６版』は ここが変わった！

「福祉住環境コーディネーター検定試験®３級」の問題は、基本的に東京商工会議所が発行する「公式テキスト」から出題されます。2022年２月に公式テキスト『改訂６版』が刊行され、**第48回試験からは『改訂６版』の内容が出題範囲**となっています。

『改訂６版』は、重要な法改正や制度改革などに対応した新たな内容が盛り込まれ、統計等の数値が新しい情報に更新されています。『改訂５版』からの主な変更点は次のとおりです。

本書は『３級公式テキスト改訂６版』に対応しています！

第１章　暮らしやすい生活環境をめざして

今回の『改訂６版』で最も多く変更されたのはこの章です。『改訂５版』刊行後に行われた法改正により新たに創設された制度や、変更された内容について、それぞれ記載されています。

- 2020（令和２）年に少子化社会対策大綱が５年ぶりに見直されました。基本的な目標は、「『**希望出生率1.8**』の実現に向け、令和の時代にふさわしい環境を整備し、国民が結婚、妊娠・出産、子育てに希望を見出せるとともに、男女が互いの生き方を尊重しつつ、主体的な選択により、希望する時期に結婚でき、希望するタイミングで希望する数の子供を持てる社会をつくる」こととされました。
- 2021（令和３）年３月現在、**居宅サービス**の受給者は約368万人と、開始時の約**４倍**となり、地域密着型サービスは約88万人に増加しています。
- 2020（令和２）年の介護保険法改正では、住み慣れた地域で安心して住み続けるためには、地域の特性に応じた施策などのさらなる改革が盛り込まれました。**地域共生社会の実現**を図るため、多様化・複雑化した地域住民のニーズに対応できる包括的な福祉サービスの提供体制整備を行うこととされました。
- 2021（令和３）年には、障害者総合支援法及び児童福祉法に基づく第６期障害者福祉計画・第２期障害児福祉計画策定に向けた基本指針が打ち出されましたが、その中に、精神障害者の増加傾向を受けて、**精神障害にも対応した地域包括ケアシステムの推進**が含まれています。基幹相談支援センターの設置による相談支援体制の充実・強化などが掲げられています。

●脳血管障害について
　・死亡原因の第3位→第4位

第2章　健康と自立をめざして

●知的障害者と精神障害者について
　・知的障害者は**療育手帳**を、精神障害者は**精神障害者保健福祉手帳**の交付を受けることができる
　・精神障害の主な原因は、統合失調症、気分障害、てんかん、依存症、高次脳機能障害、発達障害である

第3章　バリアフリーとユニバーサルデザイン

●介護ロボットについて
　政府のロボット開発に関する大型プロジェクトをきっかけに、さまざまな介護ロボットが開発・実用化されています。このプロジェクトによって開発された介護ロボットは、**見守りロボット**、**移乗支援ロボット**、**移動支援ロボット**などです。

第5章　安心できる住生活とまちづくり

●多様化するライフスタイルに対応する支援策について
　・**地方公共団体**による三世代同居や三世代近居世帯への住宅取得費用の補助、低利融資、利子補給など
　・**UR都市機構**による、高齢者・子育て世帯と親族世帯の近居の際の家賃割り引き制度
　・リバースモーゲージ型住宅ローン
　・マイホーム借上げ制度
　・親子リレー返済（承継償還制度）
●「住生活基本法」に基づいて「**住生活基本計画（全国計画）**」が、2021（令和3）年に新たに策定されました。計画期間は2030（令和12）年度までの**10年間**で、高齢者・障害者・子育て世帯向けの施策を含む、さまざまな施策推進の目標を立てています。

　今回の改訂では、これらの他にも、細かい記述内容の変更や用語の言い換え、表記の変更（有効幅員→有効**寸法**）、（すりつけ板→**ミニスロープ**）などが行われています。本書では、それらの変更点を反映しています。

『福祉住環境コーディネーター検定試験®3級 テキスト&問題集』目次

● 本書の特長と使い方 ……………………………………………… 6
● 試験ガイダンス …………………………………………………… 10
● 学習のポイントとアドバイス …………………………………… 12

第1章　暮らしやすい生活環境をめざして

1節：少子高齢社会と共生社会への道
Lesson 1：少子高齢社会の現状と課題 ………………………… 16
Lesson 2：社会全体での取り組みの必要性 …………………… 30

2節：福祉住環境整備の重要性・必要性
Lesson 3：日本の住環境の問題点 ……………………………… 40
Lesson 4：福祉住環境コーディネーターの役割 ……………… 48

3節：在宅生活の維持とケアサービス
Lesson 5：高齢者の自立を支える介護保険制度 ……………… 54
Lesson 6：介護保険制度の改正の経緯と今後の課題 ………… 66
Lesson 7：障害者総合支援法と障害者福祉 …………………… 76

第2章　健康と自立をめざして

1節：高齢者の健康と自立
Lesson 8：老化のとらえ方と高齢者の自立 …………………… 86
Lesson 9：健康増進のための取り組み ………………………… 96

2節：障害者が生活の不自由を克服する道
Lesson 10：障害者の自立のために …………………………… 110

第3章　バリアフリーとユニバーサルデザイン

1節：バリアフリーとユニバーサルデザインを考える

Lesson 11：バリアフリー、ユニバーサルデザインという考え方 ……… 124

2節：生活を支えるさまざまな用具

Lesson 12：共用品 ………………………………………………………… 136

Lesson 13：福祉用具①〈福祉用具の定義と分類／移動・移乗のための福祉用具〉…… 144

Lesson 14：福祉用具②〈起居・就寝・排泄・入浴のための福祉用具〉…… 165

Lesson 15：福祉用具③〈コミュニケーション支援用具・自助具等／介護保険制度と福祉用具〉…… 177

第4章　安全・安心・快適な住まい

1節：住まいの整備のための基本技術

Lesson 16：段差の解消／床材 ………………………………… 188

Lesson 17：手すり／建具／幅・スペース ………………… 198

Lesson 18：家具・収納／色彩・照明・インテリア／その他 … 210

2節：生活行為別に見る安全・安心・快適な住まい

Lesson 19：屋外移動・外出 …………………………………… 221

Lesson 20：屋内移動 …………………………………………… 230

Lesson 21：排泄・整容・入浴 ………………………………… 238

Lesson 22：清掃・洗濯／調理／その他 …………………… 249

第5章　安心できる住生活とまちづくり

1節：ライフスタイルの多様化と住まい

Lesson 23：ライフスタイルの多様化と高齢者の暮らし ………… 260

2節：安心できる住生活

Lesson 24：高齢者や障害者のための住宅施策 ……………… 267

3節：安心して暮らせるまちづくり

Lesson 25：人にやさしいまちづくり ………………………… 276

本書の特長と使い方

福祉住環境コーディネーター検定試験®3級の試験は『公式テキスト』から出題されるんだけど、この本は、最新の『公式テキスト（改訂6版）』の内容を分析して、試験に出る内容を**25のLesson**としてまとめてあるの

本文の理解を助けるために、いろいろな工夫がされているのよ

詳しくはp.8,9を見てね

それから、各Lessonの最後には、**一問一答**形式の問題や、**実力問題**と詳しい解説も載っているの

詳しくはp.9を見てね

⑦

つまり、本書は、**1冊でテキストと問題集の両方**として使えるの！

1粒で2度おいしい！！

⑧

それに**図表**もたくさん載っているからわかりやすいね！

これなら数値や記号も覚えやすいわ！

⑨

それでは、本書を使って、今日から勉強を始めましょう！

がんばりましょう！

⑩

A
東京商工会議所発行の『公式テキスト（改訂6版）』の対応ページです。
学習の参考にしてください。

B
学習した日を記入し、モレのないように注意しましょう。

C
★〜★★★まで、★の数が多いほど重要な内容です。3つ星（★★★）の項目は念入りに学習し、マスターしましょう。

付属の赤シートを活用！

D
初めに押さえておきたいポイントです。しっかりチェックしてから次に進みましょう。

E
本文から一歩踏み込んだ解説や関連情報を知ることで、理解を深めることができます。

1章 2節：福祉住環境整備の重要性・必要性  公式テキスト p.17〜19

Lesson **3** 日本の住環境の問題点

 学習日

日本の伝統的な木造住宅には、高齢者の生活に適さない点が少なくありません。家庭内事故の多さも、住環境の問題が一因になっています。

1 伝統的な住宅構造の問題点 ★★★

POINT
住宅内に段差が多いこと、廊下や出入り口の幅員が狭いことなど、日本の伝統的な木造住宅には、高齢者が生活するうえで問題となる点が少なくない。

一般に、高齢者とは65歳以上（場合により60歳以上）の人をさしますが、65〜74歳の人を前期高齢者、75歳以上の人を□□□として区別することもあります。日本では、現時点で後期高齢者の人口が前期高齢者を上回っており、その傾向は今後さらに拡大していくと予測されています。そのことにより、身体機能の低下や疾病などの健康上の問題をかかえる高齢者も増加すると考えられます。

できるだけ多くの高齢者が地域に居住し、自立した生活をおくるためには、身体機能が低下した高齢者でも安心して暮らすことができるような住環境の整備が、今後ますます求められていくことになるでしょう。

日本の伝統的な木造住宅は、木のぬくもりや柔らかい質感があって高齢者にとって過ごしやすい空間のようにイメージされることが多いかもしれません。しかし、身体機能が低下した高齢者にとっては、安全・安心・快適に過ごせる空間とはいえず、さまざまな問題点があることがわかっています。障害をもった場合は、その問題点はさらに

プラスα
前期高齢者、後期高齢者という分け方が一般によく知られるようになったのは、2008（平成20）年に発足した後期高齢者医療制度以降である。

 キーワードで CHECK! 前期高齢者・後期高齢者 ⇒

F
この見開きの内容から《キーワード》をピックアップしています。赤シートで確認しながら、ここだけを通して勉強する方法もおススメです。

G
本文中の重要な用語（下部に 〜〜〜 がついています）について解説しています。用語の理解は学習の基本ですので、しっかり覚えましょう。

H
法改正情報、間違えやすい事柄などは、ここでチェックしておきましょう。

増えることになります。

　日本の伝統的な住宅の構造のどのような点が高齢者にとって問題となるのかを、以下に具体的に挙げていきます。

①玄関の<u>上がりがまち</u>、廊下と居室、洋室と和室、洗面・脱衣室と浴室の間など、住宅内に**段差**が多く、そのことが高齢者の生活動作を著しく不便・不自由にしている。段差が転倒・転落事故の原因になることもある。

②住宅の設計に<u>尺貫法</u>の影響が強く残っているために、廊下、階段、開口部などの幅員が**狭く**なりがちで、介護を必要とする高齢者や、車椅子などの**福祉用具**を使用する高齢者の室内移動の妨げになることがある。

③もともと居室の面積が狭い日本の住宅で、生活の**洋式化**が進んだために家具の使用が多くなり、室内がますます狭くなった。そのことが、介護を必要とする高齢者や、福祉用具を使用する高齢者の室内移動を困難にしている。

④畳などの床面に座る、和式トイレで**しゃがむ**、浴槽縁の高い和式浴槽を**またいで**入浴するなどの動作が必要とされる**和式の生活様式**は、身体機能の低下した高齢者には適していない。

覚えよう！ | **伝統的な住宅構造の問題点**

・住宅内に段差が多い。
・廊下、階段、開口部などの幅員が狭い（尺貫法の影響）。
・居室の面積が狭く、車椅子などでの室内移動が困難。
・和式の生活様式が高齢者に適さない。
・冬場に、屋内に大きな温度差が生じる。

65〜74歳の人を前期高齢者、75歳以上の人を後期高齢者として区別することがある。日本では、現時点で後期高齢者の人口が前期高齢者を上回っている。

用 語
上がりがまち
玄関の上がり口に取り付ける横木。

用 語
尺貫法
かつて日本で使われていた伝統的な単位系。長さの単位は里、町、丈、間、尺、寸、重さの単位は貫、斤、両、匁など。

CHECK
住宅の構造により高齢者の室内移動が困難になっていることが、寝たきりやおむつ使用の高齢者を生み出しているという見方もある。

1章
2節
3　日本の住環境の問題点

覚えておきたいことをまとめています。囲みの中の内容をそのまま覚えてしまいましょう。

各 Lesson の末尾には、充実の問題＆解説付き

■一問一答で確認しよう！
Lesson の内容を理解できたか、○×問題で1つずつ確認しましょう。わかりやすいワンポイント解説がついています。

■実力問題にチャレンジ！
本試験と同じ形式の問題です。本番のつもりでチャレンジしてください。原則全部の問題に詳しい解説がついています。

ゴロ合わせ

その章に関連するゴロ合わせを入れています。イメージで覚えてみて下さい。

『別冊』でラストスパートはおまかせ！
各章から重要ポイントを309抜き出して、コンパクトにまとめています。取り外して持ち歩けば、スキマ時間を使って暗記学習ができます。

＊本書は、原則として『3級公式テキスト（改訂6版）』の情報に基づいて編集しています。

福祉住環境コーディネーター検定試験® 3級　試験ガイダンス

> 【注意】 福祉住環境コーディネーター検定試験® は、2021 年度より
> IBT または CBT 試験（インターネット経由の試験）に変わ
> りました。また、2022 年度からは IBT および CBT 試験
> の申込期間及び試験期間は統一されました。ここに記載され
> た情報は、原則として本書編集時点のもので、変更される可
> 能性があります。試験に関しては、**事前に必ずご自身で p.11**
> **の試験実施機関が発表する最新情報をご確認ください。**

- **受験資格**　学歴・年齢・性別・国籍による制限はありません。

- **試験期間**　受験期間は 1 年に 2 シーズン
  （1 シーズン IBT と CBT の重複受験は不可）
  シーズンはおおよそ 7 月から 8 月と、おおよそ 11 月

- **試験方式**　IBT ：受験者本人のコンピューターで受験。プライバシーが配
  慮され受験に適した環境であれば、どこでも受験できる
  （公共スペースは不可）
  CBT：テストセンターのコンピューターで受験

- **出題範囲**　『福祉住環境コーディネーター検定試験® 3 級公式テキスト改
  訂 6 版』（東京商工会議所発行）に該当する知識と、それを理
  解した上での応用力について問われます。

- **試験時間**　90 分

- **合 格 点**　100 点満点中 70 点以上で合格となります。

■ **基　　準**　福祉と住環境の関連分野の基礎的な知識についての理解度を確認します。

　　　　・超高齢社会が到来する中で、生活者として知っておくべき福祉一般の基本的知識を理解している。

　　　　・子供から高齢者にわたる全世代を対象に、生活者の視点から地域コミュニティ・まちづくりを含んだ「福祉住環境整備の基礎知識」を理解している。

■ **申込・試験や公式テキストに関する問い合わせ先**

東京商工会議所　　検定センター

〒100-0005　東京都千代田区丸の内3-2-2

電話番号：03-3989-0777

受付時間：10：00〜18：00（土日・祝休日・年末年始を除く）

https://kentei.tokyo-cci.or.jp/fukushi

【試験画面イメージ図】

01：29：30　　○　　□　　試験を終了

第1問

次の記述の内容が適切であれば○を、不適切であれば×を選びなさい。

介護保険制度は、被保険者が納める保険料（50%）と、税金などの公費（50%）を財源としている。

○　1 ○

○　2 ×

前へ　　一覧　　次へ

学習のポイントとアドバイス

　福祉住環境コーディネーター検定試験®3級の問題は、東京商工会議所発行の「公式テキスト」から出題されます。出題は、「公式テキスト」の内容をきちんと読み込んでおけば解ける、基本的なものが中心です。2022年度の検定試験から、2022（令和4）年2月に刊行された『改訂6版』が出題範囲となっています。

　『公式テキスト　改訂6版』は、5つの章で構成されています。本書では、本試験によく出題される内容を中心に、公式テキストの内容をわかりやすく解説していますが、ここでは、各章ごとに、学習のポイントとなる重要なことがらをまとめ、アドバイスします。

第1章　暮らしやすい生活環境をめざして

　第1章では進行する少子高齢社会の現状と課題や、高齢者や障害者の暮らしを支える仕組みを理解しましょう。

■ **介護保険制度**や**障害者総合支援法**に関する内容は頻出事項です。特に介護保険制度に関する問題は大変よく出題されるので、しっかり覚えておきましょう。
　・導入に至る経緯や現在までの流れ、今後の課題
　・介護保険制度のしくみ（保険者と被保険者、財源、利用者負担割合）
　・**要介護認定のプロセス**　・介護保険で利用できるサービス内容とその**費用負担**
　障害者総合支援法についてもしっかり準備しておきましょう。
　・障害支援区分のしくみ　・介護給付のサービス利用の流れ
■ 日本の人口構成の変化と現状をよく把握し、数値についても見ておきましょう。
　・高齢化率　・65歳以上の高齢者がいる世帯数や構成割合
　・高齢者の健康などの実態について
　少子化の現状と課題
　また、「**高齢社会対策大綱**」、「**少子化社会対策大綱**」の基本的施策や課題なども見ておきましょう。
■ 日本ならではの、伝統的な住宅構造の問題点もたびたび出題されているので押さえておくとよいでしょう。
　・**段差**・上がりがまち　・尺貫法　・居室の面積が狭い　・**和式**の生活様式
　・**冬の寒さ**に向いていない

さらに、入浴中に溺死する高齢者が多いなど、高齢者の**家庭内の事故死の原因**などもあわせて覚えておきましょう。

第2章　健康と自立をめざして

　第2章では、高齢者の健康と自立についてと障害者の自立について学びます。

- まず、老化とはどういうことなのか理解しましょう。
  - ・高齢者の加齢に伴う心やからだの変化　・**低下しない能力**について
- 高齢者の老化を理解したうえで、高齢者の健康・自立とはどういうことなのか押さえましょう。
  - ・ウェル・ビーイング　・**日常生活動作**
  - ・ロートンによる高齢者の生活機能のレベル
- 高齢者の自立を支えるのは健康を維持することです。健康を維持し、元気な高齢者を目指すための食事・運動について押さえましょう。
  - ・高齢者の食生活において心がけること
  - ・運動やスポーツを行う場合に注意すること
  - ・ヘルスプロモーションとは
- 認知症についてはたびたび出題されているので、**認知症の種類**、**予防法**などを覚えておきましょう。
- 障害の種類とその内容については頻出事項です。身体障害、精神障害にどのようなものがあるのか目を通しておきましょう。また、**脳血管障害**と**脊髄損傷**については健康な状態から疾病後、どのような過程を経て自立に至るのか、その流れを把握しておきましょう。

第3章　バリアフリーとユニバーサルデザイン

　頻出事項の**共用品**と**福祉用具**については、イラストを参考に覚えるとよいでしょう。

- **バリアフリー**と**ユニバーサルデザイン**は、それぞれの考え方や、その考え方が生まれた背景などを把握し、違いをきちんと理解しておきましょう。また、日本での取り組みについて、年代を追って把握しておくとよいでしょう。
  - ・**バリアフリー**：福祉のまちづくり→国際障害者年→ ADA →ハートビル法と交通バリアフリー法を合体させたバリアフリー法

・**ユニバーサルデザイン**：福祉のまちづくり➡浜松市ユニバーサルデザイン条例➡
京都市みやこユニバーサルデザイン推進条例➡ユニバーサルデザイン政策大綱

■ 共用品については毎回出題されています。定義を理解し、**何に配慮した共用品な**
のか覚えておきましょう。また、身近にあるものが多いので、実物を見て確かめ
ておくのもよいでしょう。

■ 福祉用具についても毎回出題されています。なかでも、**つえ、歩行器・歩行車、**
車椅子、段差解消機など、移動のための福祉用具に関する問題は非常によく出題
されています。
また、介護保険制度での**貸与**と**購入対象**（**特定福祉用具**）の違いを理解しておき
ましょう。

第4章　安全・安心・快適な住まい

　第4章では、高齢者や障害者の、より安全で自立した生活のためには、どのよう
な整備をすることが大切なのか、その住環境整備における基本技術を学びます。ま
た、居住者の生活に即して学びます。

■ 住環境を整備するための基本技術については、まんべんなく出題されていますの
で、全てに目を通してきちんと覚えておくようにしましょう。
特に**段差の解消法、手すり**は頻出項目です。図、イラストを利用し、しっかり理
解しておきましょう。数値についても確認しておくとよいでしょう。

■ 屋外移動や屋内移動については毎年出題されています。**移動**に関する問題では、
車椅子を使用する場合について考慮しなければならないので、注意します。

■ 起居・就寝か清掃・調理に関する問題のどちらかが出題される傾向にあります。

第5章　安心できる住生活とまちづくり

　第5章に関しては、日本のライフスタイルの多様化と暮らし方の変化や、高齢者
や障害者のための住宅整備のための施策や、法律などについて問われます。

■ 近年増加している核家族の理解や、たびたび出題されている**二世帯住宅、隣居、**
近居、非家族同居、一般定期借地権など、住まい方の変化に関する用語の理解も
大切です。**Uターン、Jターン、Iターン**などの意味にも目を通しておきましょう。

■ 地方自治体による助成・融資の制度、経済的支援については、名称と、どのよう
な内容なのか確認しておきましょう。

■ まちづくり、なかでも**福祉のまちづくり**とはどんなものかを押さえましょう。ま
た、まちづくりを進めるための条例・制度にも目を通しておきましょう。

第1章

暮らしやすい
生活環境をめざして

1節：少子高齢社会と共生社会への道

2節：福祉住環境整備の重要性・必要性

3節：在宅生活の維持とケアサービス

Lesson

1 少子高齢社会の現状と課題

学習日
／

人口が減少し、少子高齢化が進行していることから、現代の日本の社会にはさまざまな影響がもたらされています。

1 人口減少と少子高齢化 ★★★

POINT
日本では、世界に類を見ないほど急速に少子高齢化が進行し、今後もその傾向が続くことが予測されている。

　日本の人口は、2021（令和3）年12月1日現在1億2,547万人となり、前年より約62万人（0.49%）減少しました（総務省統計局「人口推計」による）。この統計によると、日本はすでに**人口減少社会**を迎えていることが明らかになっています。総人口の減少傾向は、今後も長く続く見込みです。

　総人口が減少するなかで、65歳以上の高齢者の人口は増え続けています。2021（令和3）年の**高齢者人口**は3,624万人、高齢化率は**28.9%**と、ともに過去最高になりました。高齢者人口が増加する一方、15歳未満の**年少人口**、15〜64歳の**生産年齢人口**は減少しており、著しい**少子高齢化**が進んでいます。

　年齢別の人口構成を見ると、他の世代にくらべて非常に人口が多いのは、戦後間もない時期に生まれた、団塊の世代です。その世代の人たちが、2025（令和7）年にはすべて、75歳以上の**後期高齢者**になります。そのため、高齢者人口が今後も激増することが予測され、2065年には、高齢化率が**38.4%**に達すると考えられています。

 用 語

高齢化率
　総人口に占める65歳以上の高齢者人口の割合。

 用 語

団塊の世代
　1947（昭和22）年から1949（昭和24）年の3年間に生まれた世代。第1次ベビーブーム世代ともいう。この期間は、年間の出生数が約270万人に達した。

 人口減少／少子高齢化　⇒

◆日本の人口ピラミッド

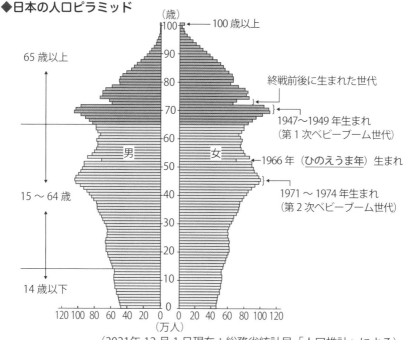

（2021年12月1日現在：総務省統計局「人口推計」による）

　上図のように、日本の人口構成は、おおむね40歳代前半以下の層では、低年齢になるほど人口が少ない**逆ピラミッド型**になっています。言い換えると、親の世代よりも子の世代のほうが、人口が少ないということです。このような傾向が続けば、人口が減少していくことは明らかです。

　人口にかかわる指標の一つに、合計特殊出生率があります。合計特殊出生率が2.07を下回ると人口は減少に向かうとされていますが、2019（令和元）年の日本の合計特殊出生率は**1.36**と、過去最低であった2005（平成17）年の1.26よりはやや回復しているものの、依然として低い水準にあり、人口減少に歯止めがかからない状況になっています。

 用　語

合計特殊出生率
　15 ～ 49歳までの女性の年齢別出生率を合計したもので、一人の女性が一生の間に生む子どもの数を示す。本文中の数値は、国立社会保障・人口問題研究所「人口問題研究」による。

日本の人口は徐々に**減少**しているが、高齢者の人口は**増加**し、少子高齢化が進んでいる。人口減少、少子高齢化の傾向は今後も続く見込みである。

高齢者人口が増加した要因として、戦後の高度経済成長期に日本が豊かになり、**インフラ**（社会資本）の充実等によって生活環境が改善されるとともに、医療技術も進歩し、平均寿命が延びたことが挙げられます。日本人の平均寿命は、戦後間もない頃に、男女ともに初めて50歳を超えたのですが、2020（令和2）年には、男性が **81.64** 歳、女性が **87.74** 歳に達しています（厚生労働省「令和2年簡易生命表」による）。

1980年代までは、高齢化率は先進諸国の中でも下位だったのですが、その後30年余りの間に、世界各国と比較しても類を見ないほど急速に人口の高齢化が進みました。

用 語

平均寿命
　ある年齢の人が、その後生きられるであろうと期待される平均の年数を平均余命という。平均寿命は0歳における平均余命。これらの値は、国勢調査に基づく年齢別死亡率が今後も変わらないものとして算出される。

◆年齢階級別人口割合の推移

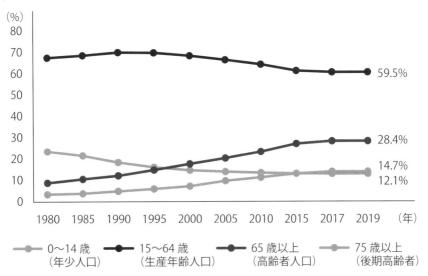

（総務省統計局「国勢調査報告」、「令和元年10月1日現在推進人口」による）

キーワードで CHECK! 核家族／単独世帯 ⇒

2 世帯構造の変化と高齢者の生活実態 ★★★

POINT

高齢者の夫婦のみの世帯や単身世帯が増えている。要介護となる高齢者が増加する一方、健康で社会参加や就業への意欲をもつ高齢者も多い。

高齢化の実態は、世帯構造の変化にも表れています。厚生労働省「国民生活基礎調査」によると、2019（令和元）年現在の全国の世帯総数は5,178万5千世帯ですが、そのうち、65歳以上の高齢者がいる世帯は2,558万4千世帯で、全世帯の**49.4%**を占めています。さらに、その内訳を見ると、一人暮らしの**単独世帯**が736万9千世帯で高齢者がいる世帯の28.8%、夫婦のみの世帯が827万世帯で32.3%となっており、単独世帯と夫婦のみの世帯を合わせると、高齢者がいる世帯の**6割**を超えています。

日本では、かつては親・子・孫の三世代が同居する世帯が多かったのですが、高度経済成長期以降は急速に核家族化が進み、近年は単独世帯が増加する傾向にあります。核家族や単独世帯が増えたことは、日本人の**ライフスタイル**の変化を表していると考えられます。多くの人は、進学や就職、結婚などの人生の節目をきっかけに親から独立し、単身または夫婦で世帯を設けます。子どもが独立すると、親の世代も夫婦のみの世帯または単独世帯になります。

 用 語

核家族化
夫婦のみ、または親と子のみの世帯を核家族という。現在、日本では核家族が全世帯の約6割を占めており、核家族化が進んだ社会といえる。

少人数の世帯では、家事や子育ての負担や、家族の誰かが介護が必要な状態になった場合の負担が大きくなります。

世帯構成では核家族（夫婦のみ、または親と子のみの世帯）が多く、近年は単独世帯が増加している。こうした傾向は、日本人の**ライフスタイル**の変化を表している。

◆65歳以上の高齢者がいる世帯の割合の推移

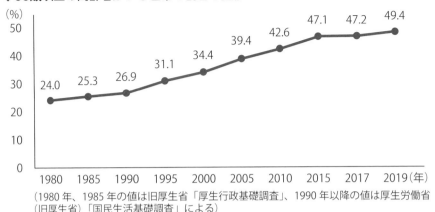

(1980年、1985年の値は旧厚生省「厚生行政基礎調査」、1990年以降の値は厚生労働省（旧厚生省）「国民生活基礎調査」による)

◆65歳以上の高齢者がいる世帯の世帯構造の推移

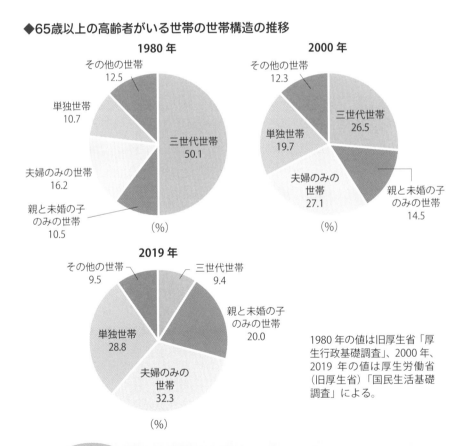

1980年

その他の世帯 12.5
単独世帯 10.7
夫婦のみの世帯 16.2
親と未婚の子のみの世帯 10.5
三世代世帯 50.1
(%)

2000年

その他の世帯 12.3
単独世帯 19.7
夫婦のみの世帯 27.1
三世代世帯 26.5
親と未婚の子のみの世帯 14.5
(%)

2019年

その他の世帯 9.5
三世代世帯 9.4
親と未婚の子のみの世帯 20.0
夫婦のみの世帯 32.3
単独世帯 28.8
(%)

1980年の値は旧厚生省「厚生行政基礎調査」、2000年、2019年の値は厚生労働省（旧厚生省）「国民生活基礎調査」による。

キーワードでCHECK! 元気な高齢者 ⇒

20

高齢者の人口が増加したことにより、何らかの健康上の問題をかかえている高齢者も増えています。その中には介護を必要とする高齢者も多く、2000（平成 12）年にスタートした**介護保険制度**により要介護・要支援の認定を受けた 65 歳以上の高齢者は、すでに約 656 万人に及んでいます。高齢者人口は今後も増え続けるので、要介護となる高齢者もさらに増加することが予想されます。

　しかし、高齢者のすべてが健康上の問題をかかえているわけではありません。内閣府「令和 3 年版高齢社会白書」によると、60 歳以上の高齢者のうち、仕事、趣味、地域社会活動等の社会活動に参加している人は **58.3%** もいます。

　高齢者の人口が多いということは、元気な高齢者もそれだけたくさんいるということですから、高齢者を弱者ととらえる視点だけでは、高齢者の生活実態を把握することは困難です。

　高齢者の就業状態については、総務省の「労働力調査」2020（令和 2）年によると、65 ～ 69 歳の雇用者数は 320 万人、70 歳以上の雇用者数は 300 万人となっています。また、内閣府の「令和 3 年版高齢社会白書」によると、65 歳以上の労働力人口は労働力人口総数の **13.4%** を占めています。

　多くの場合、企業等で働く人は 65 歳までに定年を迎えますが、高齢者が定年後すぐに隠居生活をおくるライフスタイルが定着しているとはいえないのです。

　厚生労働省が 2019（令和元）年 11 月に行った「第 15 回中高年者縦断調査」では、60 ～ 64 歳で仕事をしている人の **56.4%** が 65 ～ 69 歳になっても「仕事をしたい」と回答しており、70 歳以降でも「仕事をしたい」と回答した人も **39.0%** にのぼりました。

CHECK

　介護保険制度については、この章の 3 節でくわしく取り上げます。

用　語

労働力人口
　就業者（収入をともなう仕事をしている人）と、完全失業者（今は仕事をしていないが働く意思と能力があり、求職活動をしている人）の合計。

1 章

1 節

1　少子高齢社会の現状と課題

　内閣府の調査によると、60 歳以上の高齢者のうち、仕事、趣味、地域社会活動等の社会活動に参加している人が **58.3%** もいる。

3 高齢者に配慮した施策の現状と課題 ★★

POINT
高齢社会対策基本法に基づいて、政府が推進すべき高齢社会対策の指針となる高齢社会対策大綱が定められている。

　1995（平成7）年に制定・施行された「**高齢社会対策基本法**」は、高齢化が急速に進行する状況をかんがみて、高齢社会対策を総合的に推進するための基本的な事項を定めた法律です。この法律により、政府は「**高齢社会対策大綱**」を定めることとされています。

　高齢社会対策大綱は、政府が推進すべき高齢社会対策の指針とされるもので、1996（平成8）年に最初に定められて以来、何度か見直しが行われました。現行の高齢社会対策大綱は、2018（平成30）年2月に閣議決定されたものです。

　新しい高齢社会対策大綱では、高齢社会対策を進めるうえでの基本的考え方として、以下の3つを挙げています。
①年齢による画一化を見直し、全ての年代の人々が希望に応じて意欲・能力をいかして活躍できる**エイジレス社会**を目指す。
②地域における生活基盤を整備し、人生のどの段階でも高齢期の暮らしを具体的に描ける地域コミュニティを作る。
③技術革新の成果が可能にする新しい高齢社会対策を志向する。

　この基本的考え方を踏まえて、高齢社会対策大綱では、「就業・所得」「健康・福祉」「学習・社会参加」「生活環境」「研究開発・国際社会への貢献等」「全ての世代の活躍推進」の6つの分野にわたって施策の指針を示しています。

CHECK

　高齢社会対策大綱は、おおむね5年をめどに、必要に応じて見直しを行うこととされている。

キーワードで CHECK! 高齢社会対策大綱／エイジレス社会　⇒

◆高齢社会対策大綱の6つの分野

就業・所得	健康・福祉	学習・社会参加
生活環境	研究開発・国際社会への貢献等	全ての世代の活躍推進

①豊かで安定した住生活の確保
②高齢社会に適したまちづくりの総合的推進
③交通安全の確保と犯罪、災害等からの保護
④成年後見制度の利用促進

　高齢者が子どもや孫とのつきあい方についてどのように考えているかを質問したアンケート結果によると、最近の調査では、「いつも一緒に生活できるのがよい」と回答した人よりも、「**ときどき会って食事や会話をする**のがよい」と回答した人のほうがかなり多く、その割合は、調査回数を経るごとに増えています（内閣府「第9回高齢者の生活と意識に関する国際比較調査」による）。このような例からも、高齢者の意識や価値観がしだいに変化していることが見てとれます。

　私たちは、「高齢者とはこういうものである」といった固定観念にとかくとらわれがちですが、高齢者の実像は、そのような画一的なイメージで語れるものではないようです。高齢者に配慮した施策を推進するうえでも、高齢者の**生活**や**行動**の多様なあり方を理解することが重要です。

プラスα

　1980（昭和55）年度に実施された第1回調査では、子どもや孫と「いつも一緒に生活できるのがよい」と回答した人が59.4%、「ときどき会って食事や会話をするのがよい」と回答した人が30.1%であったが、2021（令和3）年度の第9回調査では、前者が18.8%、後者が56.8%となっている。

2018（平成30）年に閣議決定された高齢社会対策大綱では、**年齢にかかわらず**すべての人が活躍できるエイジレス社会を目指すことが基本的考え方の一つとされた。

POINT
少子化は1990年代頃から問題視されるようになり、
さまざまな対策が講じられている。

すでに述べたように、日本のこれまでの歴史上、最も出生数が多かった期間は、1947（昭和22）年から1949（昭和24）年の3年間で、年間の出生数は約270万人に及びました。この期間に生まれた、いわゆる**団塊の世代**（第1次ベビーブーム世代）の人たちが大人になり、その子どもたちが生まれた時期に、出生数のもう一つのピークが訪れました。それが、1971（昭和46）年から1974（昭和49）年までの4年間にかけて到来した**第2次ベビーブーム**です。この期間の出生数は、年間200万人を超えました（p.17の図参照）。

しかし、それ以降は出生数が減少傾向をたどり、2020（令和2）年の出生数は約84万人となっています（厚生労働省「人口動態統計」による）。**合計特殊出生率**（p.17参照）は、1975（昭和50）年以降、2.00を下回っています。

母親の年齢別の出生数に注目すると、**30〜34**歳の出生数が最も多く約30万人、以下、25〜29歳の約22万人、35〜39歳の約20万人の順となっています（2020年の値：厚生労働省「人口動態統計」による）。経年変化を見ると、20歳代での出産が減少し、30歳代が増える**晩産化**の傾向が表れています。

少子化が問題として認識されるようになったのは、1989（平成元）年に合計特殊出生率が1.57となり、過去最低（当時）を更新したことがきっかけです。少子化対策が具体的な政策として掲げられたのは、1994（平成6）年に策定された「今後の子育て支援のための施策の基本的

プラス*α*

1966（昭和41）年は「ひのえうま年」にまつわる迷信の影響により出生数が著しく低下し、合計特殊出生率は1.58と低かったが、この年を除くと、1960年代の各年の合計特殊出生率はおおむね2.00前後、もしくはそれ以上であった。1970年代後半から、合計特殊出生率は低下傾向になり、1989（平成元）年に過去最低（当時）を更新した。

キーワードで
CHECK!　晩産化　⇒

方向について（エンゼルプラン）」が最初でした。

◆合計特殊出生率の推移

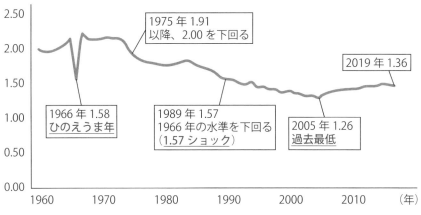

（国立社会保障・人口問題研究所『人口問題研究』による。1972 年以前は沖縄県を含まない値）

　2003（平成 15）年に「**少子化社会対策基本法**」が制定・施行され、この法律に基づいて、内閣府に少子化社会対策会議が設置されました。会議を経て、翌年に「**少子化社会対策大綱**」が閣議決定され、重点施策の具体的な実施計画として、「子ども・子育て応援プラン」が策定されました。

　少子化社会対策大綱は、その後おおよそ 5 年ごとに見直されています。2020（令和 2）年 5 月 29 日に閣議決定された大綱は、その基本的な目標を「『**希望出生率 1.8**』の実現に向け、令和の時代にふさわしい環境を整備し、国民が結婚、妊娠・出産、子育てに希望を見出せるとともに、男女が互いの生き方を尊重しつつ、主体的な選択により、希望する時期に結婚でき、かつ希望するタイミングで希望する数の子供を持てる社会をつくる」こととし、以下の 5 つの基本的な考え方が掲げられています。

母親の年齢別の出生数に注目すると、**30 〜 34 歳**の出生数が最も多く、以下、**25 〜 29 歳**、**35 〜 39 歳**の順となっている。

①結婚・子育て世代が将来にわたる展望を描ける環境をつくる
②多様化する子育て家庭のさまざまなニーズに応える
③地域の実情に応じたきめ細かな取組を進める
④結婚、妊娠・出産、子ども・子育てに温かい社会をつくる
⑤科学技術の成果など新たなリソースを積極的に活用する

　少子化対策を進めるには、安心して子育てができる環境を整えていくことが必要ですが、そのためには、解決しなければならない課題がたくさんあることがわかります。子育てしやすい住宅を供給するなど、住環境を整備することもその課題の一つです。**少子化社会対策大綱**では、「住宅支援、子育てに寄り添い子供の豊かな成長を支えるまちづくり」の観点から、住宅の整備を推進しています。

ゴロ合わせ

65 歳以上の高齢者がいる世帯割合

前世は　　**半分**　　　**ロックで go! って**
（全世帯）　（約5割）　　（6　　　　5 歳以上）

号令してた
（高齢者）

全世帯の約5割は 65 歳以上の高齢者がいる世帯である。

詳しくは ▶ p.19

一問一答で確認しよう！

□□□**問1** 日本の人口は減少に向かっているが、65歳以上の高齢者の人口は今も増え続けている。

□□□**問2** 15～64歳の生産年齢人口は増加しているものの、0～14歳の年少人口が減少しているために、少子高齢化が進行している。

□□□**問3** 合計特殊出生率は、近年は2.00前後まで回復している。

□□□**問4** 日本の高齢化率は、1980年代までは先進諸国の間でも下位であった。

□□□**問5** 65歳以上の高齢者がいる世帯は全世帯の約3割を占めており、そのうちの4割程度が、単独世帯か夫婦のみの世帯である。

□□□**問6** 60歳以上の高齢者の6割以上は何らかの健康上の問題をかかえていて、スポーツや趣味、地域の活動に参加できない状況にある。

□□□**問7** 母親の年齢別の出生数は、25～29歳が最も多く、以下、20～24歳、30～34歳の順となっている。

□□□**問8** 2018年に定められた高齢社会対策大綱の基本的な考え方には、全ての年代の人々が能力をいかして活躍できるエイジレス社会を目指すことが含まれている。

正解 1○ 2× 3× 4○ 5× 6× 7× 8○

2：生産年齢人口、年少人口ともに**減少**している。

3：2019（令和元）年の日本の合計特殊出生率は**1.36**と、過去最低であった2005（平成17）年の1.26よりはやや回復しているものの、依然として低い水準にある。

5：65歳以上の高齢者がいる世帯は全世帯の**約半数**を占めており、そのうちの**約6割**が、単独世帯か夫婦のみの世帯である。

6：60歳以上の高齢者のうち、仕事、趣味、地域社会活動等の社会活動に**参加している**人が6割近くを占めている。

7：**30～34歳**の出生数が最も多く、以下、**25～29歳**、**35～39歳**の順となっている。

実力問題にチャレンジ！

次の記述の内容が適切なものは〇を、不適切なものは×を選びなさい。
※試験画面イメージ図はp.11を参照。

第1問 総人口が減少する一方、高齢者の人口は今も増加傾向にある。65歳以上の高齢者の人口は全人口の3割近くに及び、その割合は今後も増加すると予測されている。

第2問 高齢者人口が増加した要因として、戦後の経済成長による生活環境の改善や医療技術の進歩により、平均寿命が延びたことが挙げられる。高齢化率は、1970年代頃から、先進諸国の中で最も高い水準にあった。

第3問 高齢者人口が増加する一方で、年少人口（0歳から14歳まで）と生産年齢人口（15歳から64歳まで）は減少しており、少子高齢化が進行している。

第4問 1970年代になると、団塊の世代とも呼ばれる第1次ベビーブーム世代の人たちが大人になり、その子どもが生まれたことにより、第2次ベビーブームが到来した。しかし、それ以降は、出生数は減少傾向をたどっている。

第5問 2020年5月に閣議決定された少子化社会対策大綱は、令和の時代にふさわしい総合的かつ長期的な大綱であるが、その基本的な考え方には、「結婚・子育て世代が将来にわたる展望を描ける環境をつくる」ことが含まれている。

第1問 ○ 全人口に占める 65 歳以上の高齢者の人口の割合（高齢化率）は今後も**増加**し、2065 年には 38.4% に達すると予測されている。

第2問 × 1980 年代までは、高齢化率は先進諸国の中でも**下位**であったが、その後 30 年余りの間に、世界各国に類を見ないほど急速に人口の高齢化が進んだ。

第3問 ○ 高齢者人口が増加する一方、15 歳未満の年少人口、15 ～ 64 歳の生産年齢人口は減少しており、著しい**少子高齢化**が進んでいる。

第4問 ○ 団塊の世代（第 1 次ベビーブーム世代）の人たちの子どもが生まれた時期である 1971（昭和 46）年から 1974（昭和 49）年までの 4 年間にかけて、**第 2 次ベビーブーム**が到来し、この期間の出生数は年間 200 万人を超えた。しかし、それ以降は出生数が減少傾向をたどり、2020（令和 2）年の出生数は約 84 万人となっている（厚生労働省「人口動態統計」による）。

第5問 ○ 基本的な考え方として**5 つ**の項目が取り上げられており、それぞれに対して重点課題が示されている。

少子高齢社会の現状を把握することは、現代社会に起きているさまざまな問題を理解するうえで欠かせません。

Lesson
2 社会全体での取り組みの必要性

学習日
／

人口減少と少子高齢化がもたらしている問題は、個人や家族で解決することは困難であり、社会全体での取り組みが求められています。

1 人口減少・少子高齢化による社会への影響 ★★

POINT
少子高齢化は、国、地域、企業、個人など、さまざまなレベルで社会に影響を与えている。

　日本の総人口が減少に転じ、人口構成においては著しい少子高齢化が進行していることを、これまでに述べてきました。それでは、人口減少と少子高齢化は、具体的には、社会にどのような問題をもたらしているのでしょうか。

　人口が減少するということは、**経済規模**が縮小することを意味します。企業にとっては、**働き手**が減少し、**生産性**の向上を期待しにくい状況になります。少子化により、若い世代になるほど人口が減少していくので、その影響はしだいに大きくなっていくと考えられます。

　国にとっては、**税収**が減少し、国民の生活を維持するために使う予算の財源が不足することにつながります。地域にとっては、地域社会の担い手が不足し、地域の産業は**後継者**不足に悩まされることになります。

　社会面では、単身世帯が増加し、その人たちの暮らしや介護を社会全体で支えなければならないので、その費用の増大が予想されます。

　高齢化による問題としては、医療費の増大や、要介護高齢者の増加、特に、**認知症高齢者**の増加が深刻な問題になっ

プラスα

　総人口が減少するなかで、人口の都市部への集中、特に東京への一極集中が進む一方、過疎地域をかかえる市町村では、将来、自治体を維持することさえ困難になりかねない状況が生じており、地域格差が大きな問題となっている。

キーワードで
CHECK! 認知症高齢者／日常生活自立度 ⇒

ています。厚生労働省の資料によると、2010（平成22）年の時点で、**日常生活自立度Ⅱ以上の認知症の高齢者**は280万人と推計されています。そのうち、約半数は在宅で生活しています。現在は、その人数はもっと増えていると考えられます。

◆認知症高齢者の日常生活自立度

ランク	判定基準
Ⅰ	何らかの認知症を有するが、日常生活は家庭内及び社会的にほぼ自立している。
Ⅱ	日常生活に支障を来すような症状・行動や意志疎通の困難さが多少見られても、誰かが注意していれば<u>自立</u>できる。
Ⅱa	家庭外で上記Ⅱの状態が見られる。
Ⅱb	家庭内でも上記Ⅱの状態が見られる。
Ⅲ	日常生活に支障を来すような症状・行動や意志疎通の困難さがときどき見られ、<u>介護</u>を必要とする。
Ⅲa	日中を中心として上記Ⅲの状態が見られる。
Ⅲb	夜間を中心として上記Ⅲの状態が見られる。
Ⅳ	日常生活に支障を来すような症状・行動や意志疎通の困難さが頻繁に見られ、<u>常に介護</u>を必要とする。
M	著しい精神症状や問題行動あるいは重篤な身体疾患が見られ、専門医療を必要とする。

（厚生労働省の資料による）

◆認知症高齢者の居場所別内訳（平成22年9月末現在）

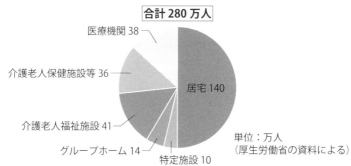

合計280万人

医療機関 38
介護老人保健施設等 36
介護老人福祉施設 41
グループホーム 14
特定施設 10
居宅 140

単位：万人
（厚生労働省の資料による）

認知症高齢者の日常生活自立度は、**介護の必要性**の度合いなどにより、ランクⅠ、Ⅱa、Ⅱb、Ⅲa、Ⅲb、Ⅳ、Mの7段階で表される。

少子高齢化により、年金や医療保険をはじめとする社会保障制度にも大きな問題が生じています。

公的年金（国民年金・厚生年金）は、働いているうちに保険料を支払って老後の生活に備えるものですが、年度ごとの収支においては、高齢者が受け取る**老齢年金**の財源が、現役世代が支払う保険料でまかなわれるしくみになっています。高齢者にくらべて現役世代の人口が十分に多いときはそれでうまくいくのですが、少子高齢化が進んだ現在のような状況では、現役世代の負担が大きくなります。

医療保険においても、高齢者の人口の増加が**医療費**の増大につながり、収入に応じて保険料を支払う現役世代の負担が重くなっています。介護保険の保険料を支払うのは40歳以上の人ですが、やはり同じ問題が生じています。

このように、少子高齢化によって社会保障給付費の支出は増大し、その負担が、**生産年齢人口**に重くのしかかってくるのです。2019（令和元）年度の高齢者関係の社会保障給付費は82兆444億円に上り、社会保障給付費全体の **66.5%** を占めています（国立社会保障・人口問題研究所「社会保障費用統計」による）。

用　語

社会保障制度
　憲法で定められた国民の生存権を保障するための制度で、社会保険、公的扶助、社会福祉、公衆衛生の各部門からなる（下表参照）。

CHECK

　高齢者関係の社会保障給付費とは、年金保険給付費、高齢者医療給付費、老人福祉サービス給付費、高年齢雇用継続給付費を合計したものである。

◆日本の社会保障制度の概要

社会保障制度	社会保険	医療保険・年金保険・介護保険・雇用保険・労災保険
	公的扶助	生活保護
	社会福祉	児童福祉・高齢者福祉・障害者福祉・母子福祉等
	公衆衛生	環境衛生・労働衛生・母子保健・学校保健・生活習慣病予防・感染症予防等

キーワードで
CHECK!　社会保障給付費　⇒

2 これからの社会が目指すべき方向性 ★★

POINT

エイジング・イン・プレイス、エイジレス社会、共生社会、
ユニバーサル社会などの概念は、少子高齢社会となった
日本がこれから目指すべき方向性を示している。

これまで見てきたように、少子高齢化と同時に人口減少
に向かっている現代の日本では、さまざまな問題が生じて
います。それらの問題は、個人や家族だけで解決できるも
のではなく、社会全体で取り組まなければなりません。

少子高齢化や人口減少そのものを解決することは容易で
はないので、まずは、そのような状況を受け入れたうえで、
社会をどのように変えていけばよいのかを考える必要があ
ります。

近年、高齢者福祉の分野で聞かれるようになった「**エイ
ジング・イン・プレイス（Aging in Place）**」という言葉は、
高齢者一人ひとりが自分にとって最もふさわしい場所、つ
まり住み慣れた地域社会を基盤として、安全で安心な老後
の生活を過ごせるようにしようという考え方を表します。

エイジング・イン・プレイスを実現するには、もちろん、
地域社会そのものが、高齢になって身体機能が低下しても
暮らしていける環境を備えていなければなりません。厚生
労働省が力を入れている**地域包括ケアシステム**の構築は、
そのような方向を目指す取り組みの一つといえます。

CHECK

エイジング・イン・
プレイスという理念
は、1992（平成4）
年にパリで行われた
経済協力開発機構
（OECD）の社会保障
の大臣会議で提唱さ
れた。

プラスα

"in place"には、「正
しい場所に」「もとの
場所に」「適所に」な
どの意味がある。

地域包括ケアシステムについて
は、この章の3節でくわしく取り
上げます。

「エイジレス社会」とは、年齢や世代にとらわれることなく、だれもが能力や経験を生かして経済社会や地域社会に貢献し、充実した暮らしができる社会をいいます。

「共生社会」という言葉も、よく耳にするようになりました。共生社会には、共助、互助などと呼ばれてきた地域の人々の結び付きだけでなく、社会のさまざまな面で人々がより自由に活動し、ともに新たな結び付きを形成しながら生きる社会という意味が込められています。

共生社会を実現するためには、だれもが安心して生活できるような環境を整備することが必要です。たとえば、住宅や公共の建築物の**バリアフリー**化を推進することが、そのための有効な手段の一つになります。高齢者や障害者に対する支援制度を充実させることも必要です。

障害の有無や年齢にかかわらず、一人ひとりが対等な社会の構成員として自立し、たがいに尊重し合いながら、各個人がもっている能力を最大限に発揮できる社会を、「**ユニバーサル社会**」と呼びます。ユニバーサル社会を実現するためには、第3章で取り上げる**ユニバーサルデザイン**の考え方を社会に浸透させることが重要になります。

CHECK

高齢社会対策大綱にも「エイジレス社会」を目指すことが目標として掲げられている（p.22 参照）。

覚えよう! | **これからの社会が目指す方向性**

エイジング・イン・プレイス：自分にふさわしい場所で生きられる。
エイジレス社会：年齢に関係なく社会参加できる。
共生社会：社会のさまざまな面で人々が結び付く。
ユニバーサル社会：障害の有無や年齢にかかわらず、自立し、尊重し合い、能力を発揮できる。

キーワードで CHECK! エイジレス社会／共生社会／ユニバーサル社会　⇒

3 まち・ひと・しごと創生法の概要　★

POINT

「まち・ひと・しごと創生法」は、少子高齢化の進展に的確に対応し、人口減少に歯止めをかけること、東京圏への人口の集中を是正することなどを目的とする。

「まち・ひと・しごと創生法」は、2014（平成26）年に制定・施行された法律です。法の目的は第1条に掲げられていますが、要約すると以下のようになります。

①急速な**少子高齢化**の進展に的確に対応し、**人口の減少**に歯止めをかけること。

②東京圏への人口の過度の集中を是正し、それぞれの地域で住みよい環境を確保して、将来にわたって活力ある日本社会を維持していくこと。

そして、これらを実現するには、以下に記す「**まち・ひと・しごと創生**」を一体的に推進することが重要だとしています。

・国民一人ひとりが夢や希望を持ち、潤いのある豊かな生活を安心して営むことができる地域社会の形成 →「**まち**」

・地域社会を担う個性豊かで多様な人材の確保 →「**ひと**」

・地域における魅力ある多様な就業の機会の創出 →「**しごと**」

「まち・ひと・しごと創生」を行ううえでの基本理念は、以下のように記されています。

・国民が個性豊かで魅力ある地域社会において潤いのある豊かな生活を営むことができるよう、それぞれの地域の実情に応じて環境の整備を図ること。

・日常生活及び社会生活を営む基盤となる**サービス**につい

 用　語

東京圏
　首都圏の中でも特に人口が集中している、東京都、埼玉県、千葉県、神奈川県の1都3県の区域をいう（国土交通省「首都圏整備計画」による定義）。

エイジレス社会は年齢、共生社会は人々の結び付き、ユニバーサル社会は障害の有無にかかわらないことに力点が置かれているが、いずれも**社会参加**を重視した概念。

て、その需要及び供給を長期的に見通しつつ、かつ、地域における**住民の負担**の程度を考慮して、事業者及び地域住民の理解と協力を得ながら、現在及び将来におけるその**提供の確保**を図ること。

・結婚や出産は**個人の決定**に基づくものであることを基本としつつ、結婚、出産または育児についての希望を持つことができる社会が形成されるよう環境の整備を図ること。

・仕事と生活の調和を図ることができるよう環境の整備を図ること。

・地域の特性を生かした創業の促進や事業活動の活性化により、魅力ある就業の機会の創出を図ること。

　これらの基本理念にのっとり、政府は、まち・ひと・しごと創生に関する施策を総合的かつ計画的に実施するために必要な事項について「**まち・ひと・しごと創生総合戦略**」を定めています。都道府県と市町村は、まち・ひと・しごと創生総合戦略を勘案して、区域の実情に応じた「**都道府県まち・ひと・しごと創生総合戦略**」「**市町村まち・ひと・しごと創生総合戦略**」を定めるよう努めることとされています。

「まち・ひと・しごと創生法」は、通称ではなく、正式な法律名です。

プラスα

　子育てや介護に関しては、家族の中でも特に女性に過重な負担がかかることが多く、働いている女性が離職し、就業の機会を失うことが多いのが実情である。地域（まち）においては保育所の設置や介護サービスの充実、職場（しごと）では、子育てや介護を行いながら働き続けられる環境の整備が求められている。

一問一答で確認しよう！

□□□**問1** 単身世帯の増加により、その人たちの暮らしや介護を社会全体で支えなければならないので、その費用の増大が予想される。

□□□**問2** 認知症高齢者の約半数は、介護老人福祉施設または介護老人保健施設で生活している。

□□□**問3** 少子高齢化によって社会保障給付費の支出が増大し、その負担が、生産年齢人口に重くのしかかっている。

□□□**問4** 高齢者一人ひとりが住み慣れた地域社会を基盤として、安全で安心な老後の生活を過ごせるようにしようという考え方を「ノーマライゼーション」という。

□□□**問5** 共生社会とは、わが国の伝統的なライフスタイルである、二世代あるいは三世代が同一住居に同居する暮らしをいう。

□□□**問6** ユニバーサル社会とは、住まいや建築物のバリアフリー化を推進し、障害の有無、年齢等にかかわりなく一人ひとりが対等な社会の構成員として自立し、たがいに尊重しつつ支え合い、各個人がもっている能力を最大限発揮できる社会をいう。

□□□**問7** 年齢や世代にとらわれることなく、だれもが能力や経験を生かして経済社会や地域社会に貢献し、充実した暮らしができる社会を、セーフコミュニティという。

□□□**問8** 2014（平成26）年に制定・施行された「まち・ひと・しごと創生法」は、東京圏への人口の過度の集中を是正することを目的の一つとしている。

正解 1○ 2× 3○ 4× 5× 6○ 7× 8○

2：認知症高齢者の約半数は、**在宅**で生活している。
4：高齢者一人ひとりが住み慣れた地域社会を基盤として、安全で安心な老後の生活を過ごせるようにしようという考え方を「**エイジング・イン・プレイス**」という。
5：共生社会とは、社会のさまざまな面で人々がより自由に活動し、ともに新たな**結び付き**を形成しながら生きる社会をいう。
7：年齢や世代にとらわれることなく、だれもが能力や経験を生かして経済社会や地域社会に貢献し、充実した暮らしができる社会を、**エイジレス社会**という。

実力問題にチャレンジ！

次の記述の内容が適切なものは〇を、不適切なものは×を選びなさい。

第1問 少子化の進行は、国・地域・企業・個人に至るさまざまなレベルで社会に大きな影響をもたらす。企業にとっては、働き手が減少し、生産性の向上を期待しにくい状況になる。地域にとっては、地域社会の担い手が不足し、地域の産業は後継者不足に悩まされることになる。

第2問 認知症高齢者の増加が深刻な問題になっている。厚生労働省の資料によると、2010（平成22）年の時点で日常生活自立度Ⅱ以上の認知症高齢者は280万人と推計されており、そのうちの約8割が、介護保険施設や医療機関で生活している。

第3問 少子高齢化によって、高齢者関係の社会保障給付費の支出が増大し、その負担が、生産年齢人口に重くのしかかっている。2019（令和元）年度の高齢者関係の社会保障給付費は82兆444億円に上り、社会保障給付費全体の7割近くを占めている。

第4問 高齢者一人ひとりが自分にとって最もふさわしい場所、つまり住み慣れた地域社会を基盤として、安全で安心な老後の生活を過ごせるようにしようという考え方を、「ウェル・ビーイング」という。

第5問 少子高齢社会における人口減少を食い止めるとともに、東京圏への過度の人口集中を是正し、地域社会を担う個性豊かで多様な人材の確保などを目的としている法律を「まち・ひと・しごと創生法」という。

第1問　○　人口減少と少子高齢化は、国にとっては**税収**の減少、企業にとっては**働き手**の減少、地域にとっては、地域社会の担い手の不足や地域の産業の後継者不足などの問題をもたらしている。個人にとっても、将来の見通しを立てることが難しく、結婚して子どもを育てたいという希望をもっていても、なかなかそれが実現しにくい状況になっている。

第2問　×　厚生労働省の資料によると、2010（平成22）年の時点で、日常生活自立度Ⅱ以上の認知症高齢者は280万人と推計されている。そのうち、約半数は**在宅**で生活している。

第3問　○　高齢者の人口の増加が、**社会保障給付費**の支出を増大させ、その負担が、**生産年齢人口**に重くのしかかっている。

第4問　×　高齢者一人ひとりが自分にとって最もふさわしい場所、つまり住み慣れた地域社会を基盤として、安全で安心な老後の生活を過ごせるようにしようという考え方を、「**エイジング・イン・プレイス**」という。

第5問　○　2014（平成26）年11月に成立した「**まち・ひと・しごと創生法**」には、地域における魅力ある多様な就業の機会の創出などの目的もある。

日本の高齢化率は1980年代まで先進諸国の中でも下位でしたが、この約30年間で一気に最も高い水準まで駆け上がりました。

Lesson

3 日本の住環境の問題点

学習日
／

日本の伝統的な木造住宅には、高齢者の生活に適さない点が少なくありません。家庭内事故の多さも、住環境の問題が一因になっています。

1 伝統的な住宅構造の問題点 ★★★

POINT
住宅内に段差が多いこと、廊下や出入り口の幅員が狭いことなど、日本の伝統的な木造住宅には、高齢者が生活するうえで問題となる点が少なくない。

　一般に、高齢者とは 65 歳以上（場合により 60 歳以上）の人をさしますが、65 〜 74 歳の人を**前期高齢者**、75 歳以上の人を**後期高齢者**として区別することもあります。日本では、現時点で後期高齢者の人口が前期高齢者を**上回っ**ており、その傾向は今後さらに拡大していくと予測されています。そのことにより、身体機能の低下や疾病などの健康上の問題をかかえる高齢者も増加すると考えられます。

　できるだけ多くの高齢者が地域に居住し、自立した生活をおくるためには、身体機能が低下した高齢者でも安心して暮らすことができるような住環境の整備が、今後ますます求められていくことになるでしょう。

　日本の伝統的な木造住宅は、木のぬくもりや柔らかい畳があって、高齢者にとって過ごしやすい空間のようにイメージされることが多いかもしれません。しかし、身体機能が低下した高齢者にとっては、安全・安心・快適に過ごせる空間とはいえず、さまざまな問題点があることがわかっています。障害をもった場合は、その問題点はさらに

プラスα

　前期高齢者、後期高齢者という分け方が一般によく知られるようになったのは、2008（平成 20）年に発足した後期高齢者医療制度以降である。

キーワードで **CHECK!**　前期高齢者・後期高齢者　⇒

増えることになります。

　日本の伝統的な住宅の構造のどのような点が高齢者にとって問題となるのかを、以下に具体的に挙げていきます。
①玄関の上がりがまち、廊下と居室、洋室と和室、洗面・脱衣室と浴室の間など、住宅内に段差が多く、そのことが高齢者の生活動作を著しく不便・不自由にしている。段差が転倒・転落事故の原因になることもある。
②住宅の設計に尺貫法の影響が強く残っているために、廊下、階段、開口部などの幅員が狭くなりがちで、介護を必要とする高齢者や、車椅子などの福祉用具を使用する高齢者の室内移動の妨げになることがある。

上がりがまち
　玄関の上がり口に取り付ける横木。

尺貫法
　かつて日本で使われていた伝統的な単位系。長さの単位は里、町、丈、間、尺、寸、重さの単位は貫、斤、両、匁など。

◆尺貫法による長さの単位と伝統的な木造建築への影響

> 1 尺 ＝ 10 寸 ＝ 10/33m ≒ 30.3cm
> 1 間 ＝ 6 尺 ≒ 1.82m ＝ 1,820mm

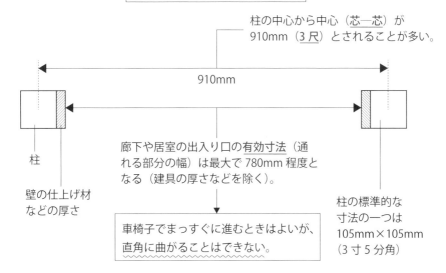

柱の中心から中心（芯―芯）が910mm（3尺）とされることが多い。

910mm

柱

壁の仕上げ材などの厚さ

廊下や居室の出入り口の有効寸法（通れる部分の幅）は最大で780mm程度となる（建具の厚さなどを除く）。

車椅子でまっすぐに進むときはよいが、直角に曲がることはできない。

柱の標準的な寸法の一つは105mm×105mm（3寸5分角）

65〜74歳の人を前期高齢者、75歳以上の人を後期高齢者として区別することがある。日本では、現時点で後期高齢者の人口が前期高齢者を上回っている。

③もともと居室の面積が狭い日本の住宅で、生活の**洋式化**が進んだために**家具**の使用が多くなり、室内がますます狭くなった。そのことが、介護を必要とする高齢者や、福祉用具を使用する高齢者の室内移動を困難にしている。

④畳などの床面に**座る**、和式トイレで**しゃがむ**、浴槽縁の高い和式浴槽を**またいで**入浴するなどの動作が必要とされる**和式の生活様式**は、身体機能の低下した高齢者には適していない。

⑤伝統的な日本の木造住宅は、**湿気の多い夏**に過ごしやすいように造られており、**冬の寒さ**には向いていない。居室や寝室は暖房していても、廊下、洗面・脱衣室、浴室、トイレなどを暖房していることは少ないので、屋内に大きな**温度差**が生じ、特に、心筋梗塞などの循環器系の疾患をもつ高齢者にとっては不適切な環境となる。

高齢者にとって住み慣れた環境であっても、安全・安心に生活するためには望ましくない環境になっていることもあります。

覚えよう！ | **伝統的な住宅構造の問題点**

・住宅内に段差が多い。
・廊下、階段、開口部などの幅員が狭い（尺貫法の影響）。
・居室の面積が狭く、車椅子などでの室内移動が困難。
・和式の生活様式が高齢者に適さない。
・冬場に、屋内に大きな温度差が生じる。

キーワードで CHECK！ 和式の生活様式 ⇒

2 家庭内事故の危険性 ★★★

POINT

高齢者の家庭内事故による死亡例は、浴槽での溺死が最も多い。

　家庭内事故とは、居室や廊下、浴室での転倒、階段からの転倒・転落、建物からの転落、浴槽での溺死など、住宅内で生じる事故をいいます。

　家庭内事故による死亡例は高齢者が圧倒的に多く、年間約1万2千人の高齢者（65歳以上）が、家庭内事故で亡くなっています（厚生労働省「人口動態統計」による）。最も多い死亡原因は**入浴中の溺死**で、その他の不慮の窒息、転倒・転落がそれに続いています（下図参照）。

◆家庭内事故の年齢別死亡者数と高齢者の死亡原因

家庭内事故による死亡者数（中段の数字は年齢）									
総数	0	1〜4	5〜9	10〜14	15〜29	30〜44	45〜64	65〜79	80〜
13,708	51	22	12	20	123	248	1,259	4,517	7,449

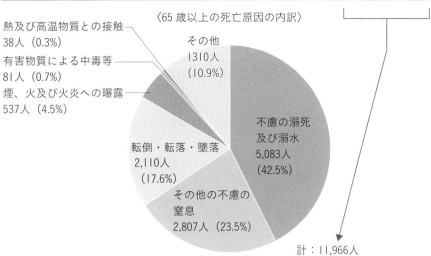

〈65歳以上の死亡原因の内訳〉

熱及び高温物質との接触
38人（0.3%）

有害物質による中毒等
81人（0.7%）

煙、火及び火炎への曝露
537人（4.5%）

その他
1310人
（10.9%）

不慮の溺死
及び溺水
5,083人
（42.5%）

転倒・転落・墜落
2,110人
（17.6%）

その他の不慮の
窒息
2,807人（23.5%）

計：11,966人

（厚生労働省「令和2年人口動態統計（確定数）」による）

和式の生活様式は、畳などの床面に**座る**、和式トイレで**しゃがむ**、浴槽縁の高い和式浴槽を**またいで**入浴するなどの動作が必要とされるので、高齢者に適していない。

家庭内での死亡事故が高齢者に多いのは、高齢者の身体機能が低下していることが一因ではありますが、健康な高齢者が、ある日突然、住宅内での事故により亡くなる例も少なくありません。それは、家庭内事故の原因の一端が**住環境**の問題にあることを意味しています。本人の身体能力や不注意のせいだけでなく、住宅の造りや住宅内の環境が高齢者に適していないために家庭内事故が起きているともいえるのです。

　家庭内事故は、**住宅内の至る所**で発生しています。たとえば、フローリングの床の一部にカーペットを敷くことがよくありますが、カーペットがずれて滑ったり、カーペットの端がめくれていたためにつまずいたりして転倒することがあります。この例のように、事故が起きてから振り返ってみると、もう少し配慮が行き届いていれば事故を防ぐことができたと考えられるケースも少なくありません。

　住宅内事故を防止するためには、心身機能が低下してから対策を講じるのではなく、健康で元気なうちから、安全で**快適**な住環境をつくることに意識的に取り組むことが必要です。

◆家庭内事故が起こりやすい場所

食事中	⇒	誤嚥（ごえん）による窒息
階段	⇒	転倒・転落
浴室	⇒	浴槽での溺死、洗い場での転倒、熱湯による火傷
脱衣室	⇒	床が濡れているために転倒するおそれ
台所	⇒	コンロの火や熱湯による火傷、火の消し忘れやガス漏れによる火災

プラス α

　住宅火災では、火災に気づかずに逃げ遅れるケースや、気づいていても避難できずに重症を負ったり、死亡したりするケースがある。住宅用火災警報器を重要な箇所に確実に設置すること、非常時に備えて複数の避難経路を確保すること、避難の邪魔になるものを置かないことなどが有効な対策となる。

一問一答で確認しよう！

□□□**問1** 現時点では、前期高齢者の人口が後期高齢者を上回っているが、近い将来にその関係が逆転すると予測されている。

□□□**問2** 従来の日本の住宅は、住宅内に段差が多いことが高齢者にとって問題になりやすい。

□□□**問3** 日本の木造建築の技術はアメリカから導入されたため、設計上、ヤード・ポンド法の影響を強く受けている。

□□□**問4** 日本の住宅はもともと居室の面積が狭いうえに、生活の洋式化により家具の使用が多くなったために、室内がますます狭くなっている。

□□□**問5** 畳などの床面から立ち座りすることが多い和式の生活様式は、足腰がきたえられるので、高齢者の生活に適している。

□□□**問6** 伝統的な日本の木造住宅は、冬の厳しい寒さに備えて造られているので、夏の暑さをしのぐのには適していない。

□□□**問7** 高齢者の家庭内事故による死亡原因として最も多いのは、階段からの転落である。

□□□**問8** 家庭内事故の原因の一端は、住環境の問題にあると考えられる。

- -
正解 1× 2〇 3× 4〇 5× 6× 7× 8〇

1：現時点ですでに**後期高齢者**の人口が**前期高齢者**を上回っており、その傾向が今後さらに拡大していくと予測されている。

3：日本の住宅の設計には、かつて使われていた単位系である**尺貫法**の影響が強く残っているため、廊下や開口部などの幅員が狭くなりがちである。

5：畳などの床面に座る、和式トイレでしゃがむ、浴槽縁の高い和式浴槽をまたいで入浴するなどの動作をともなう和式の生活様式は、身体機能の低下した高齢者には**適していない**。

6：伝統的な日本の木造住宅は、**湿気の多い夏**に過ごしやすいように造られており、冬の寒さには向いていない。

7：高齢者の家庭内事故による死亡原因として最も多いのは、**入浴中の溺死**である。

次の記述の内容が適切なものは〇を、不適切なものは×を選びなさい。

第1問 日本の伝統的な木造住宅は、湿気の多い夏向きに造られているため、冬の寒さには向いていない。冬季は、居室や寝室は暖房していても、洗面・脱衣室や浴室、トイレまで暖房している住宅は少ないので、室内の温度差が大きくなり、高齢者や障害者、特に循環器系の疾患をもつ高齢者には不適切な環境となっている。

第2問 日本の伝統的な木造住宅の設計には、かつて用いられていた尺貫法の影響が強く残っているために、廊下、階段、開口部などの幅員が日本人の生活様式によく適したものになっており、高齢者にとっても暮らしやすい環境である。

第3問 日本の住宅は、玄関で靴を脱ぎ履きする習慣から、玄関の上がりがまちに段差が生じているが、住宅内のその他の部分には段差が少ないので、高齢者にとっては生活しやすい環境になっており、福祉用具も導入しやすい。

第4問 日本の伝統的な木造住宅は、もともと居室の面積が広いので、洋式の生活様式が定着して家具がたくさん置かれるようになっても、高齢者の室内移動が困難になるほどの支障をきたすことはまれである。

第5問 高齢者の家庭内事故は住環境が高齢者に適していないことも原因であるといえる。家庭内事故の死亡原因として最も多いのは不慮の溺死および溺水であり、次に転倒・転落・墜落、その他の不慮の窒息と続く。

第1問　○　冬季は、暖房している部屋と暖房していない廊下などの**温度差**が大きくなり、高齢者や障害者、特に**心筋梗塞**などの循環器系の疾患をもつ高齢者には不適切な環境となっている。

第2問　×　日本の伝統的な木造住宅の設計には、かつて用いられていた尺貫法の影響が強く残っているために、廊下、階段、開口部などの**幅員が狭く**なりがちで、介護を必要とする高齢者や福祉用具を使用する高齢者の室内移動を困難にしている。

第3問　×　日本の一般的な住宅では、玄関の上がりがまち、廊下と居室、洋室と和室、洗面・脱衣室と浴室の間など、住宅内に**段差が多く**、そのことが高齢者の生活動作を著しく不便・不自由にしている。段差が**転倒・転落事故**の原因になることもある。

第4問　×　日本の住宅はもともと居室の面積が**狭い**うえに、生活の洋式化が進んだために家具の使用が多くなり、室内がますます狭くなっている。そのことが、介護を必要とする高齢者や、福祉用具を使用する高齢者の室内移動を困難にしている。

第5問　×　高齢者の家庭内事故による死亡原因として最も多いのは不慮の溺死および溺水であり、次にその他の**不慮の窒息**、転倒・転落・墜落と続く。

高齢者にとって、日本の住宅のどのような点が問題になりやすいのか把握しておくことは重要です。

Lesson 4　福祉住環境コーディネーターの役割

学習日 ／

高齢になっても住み慣れた地域で暮らし続けたいと考える人を住環境の面から支援することが、福祉住環境コーディネーターの役割です。

1 高齢期の生活の変化と住環境整備　★★

POINT
高齢になっても自立した生活を続けられるかどうかは、住環境に大きく左右される。

　高齢者の生活環境は、さまざまな点で、若い時期とは異なるものになっていきます。仕事からリタイアした場合は、**社会的地位**や**収入**の面での変化が訪れますが、そのかわりに**時間的な余裕**が生まれるので、趣味に打ち込んだり、地域の活動に参加したりする時間をたくさんとれるようになります。子どもたちが独立し、夫婦だけの生活になるなど、**家族構成**や家族との関係にも変化が現れます。

　外的な環境だけでなく、高齢者自身の心身にも変化が生じます。個人差はあるものの、若い頃にくらべると、**身体機能が低下**することは避けられません。病気がちになったり、疾病の影響により障害をもったりする場合もあります。

　このように、さまざまな要因によって高齢者の生活は変化しますが、それでも多くの人は、住み慣れた地域で家族や地域の人々と交流をもちながら、自分らしい暮らしを続けていきたいと望んでいます。

　高齢者が住み慣れた地域で安心して暮らしていくためには、医療・保健・福祉等のサービスが必要なときにいつでも受けられる環境が欠かせません。もちろん、高齢者が毎

プラスα

　長年勤めた仕事からリタイアした人は、社会的地位を失ったことによる喪失感にとらわれることもある。一方、趣味やボランティア活動など、引退後にやりたいことを見つけている人にとっては、時間的余裕があるのは喜ばしいことになる。このように、一見同じような境遇に置かれていても、本人の受け止め方に大きな違いが見られることもある。

キーワードで CHECK! 福祉住環境コーディネーターの役割　⇒

日を過ごす住宅が、本人にとって暮らしやすいものでなければ、自分らしい暮らしをおくることは難しいでしょう。

　高齢になると、健康で若いときには気にならなかった住宅内のわずかな**段差**や、廊下や階段の足もとの**暗がり**、浴室やトイレ、水回り等の設備機器の**高さ**や**設置具合**などが不都合に感じられることがあります。あらかじめ高齢者に配慮された住宅であれば、身体機能が低下した場合も、若干の改修や福祉用具の使用により対応することができ、以前と同様か、それに近い生活をおくることができます。介護が必要になったときも、福祉用具を活用することなどにより、人的介護を最小限にとどめることができるので、家族の負担も軽減されます。

2 福祉住環境コーディネーターとは ★★

POINT

> 福祉住環境コーディネーターは、対象者とその家族の生活を、住環境という切り口を出発点として、あらゆる側面から支援する専門職である。

　高齢者や障害者の住環境整備について考える際は、対象者の**身体機能**や**生活状況**を考慮し、**住宅の構造**や**福祉用具**の使用の検討と調整、情報提供などを行うことが求められます。対象者とその家族、住環境整備にかかわる各分野の専門職との間で**連絡調整**を図ることも必要です。それらの役割を担うのが、福祉住環境コーディネーターです。

　福祉住環境コーディネーターは、「住宅が生活の基盤であるという考え方に基づいて、医療・保健・福祉・建築・福祉用具の活用・サービスや制度の利用等に関する知識を身に付け、住宅に関するさまざまな問題点やニーズを発見し、各分野の専門職と連携をとりながら、個々の具体的な事例

CHECK

高齢者は自宅で過ごす時間が長くなるので、住環境整備の重要性もそれだけ増してくる。

対象者の**身体機能**や**生活状況**を見きわめて、**住宅の構造**や**福祉用具**の使用の検討と調整、情報提供、対象者や家族と各分野の専門職との**連絡調整**などを行う。

に適切に対応できる人材」と定義することができます。

　住環境の問題点やニーズは、一人ひとりの対象者によってさまざまですから、福祉住環境コーディネーターは、対象者やその家族とよく向き合い、現在の状況を改善するためにはどのような方法をとるべきなのか、常に**生活者**の視点に立って検討し、対象者のニーズを明らかにする役割を担います。もちろん、地域社会のしくみや、**介護保険制度**をはじめとするさまざまな制度の利用に関する知識ももっていなければなりません。

CHECK

　福祉住環境コーディネーターは、対象者だけでなく、その家族を含む人々の自立と尊厳ある生活を、住環境という切り口を出発点として、あらゆる側面から支援する専門職である。

◆**福祉住環境コーディネーターの役割**

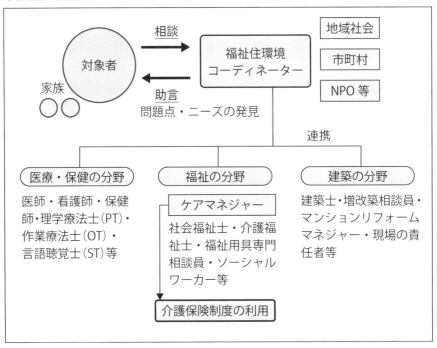

一問一答で確認しよう！

□□□**問1**　高齢になると、健康で若いときには気にならなかった住宅内の
わずかな段差などが気になることがある。

□□□**問2**　高齢になると、自宅の住環境が身体状況に合わなくなるので、
住み慣れた地域で暮らすことに固執せず、福祉施設等で生活す
ることを望む人が多い。

□□□**問3**　高齢者に配慮された住宅では、介護が必要になったときも、福
祉用具を活用することなどにより、人的介護を最小限にとどめ
ることができる。

□□□**問4**　高齢になっても自立した生活ができるかどうかは、基本的に本
人の意思の問題であり、住環境は決定的な要因とはならない。

□□□**問5**　高齢者や障害者の住環境整備について考える際は、車椅子等の
福祉用具を使用する場合のことも考慮する必要がある。

□□□**問6**　福祉住環境コーディネーターの役割は、主に介護の分野の専門
職との連携を図ることである。

□□□**問7**　福祉住環境コーディネーターは、対象者の現在の状況を改善す
るためにはどのような方法をとるべきなのか、専門職の視点に
立って検討し、問題点やニーズを明らかにする。

□□□**問8**　福祉住環境コーディネーターは、支援の対象を、あくまで対象
者本人に限定するべきである。

- -

正解　1○　2×　3○　4×　5○　6×　7×　8×

2：多くの高齢者は、身体機能が低下しても、**住み慣れた地域**で家族や地域の人々
と交流をもちながら、自分らしい暮らしを続けていきたいと望んでいる。

4：高齢になっても自立した生活を営むことができるかどうかは、住宅の構造をは
じめとする**住環境に大きく左右される**。

6：福祉住環境コーディネーターは、**医療・保健**、**福祉**、**建築**などの各分野の専門
職との間で連絡調整を図る役割を担う。

7：福祉住環境コーディネーターは、対象者やその家族とよく向き合い、現在の状
況を改善するためにはどのような方法をとるべきなのか、常に**生活者**の視点に
立って検討する。

8：福祉住環境コーディネーターは、対象者だけでなく、**その家族を含む人々**の自
立と尊厳ある生活を、住環境という切り口を出発点として、あらゆる側面から
支援する。

実力問題にチャレンジ！

次の記述の内容が適切なものは○を、不適切なものは×を選びなさい。

第1問 高齢者に対して十分な配慮がなされた住宅であれば、身体機能が低下しても、若干の改修や福祉用具の使用により、以前の状態と同じかそれに近い生活をおくることが可能になり、介護が必要な場合も人的介護を最小限にとどめることができる。

第2問 高齢になると自宅で過ごす時間が長くなり、健康で若いときには気にならなかった住宅内のわずかな段差、廊下や階段の足もとの暗がり、浴室やトイレ、水回りなどの設備機器の高さや設置具合などが不都合に感じられるようになってくる。

第3問 福祉住環境コーディネーターは、対象者やその家族とよく向き合い、現在の状況を改善するためにはどのような方法をとるべきなのか、常に生活者の視点に立って検討し、対象者のニーズを明らかにする役割を担う。

第4問 福祉住環境コーディネーターの役割は、住環境整備を検討している対象者に対して情報提供を行うことである。住環境整備にかかわる専門職との連絡調整は、対象者本人か家族に行ってもらうようにしなければならない。

第5問 福祉住環境コーディネーターは、高齢者や障害者などの住環境整備を考える際、対象者が不便を訴える箇所があれば、それを解消することのみに集中して支援を行うのがよい。

第1問 ○ 高齢者に配慮した住宅であれば、身体機能が低下した場合も、若干の改修や福祉用具の使用により対応できる。介護が必要になったときも、福祉用具を活用することなどにより、**人的介護を最小限にとどめる**ことができるので、家族の負担が軽減される。

第2問 ○ 高齢者は自宅で過ごす時間が長くなるので、**住環境整備の重要性**も増してくる。健康で若いときには気にならなかった住宅内のさまざまな問題点も目につくようになる。

第3問 ○ 住環境の問題点やニーズは、一人ひとりの対象者によってさまざまなので、福祉住環境コーディネーターは、対象者やその家族とよく向き合い、現在の状況を改善するためにはどのような方法をとるべきなのか、常に**生活者**の視点に立って検討することが必要である。

第4問 × 対象者の身体機能や生活状況に配慮した住宅の構造や福祉用具の使用の検討と調整、情報提供を行うほか、対象者とその家族、住環境整備にかかわる各分野の専門職との間で**連絡調整**を図ることも、福祉住環境コーディネーターの役割である。

第5問 × 対象者が訴える不便を解消することは重要だが、それだけではなく、対象者がどんな生活がしたいのか、何が最適な住環境かを把握し、対象者の生活と活動を改善し、生活全体の**質**を高めていくことを考える。

「コーディネーター」には、物事を調整して全体をまとめる役という意味があります。

Lesson 5 高齢者の自立を支える 介護保険制度

学習日 ／

創設以来20年以上が経過した介護保険制度は、高齢者の自立を支えるしくみとして定着し、サービスの利用者は年々増加しています。

1 介護保険制度の導入 ★★

POINT
介護保険制度は、利用者が自らサービスの種類や事業者を選択できる、利用者本位の制度となっている。

高齢化の進展により要介護高齢者が増加し、介護期間も長期化する一方、核家族化や単身世帯の増加により、要介護高齢者を支えてきた家族の状況も変化し、高齢者の介護を家族だけに委ねることは困難になってきました。そのような社会状況を背景として、**介護保険制度**が創設され、2000（平成12）年4月からスタートしました。

介護保険制度の大きな特徴は、要介護高齢者の医療と福祉に関する制度を再編成し、**利用者**本位の制度に改めたことと、**社会保険**方式をとったことです。

介護保険制度以前の従来の高齢者福祉においては、市町村が必要なサービスを判断して提供する<u>措置制度</u>がとられていました。介護保険制度ではこの点が大きく見直され、利用者が自らサービスの種類や事業者を選択できる契約制度になりました。サービスの内容も、単なる身の回りの世話にとどまらず、高齢者の自立した生活を支援するためのさまざまなサービスが提供されています（p.61〜62参照）。

また、従来の福祉制度では、行政機関が直接サービスを

📖 **用 語**

措置制度
　福祉サービスの利用の可否や、サービスの開始・停止、提供するサービスの種類、サービスを提供する機関などを、すべて行政の権限において決定するしくみをいう。

キーワードで CHECK! 措置制度／利用者本位の制度 ⇒

提供するか、行政から委託された事業者が独占的にサービスを提供することがほとんどでしたが、介護保険制度では、**民間企業**や **NPO** 等の多様な事業者が参入し、サービスを提供することが可能になりました。

2 介護保険制度の概要

POINT
介護保険制度では、保険者である市町村が要介護認定や保険料の徴収を行う。

介護保険法の運営主体である<u>保険者</u>は、**市町村**と東京都の特別区です（以下、単に「市町村」とします）。市町村は、**要介護・要支援**の認定や、**保険料**の徴収などを行います。**国**と**都道府県**は、財政、事務、人材、資源、情報などの面で市町村をサポートします。

介護保険制度の財源は、被保険者が納める**保険料**が50%、税金などの**公費**が 50% となっています。第 1 号被保険者の保険料は**市町村**が徴収し、第 2 号被保険者の保険料は、被保険者が加入している**医療保険**の保険者が、医療保険料とあわせて徴収します。第 1 号被保険者と第 2 号被保険者の保険料の負担割合は、**人口比**に基づいて 3 年ごとに見直されています。

介護保険に加入する被保険者は 40 歳以上の人で、**65 歳以上の人が第 1 号被保険者、40 歳以上 65 歳未満**の医療保険加入者が第 2 号被保険者となります。第 1 号被保険者は、市町村が実施する**要介護認定**において、要介護もしくは要支援と認定された場合に、保険給付による介護サービスを受けることができます。第 2 号被保険者は、要介護・要支援となった原因が加齢に起因する 16 種類の**特定疾病**である場合に限り、介護保険のサービスを受けることができます。

保険者
　保険事業の運営主体となる機関。被保険者から保険料を徴収し、保険金の支払いや保険給付等を行う。民間の損害保険や生命保険では保険会社が、社会保険では国や市町村、健康保険組合などが保険者となる。

市町村が必要なサービスを判断して提供する措置制度が見直され、介護保険制度では、**利用者**が自らサービスの種類や事業者を選択できるようになった。

◆第2号被保険者が介護保険の適用を受けられる特定疾病

特定疾病	
①末期がん	⑩早老症
②関節リウマチ	⑪多系統萎縮症
③筋萎縮性側索硬化症（ALS）	⑫糖尿病性神経障害、糖尿病性腎症及び糖尿病性網膜症
④後縦靭帯骨化症	
⑤骨折を伴う骨粗鬆症	⑬脳血管疾患
⑥初老期における認知症	⑭閉塞性動脈硬化症
⑦パーキンソン病関連疾患	⑮慢性閉塞性肺疾患
⑧脊髄小脳変性症	⑯両側の膝関節または股関節に著しい変形を伴う変形性関節症
⑨脊柱管狭窄症	

　介護保険によるサービスは、**介護給付、予防給付、地域支援事業**の3つに区分されます。介護給付のサービスは要介護1〜5に認定された人を、予防給付のサービスは要支援1・2に認定された人を対象としていて、これらのサービスを利用するには、要介護認定を受ける必要があります。地域支援事業には、要介護認定を受けていない人が利用できるサービスもあります。

●要介護認定からサービスの利用までの流れ

　要介護認定の申請は、住まいのある**市町村**の窓口で行います。本人や家族が申請するほか、**地域包括支援センター、居宅介護支援事業者**、介護保険施設などに代行してもらうこともできます。

　申請を受けた市町村は、かかりつけ医（いない場合は市町村の指定医）に心身の状況に関する**主治医意見書**の作成を依頼します。また、調査員が訪問し、**認定調査票**の項目に基づいて、本人や家族から心身の状態などの聞き取り調査を行います。調査の内容は**コンピューターに入力**され、要介護度の判定（一次判定）が行われます。

キーワードで
CHECK!　第1号被保険者／第2号被保険者　⇒

◆要介護認定のプロセス

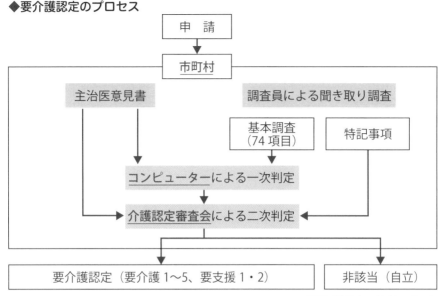

（厚生労働省の資料による）

さらに、一次判定の結果に、認定調査票に記入された特記事項、主治医意見書の内容を加味して、保健・医療・福祉に関する学識経験者で構成される**介護認定審査会**による審査（二次判定）が行われます。

一次判定、二次判定を経て、「**要介護 1 〜 5**」「**要支援 1・2**」の計 7 段階と「非該当（自立）」のうちいずれかの結果が、原則として申請から 30 日以内に通知されます。

要介護認定において「要介護 1 〜 5」と認定された人は、介護保険による居宅サービス、施設サービス、地域密着型サービスなどの「**介護給付**」のサービスを利用できます。「要支援 1・2」と認定された人は、介護予防サービス、地域密着型介護予防サービスなどの「**予防給付**」のサービスと、市町村が行っている地域支援事業によるサービスを利用できます。「非該当」と判定された人も、地域支援事業のサービスを利用できます。

CHECK

公平を期するために、認定調査票の様式とコンピューターによる判定方式は全国一律になっている。

介護保険制度では、**65** 歳以上の人が第 1 号被保険者、**40** 歳以上 65 歳未満の医療保険加入者が第 2 号被保険者となる。

◆介護保険のサービス利用の流れ

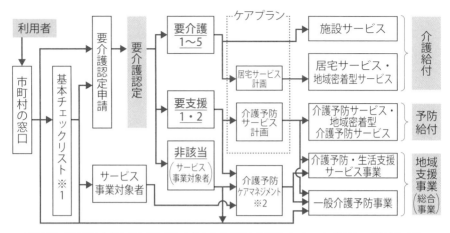

※1 要介護・要支援となるおそれがあるにもかかわらず認定を受けていない65歳以上の高齢者に対して実施するために厚生労働省が作成した調査票。
※2 要介護認定において要支援と認定された人や、基本チェックリストの記入内容が、当該事業対象者と判断された人が、地域支援事業（総合事業）を利用する際に提供されるケアマネジメント。

（厚生労働省の資料による）

　介護保険のサービスを利用するためには、いつ、どのようなサービスを、どれくらい利用するかを検討し、その計画を定めた**ケアプラン**を作成することが必要です。ケアプランは、介護保険制度では「介護サービス計画」といい、サービスの提供はその計画に基づいて行われます。ケアプランは、利用者が自ら作成することもできますが、一般的に、要介護者は介護支援専門員（**ケアマネジャー**）に依頼して作成します。

　要支援者が介護予防サービス等の予防給付のサービスを利用する場合は、介護予防ケアプランを作成します。これも、利用者が自ら作成することができますが、**地域包括支援センター**に作成を依頼するのが一般的です。

　施設サービスを利用する場合は、施設側がケアプラン（施設サービス計画）を作成します。

キーワードで CHECK! 介護給付／予防給付　⇒

介護保険によるサービスを利用した場合、その費用の一部は、利用者の自己負担になります。自己負担割合は、制度創設当初は所得にかかわらず**1割**とされていましたが、現在は、所得に応じて**1割**、**2割**、**3割**の3段階に設定されています。

◉地域支援事業のサービスの利用までの流れ
　地域支援事業は、介護予防を目的とするもので、要支援1・2に認定された人、要介護認定において「非該当」とされた人、要介護認定を受けていない人を含むすべての高齢者等を対象として、市町村が主体となって実施するもので、①介護予防・日常生活支援総合事業（総合事業）、②包括的支援事業、③任意事業により構成されています。総合事業は、さらに、「介護予防・生活支援サービス事業」「一般介護予防事業」に分かれます。
　要支援1・2と認定された人は、これらの介護予防・生活支援サービスと予防給付のサービスを組み合わせて利用することができます（もちろん、そのどちらかのみを利用することもできます）。また、第1号被保険者で要介護認定を**受けていない人**も、**基本チェックリスト**で当該事業対象者と判断された場合は、介護予防・生活支援サービス事業を利用できます（第2号被保険者は、要介護認定の申請が必要）。

CHECK
　2018（平成30）年8月以降、65歳以上で現役並みの所得がある人の利用者負担が3割になった。

介護予防とは、要介護状態になることをできる限り防ぐことをいいます。

「**要介護1〜5**」と認定された人は、介護給付のサービスを、「**要支援1・2**」と認定された人は、予防給付のサービスと、地域支援事業によるサービスを利用できる。

1章

3節

5

高齢者の自立を支える介護保険制度

以上が介護保険のサービスの概要ですが、要介護者、要支援者が利用できるサービスを、サービスが提供される場所に注目して分類すると、**居宅**サービス、**地域密着型**サービス、**施設**サービスの３つがあります。

居宅サービスは、**居宅（自宅）**に訪問してもらい利用するサービス、自宅から施設などに通って利用するサービス、自宅で介護ができない場合に短期間施設等を利用するサービスなどです。

地域密着型サービスは、できる限り住み慣れた地域で生活できるよう、市町村の住民だけが利用できるサービスです。

施設サービスは、介護保険施設など、**生活の場**を施設に移して利用するサービスです。

CHECK

介護保険制度による福祉用具の貸与・購入については p.181〜183、住宅改修については p.254〜255で取り上げる。

ゴロ合わせ

ケアプランの作成

料理　**水から**　**作る**　**できる！**
（利用者）（自ら）　（作成）　できる）

アップル　**乱切りに**
（ケアプ　　ラン）

ケアプランは<u>利用者自ら</u>作成することもできる。

詳しくは ▶ p.58

キーワードで CHECK!　居宅サービス　⇒

◆介護保険で利用できるサービス

		サービスの名称	介護給付	予防給付	地域支援事業
居宅サービス	訪問サービス（居宅または居宅とみなされる施設に訪問してもらい利用するサービス）	訪問介護（ホームヘルプ）	○	×	○
		訪問入浴介護	○	○	×
		訪問看護	○	○	×
		訪問リハビリテーション	○	○	×
		居宅療養管理指導	○	○	×
	通所サービス（自宅から施設などに通って日帰りで利用するサービス）	通所介護（デイサービス）	○	×	×
		通所リハビリテーション	○	○	×
	短期入所サービス	短期入所生活介護	○	○	×
		短期入所療養介護	○	○	×
	居住系・施設系サービス	特定施設入居者生活介護	○	○	×
	福祉用具利用・環境整備に関するサービス	福祉用具貸与	○	○	×
		特定福祉用具販売	○	○	×
		住宅改修	○	○	×
地域密着型サービス	訪問サービス	定期巡回・随時対応型訪問介護看護	○	×	×
		夜間対応型訪問介護	○	×	×
	通所サービス	地域密着型通所介護	○	×	×
		療養通所介護	○	×	×
		認知症対応型通所介護	○	○	×
	居住系・施設系サービス	認知症対応型共同生活介護（グループホーム）	○	○※1	×
		地域密着型特定施設入居者生活介護	○	×	×
		地域密着型介護老人福祉施設入所者生活介護	○※2	×	×
	複合型サービス（訪問・通所・宿泊を組み合わせて受けられるサービス）	小規模多機能型居宅介護	○	○	×
		看護小規模多機能型居宅介護	○	×	×
施設サービス		介護老人福祉施設（特別養護老人ホーム）	○※2	×	×
		介護老人保健施設	○	×	×
		介護療養型医療施設	○※3	×	×
		介護医療院	○	×	×

※1 要支援2のみ
※2 新規入所者は原則として要介護3以上
※3 2024（令和6）年3月に廃止予定

自宅を訪問してもらい利用する**訪問サービス**、自宅から通って利用する**通所サービス**など、自宅に住んでいる人を対象とする介護保険のサービスを居宅サービスという。

◆主なサービスの内容

サービスの名称	内容
訪問介護（ホームヘルプ）	介護福祉士や訪問介護員が居宅を訪問し、入浴、排泄、食事等の介護や、その他の日常生活をおくるうえで必要なサービスを提供する。
訪問入浴介護	入浴が困難な対象者の自宅に、介護職員と看護職員が専用の簡易浴槽を持ち込み、入浴の介護を行う。
訪問看護	看護師、准看護師等が居宅を訪問し、療養にかかわる世話や必要な診療補助を行う。
訪問リハビリテーション	理学療法士、作業療法士、言語聴覚士等が居宅を訪問し、心身の機能の維持・回復、日常生活の自立等を促進することを目的としたリハビリテーションを提供する。
通所介護（デイサービス）	老人デイサービスセンターなどで、入浴、排泄、食事等の介護や、そのほかの日常生活をおくる上で必要となるサービスと機能訓練を提供する。
通所リハビリテーション	介護老人保健施設、病院、診療所などでリハビリテーションを提供する。
短期入所生活介護	介護老人福祉施設（特別養護老人ホーム）などの施設で短期間生活してもらい、入浴、排泄、食事などの介護、そのほかの日常生活をおくる上で必要となるサービスおよび機能訓練を提供する。
小規模多機能型居宅介護	居宅訪問、サービス拠点への通所もしくは短期宿泊にて、入浴、排泄、食事等の介護や、その他の日常生活をおくる上で必要なサービスや機能訓練を行う。
認知症対応型共同生活介護（グループホーム）	認知症の利用者を対象に、共同生活を営む住居において、入浴、排泄、食事などの介護、そのほかの日常生活をおくる上で必要となるサービスおよび機能訓練を提供する。

介護保険制度に関する問題は大変よく出題されるので、しっかり準備しておきましょう。

一問一答で確認しよう!

□□□**問1** 介護保険制度では、市町村が必要なサービスを判断して提供する措置制度がとられている。

□□□**問2** 介護保険制度は、社会保険方式をとっており、財源はすべて被保険者が支払う保険料でまかなわれている。

□□□**問3** 介護保険の第1号被保険者と第2号被保険者の保険料の割合は、介護給付費の比率に基づいて3年ごとに見直されている。

□□□**問4** 介護保険制度の運営主体である保険者は、市町村と東京都の特別区である。

□□□**問5** 介護保険の第2号被保険者は、要介護・要支援となった原因が若年性認知症もしくは末期がんである場合に限り、介護保険のサービスを受けることができる。

□□□**問6** 要介護認定の結果は「要介護1〜5」「要支援1・2」の計7段階と「非該当(自立)」のうちのいずれかで、原則として申請から30日以内に通知される。

□□□**問7** 居宅サービスを利用する場合のケアプランの作成は、利用者が自ら行うこともできる。

□□□**問8** 訪問介護とは、介護福祉士や訪問介護員が居宅を訪問し、入浴、排泄、食事等の介護や、その他の日常生活をおくるうえで必要なサービスを提供するものである。

正解 1× 2× 3× 4○ 5× 6○ 7○ 8○

1:介護保険制度では、従来の措置制度から**利用者本位**の制度への転換が図られた。

2:介護保険制度の財源は、被保険者が納める**保険料**が50%、税金などの**公費**が50%となっている。

3:第1号被保険者と第2号被保険者の保険料の割合は、**人口比**に基づいて3年ごとに見直されている。

5:第2号被保険者は、要介護・要支援となった原因が16種類の**特定疾病**である場合に限り、介護保険のサービスを受けることができる。

実力問題にチャレンジ！

次の記述の内容が適切なものは○を、不適切なものは×を選びなさい。

第1問 要介護認定の申請は、住まいのある市町村の窓口で行う。不正防止のために、申請は本人もしくは家族が行うことになっており、地域包括支援センター、居宅介護支援事業者等に代行してもらうことはできない。

第2問 介護保険制度の被保険者は、65歳以上の第1号被保険者と、20歳以上65歳未満の第2号被保険者に分かれている。第1号被保険者の保険料は、保険者である市町村が徴収する。第2号被保険者は、被保険者が加入している医療保険の保険者が医療保険料とともに徴収する。

第3問 要介護認定の一次判定では、調査員が認定調査票に基づいて、本人や家族から心身の状態など所定の項目の聞き取り調査を行う。認定調査票は、地域の実情に合わせて市町村ごとに様式が決められており、その内容をコンピューターに入力して判定を行う。

第4問 要介護認定において「要介護1～5」と認定された人は、「介護給付」のサービスを利用できる。「要支援1・2」と認定された人は、「予防給付」のサービスと、市町村が行う地域支援事業のサービスを利用できる。

第5問 基本チェックリストは、要支援・要介護となるおそれのある高齢者（65歳以上）を早期に把握する目的があるが、これにより非該当となった高齢者が利用できるサービスはない。

第1問 ×　要介護認定の申請は、本人や家族が申請することもできるが、**地域包括支援センター**、**居宅介護支援事業者**、介護保険施設などに代行してもらうこともできる。

第2問 ×　第2号被保険者は、40歳以上65歳未満の医療保険加入者である。

第3問 ×　認定調査票の様式は、**全国一律**である。

第4問 ○　「要介護1〜5」と認定された人は「**介護給付**」のサービスを、「要支援1・2」と認定された人は、「**予防給付**」のサービスと、市町村が行っている**地域支援事業**によるサービスを利用できる。また、「非該当（自立）」と判定された人も、地域支援事業の介護予防に関するサービスを利用できる。

第5問 ×　市町村が行う**地域支援事業**である**介護予防・日常生活支援総合事業**のうち、一般介護予防事業は、すべての高齢者が利用することができる。

介護保険制度の導入の背景などにも目を通しておきましょう。

Lesson 6　介護保険制度の改正の経緯と今後の課題

学習日
／

要介護高齢者の増加、認知症施策の推進など、さまざまな課題に対応するために、ほぼ3年ごとに介護保険制度の見直しが行われています。

1 介護保険制度の現在の状況　★★★

POINT
要介護・要支援の認定者、各サービス受給者は増え続けている。

　介護保険制度による**要介護**もしくは**要支援**の**認定者数**は、制度開始当初の**256.2万人**（2000年度）から増え続け、2.6倍の**668.6万人**（2019年度）になりました。認定者数のうち、要支援1・2と要介護1の合計が、2021年10月現在約半数を占めています（厚生労働省「介護保険事業状況報告月報（暫定版）令和3年10月分」による）。

　介護保険制度においては、**居宅サービス**と**地域密着型サービス**を利用する人が多く、介護保険によるすべてのサービスの利用者のうち、居宅サービスの受給者は2021年3月現在368万人と、開始時の約4倍となり、地域密着型サービスは88万人に増加しています。また、施設サービス利用者は約95万人となっています。

　高齢者の人口は今後も増加しますから、**居宅サービス**を中心とする介護保険のサービスの利用者数もさらに増えていくことが予想されます。

キーワードで **CHECK!**　認定者、受給者の増加　⇒

◆要介護・要支援認定者数の推移

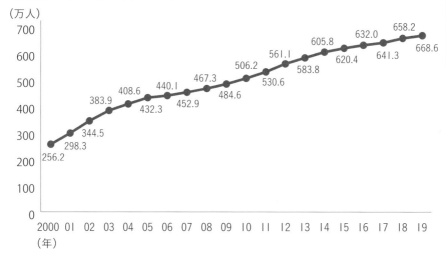

〈要介護・要支援認定者数の内訳〉

要支援1	要支援2	要介護1	要介護2	要介護3	要介護4	要介護5
93	94	135	116	88	82	60

単位：万人

（厚生労働省「令和元年度介護保険事業状況報告（年報）」による）

2 最近の介護保険制度改正の流れ

POINT
住み慣れた地域で最後まで安心して住み続けられるように、共生型サービスや介護医療院が創設された。

　介護保険制度は、制度がスタートしてからもたびたび見直しが行われ、何度かの改正を経て現在に至っています。最初の見直しは、制度の開始から5年後の2005（平成17）年に行われました（一部を除き翌年4月施行）。このときの制度改正では、**予防重視型システム**への転換が図られ、要支援者を対象とする**新予防給付**、市町村が実施する

CHECK

　できる限り要支援・要介護状態にならない、あるいは重度化しないよう予防を重視したシステムのことを予防重視型システムという。

要介護・要支援認定者数、介護保険で利用できる各サービスの**受給者数**は、制度開始より増加し続けており、今後もさらに増えることが予想される。

地域支援事業が創設されました。また、在宅支援の強化のために地域密着型サービスが創設され、地域の医療・保健・福祉・介護等のサービスを結ぶ機関として、地域包括支援センターが創設されました。

　その後も、おおよそ3年ごとに制度の改正が行われています。2011（平成23）年の制度改正（一部を除き翌年4月施行）では、「地域包括ケアシステム」という考え方が強く打ち出され、地域における医療と介護の連携強化、介護人材の確保とサービスの質の向上、認知症対策の推進、高齢者の住まいの整備等が図られました。

　地域包括ケアの推進に向けて、2012（平成24）年には、在宅サービスの充実と定期巡回・随時対応型訪問介護看護などの地域密着型サービスの強化や、介護職員等による喀痰吸引等が緩和されました。

　2015（平成27）年には、要介護認定において非該当となった人を含むすべての高齢者の総合的支援に向けて、市町村が主体となって展開する地域支援事業を多様化させ、全国で実施することになりました。

　2018（平成30）年の介護保険制度改正において、同一事業所で居宅介護サービスと障害福祉サービスを受けられる共生型サービスが創設されました。これにより、高齢者と障害者が同一の事業所でのサービスを受けやすくなりました。

　また、同じく2018（平成30）年に新たな介護保険施設として、看取り・ターミナルケアの機能に加えて、生活施設としての機能を兼ね備えた介護医療院が創設され、長期にわたる医療と介護の両方を必要とする人に対応することで自立支援・重度化防止が図られました。

　さらに、2021（令和3）年の介護報酬改定においては、感染症や災害への対応力強化を図るとともに、地域包括ケ

用　語

ターミナルケア
　病気で余命がわずかになった人に対して、延命のための治療ではなく、残された時間をできる限り有意義に過ごすことを目的として行われる医療的、介護的ケアをいう。

CHECK
　介護保険の対象者は、災害時には弱者となる可能性もあるので、地域での対応が重要となってくる。

キーワードで CHECK!　介護医療院　⇒

アシステムの推進（p.70〜71参照）、介護保険サービスの質の向上と持続可能性と安定性の確保を進めることが盛り込まれました。

　住み慣れた地域で安心して住み続けるためには、地域の特性に応じた施策などのさらなる改革が求められます。今後は、多様化・複雑化した地域住民のニーズに対応できる包括的な福祉サービスの提供体制整備を行うことが求められます。

介護保険制度は、自宅で生活する要介護高齢者にとってなくてはならないものになっています。

3 介護保険制度の今後の課題 ★★★

POINT

要介護高齢者の増加を抑えるための介護予防が重要な課題になっている。高齢者自身がサービスの担い手として活躍することも期待されている。

　わが国の65歳以上の高齢者数は、2042（令和24）年に3,935万人となり、ピークを迎える見込となっています（内閣府「令和3年版高齢社会白書」）。介護保険制度の開始以来、要介護・要支援の認定を受ける高齢者の数は増え続け、要介護・要支援に認定されている人の割合は年齢が高くなるほど上昇し、75歳以上では**31.9%**、85歳以上では**59.4%**となっています（厚生労働省「令和元年度介護保険事業状況報告年報」）。

　一方、2025（令和7）年以降、**現役世代**の人口減少が

看取り・ターミナルケアの機能に加えて、長期にわたる**医療**と**介護**の両方を必要とする人に対応する施設として2018（平成30）年に創設された。

進むことが予測されており、制度の支え手である第2号被保険者と、制度の担い手である**サービス提供者**の両方が不足することが懸念されています。

　このような状況のなかで、高齢者自身が生活支援サービスの担い手として活躍し、結果的に**介護予防**につながることが期待されています。「2040年を展望した社会保障・働き方改革本部」資料においても、現役世代が大きく減少する2040（令和22）年を意識し、①多様な就労・社会参加、②健康寿命の延伸、③医療・福祉サービスの改革が、誰もが長く元気に活躍できる社会の実現のために必要であると指摘しています。

　また今後は、科学的介護情報システムなどの新しいシステムの活用等が期待されます。

 用 語

科学的介護情報システム
　要介護認定や、介護レセプト、VISIT（通所・訪問リハビリテーションのデータ）、CHASE（高齢者の状態やケアの内容等のデータ）を蓄積して構築されたシステムのこと。

4 地域包括ケアシステムの推進　★★

POINT
地域包括ケアシステムとは、要介護状態になっても高齢者のニーズや状態の変化に応じて必要なサービスが提供される体制を目指すものである。

　2005（平成17）年からの介護保険制度の見直しに伴い、**地域包括支援センター**が創設されました。地域包括支援センターは、高齢者の暮らしをサポートするための拠点として、市町村が設置し、保健師・社会福祉士・主任介護支援専門員の3職種のチームアプローチにより、住民の健康の保持と生活の安定のために必要な援助を行う施設です。

　2011（平成23）年の制度改正で強く打ち出された、「**地域包括ケアシステム**」という考え方により、地域における医療と介護の連携強化、介護人材の確保とサービスの質の向上、認知症対策の推進、高齢者の住まいの整備等が図ら

キーワードで CHECK! 　地域包括ケアシステム　⇒

◆地域包括ケアシステムのイメージ

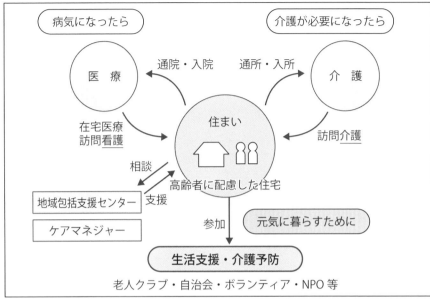

中学校区程度の日常生活圏域

れてきました。

　地域包括ケアシステムとは、高齢者が**住み慣れた地域**で安心して暮らし続けられるように、包括的な支援とサービスの提供を行う体制を意味します。そのためには、医療・介護・予防・住まい・生活支援等を切れ目なく提供することが必要です。おおむね30分以内に必要なサービスが提供される日常生活圏域が、地域包括ケアシステムの単位として想定されています。

　今後、地域包括ケアシステムの推進に向けて、①**認知症**への対応力強化、②**看取り**への対応、③医療と介護の連携（介護医療院への移行推進）、④**在宅サービス**の強化、⑤ケアマネジメントの質の向上、⑥地域の特性に応じたサービスの充実などが進められていきます。

高齢者が住み慣れた地域で安心して暮らし続けられるように、**中学校区**程度の範囲を単位として、必要なサービスが切れ目なく提供される体制をいう。

5 利用者負担の見直し ★★★

POINT
第1号被保険者が介護保険のサービスを利用した場合の自己負担割合が見直され、現在は、所得に応じて、1割、2割、3割の3段階になっている。

介護保険制度のサービスを利用した場合の利用者の自己負担割合は、当初は一律1割とされていましたが、要介護高齢者が増加するなかで制度の持続可能性を確保することなどを目的として、利用者負担の見直しが段階的に進められてきました。

現在は、原則として1割が自己負担となりますが、一定以上の所得がある第1号被保険者の自己負担割合は2割、現役並みの高い所得がある第1号被保険者の自己負担割合は3割となっています。なお、65歳未満の第2号被保険者が（特定疾病により）介護保険のサービスを利用した際の自己負担割合は、1割のまま変わっていません。

ゴロ合わせ

介護保険制度

かいだん　　**ごろごろ**　　**ほっとけん**
（介　　　　　　護　　　　　　保　　　　険）

にこっとまるまるで OK になるよ
（20　　　00　　年）

老後が　　　**1番いいね**
（65歳以上）　（第1号）

介護保険制度が 2000（平成12）年にスタート。65歳以上の人は第1号被保険者となる。
　　　　　　　　　　　　　　　　　　　　詳しくは ▶ p.54

一問一答で確認しよう！

□□□**問1** 2005（平成17）年の介護保険制度改正（翌年施行）では、予防重視型システムへの転換が図られ、新予防給付が創設された。

□□□**問2** 地域包括ケアシステムとは、医療、介護をはじめとする必要なサービスがおおむね1時間以内に提供される体制をいう。

□□□**問3** 地域包括支援センターは、国が設置する機関である。

□□□**問4** 介護予防・日常生活支援総合事業は、要介護認定を受けていなくても、基本チェックリストによる判定のみで利用することができる。

□□□**問5** 介護医療院は、日常的な医学管理が必要な重度の要介護者のターミナルケアのみを行う施設である。

□□□**問6** 介護保険制度においては、居宅サービスと地域密着型サービスを利用する人が多い。

□□□**問7** 現在、介護保険のサービスの利用者負担は、第1号被保険者については、所得に応じて1割、2割の2段階となっている。

□□□**問8** 介護保険のサービスの利用者負担は、第2号被保険者については、所得に応じて1割、2割の2段階となっている。

正解 1○ 2× 3× 4○ 5× 6○ 7× 8×

2：地域包括ケアシステムとは、必要なサービスがおおむね**30分**以内に提供される体制をいう。具体的な区域としては、**中学校区程度**の範囲が想定されている。

3：地域包括支援センターの設置主体は、**市町村**である。

5：介護医療院は、看取り・ターミナルケアに加えて**生活施設**としての機能も兼ね備えている。

7：利用者負担は、第1号被保険者については、所得に応じて**1割、2割、3割**の**3段階**となっている。

8：第2号被保険者が介護保険のサービスを利用した際の自己負担割合は、一律**1割**である。

実力問題にチャレンジ！

次の記述の内容が適切なものは○を、不適切なものは×を選びなさい。

第1問 地域包括ケアシステムとは、市町村が必要なサービスを判断し提供するしくみをいう。福祉サービスの利用の可否や、サービスの開始・停止、提供するサービスの種類、サービスを提供する機関などを、市町村が行政の権限において決定する。

第2問 地域包括ケアシステムの構築には、医療・介護・予防・住まい・生活支援等を切れ目なく提供することが必要である。おおむね30分以内に必要なサービスが提供される日常生活圏域として、具体的には「市町村」が、地域包括ケアシステムの単位として想定されている。

第3問 地域包括ケアシステムの中核機関とされる地域包括支援センターは、都道府県が設置主体となり、保健師・社会福祉士・主任介護支援専門員等の3職種のチームアプローチにより、住民の健康の保持、生活の安定のために必要な援助を行い、保健医療の向上と福祉増進を包括的に支援する施設である。

第4問 地域包括支援センターは、地域包括ケアシステムにおける中核機関として、さまざまな支援を通じて地域に制度横断的な連携ネットワークを構築し、利用者をたらい回しすることなくワンストップで行政機関、保健所、医療機関など必要なサービスにつなぐ役目を果たすことが期待されている。

第5問 地域包括ケアシステムのさらなる推進を目的として、認知症への対応力強化、看取りへの対応強化などが進められている。

第1問　×　地域包括ケアシステムとは、高齢者が住み慣れた地域で安心して自分らしい暮らしを続けられるように、包括的な支援とサービスの提供を行う体制をいう。選択肢の文は「**措置制度**」の説明になっている。

第2問　×　具体的には、**中学校区程度**の範囲が、地域包括ケアシステムの単位として想定されている。

第3問　×　地域包括支援センターの設置主体となるのは**市町村**である。

第4問　○　地域包括支援センターは、地域包括ケアシステムの中核機関として位置づけられ、地域に**制度横断的な連携ネットワーク**を構築し、利用者をたらい回しすることなく、ワンストップで行政機関、保健所、医療機関など必要なサービスにつなぐ役割を担っている。

第5問　○　その他、**医療と介護の連携**、在宅サービスの強化、ケアマネジメントの質の向上なども進められている。

高齢者の困りごとの相談は地域包括支援センターにするといいですね。

Lesson

7 障害者総合支援法と障害者福祉

学習日
／

障害者の暮らしを支えるためのさまざまなサービスに関する制度は、障害者総合支援法により規定されています。

1 障害者総合支援法の導入と経緯 ★★

POINT
障害者福祉においても措置制度から契約制度への転換が図られ、支援の対象となる障害者の範囲も拡大された。

　障害者福祉においても、かつては、行政が必要と判断したサービスを提供する**措置制度**がとられていましたが、利用者が主体的にサービスを選択し、**契約**に基づいて福祉サービスを利用する制度への転換が図られました。また、以前は障害種別に縦割りで提供されていたサービスが、民間経営を主体としたサービスへと自由化されました。

　このような障害者福祉施策の転換は、2003（平成15）年に施行された**支援費制度**に始まりました。支援費制度とは、障害者がサービスを選択し、計画に基づき利用する制度のことです。さらに、2006（平成18）年に施行された**障害者自立支援法**に移行し、2013（平成25）年に施行された**障害者総合支援法**に引き継がれました。障害者総合支援法は、障害者基本法の理念にのっとっています。

　障害者総合支援法では、支援の対象を限定せず身体障害、知的障害、精神障害、発達障害等、さらに一定の**難病**により障害が生じている人を含むすべての障害者、障害児を対象としました。

プラスα

　障害者総合支援法による支援の対象とされる難病等は、施行当初の130疾病から、151疾病、332疾病に段階的に拡大され、2018（平成30）年4月から359疾病に、2021（令和3）年11月からは366疾病になっている。

キーワードで
CHECK! 　介護給付／障害支援区分　⇒

2 障害者福祉の制度の概要 ★★★

POINT

介護給付のサービスを利用するには、市町村による障害支援区分の認定を受ける必要がある。

障害者総合支援法に基づく障害者支援のためのサービスには、「**自立支援給付**」と「**地域生活支援事業**」があります。自立支援給付には、障害福祉サービス、相談支援、自立支援医療、補装具が含まれます。

また、地域生活支援事業は、地域の特性や利用者の状況に応じて**市町村**等が柔軟に実施できるサービスです。なお、障害児相談支援、障害児通所支援、障害児入所支援など、障害児のみを対象としているサービスは、児童福祉法に基づいています。

介護給付と訓練等給付からなる障害福祉サービス（介護給付）の利用を希望する場合は、利用を希望する本人か家族が**市町村**の窓口に申請し、**障害支援区分**の認定を受けることが必要です。障害支援区分の認定手続は、調査・判定・認定の3つの段階からなります。

まず、調査は、申請を受けた市町村の認定調査員が自宅等を訪問し、心身の状況に関する全国共通の80項目の基本調査と本人や家族の状況、サービス利用等の概況調査を行います。

判定は一次判定と二次判定の**2段階**で行われます。一次判定は、基本調査に基づくコンピューターでの判定、二次判定は、主に一次判定の結果と医師の意見書をもとに市町村の審査会で行われます。

認定は、二次判定の結果に基づき、「**区分1〜6**」の6段階および「非該当」で示され、市町村が通知します。必要とされる支援の度合いが最も高いとされるのが「区分6」

CHECK

障害者総合支援法に基づく給付は、自己負担を除く部分の財源はすべて税により賄われる社会扶助方式で運営されている。

障害者総合支援法による介護給付のサービスを受けるには、**市町村**の窓口に申請し、**障害支援区分**の認定を受ける必要がある。

です。

　次に、課題分析（アセスメント）をもとに指定特定相談支援事業者がサービス等利用計画案を作成します。

　障害支援区分の結果に加えて、**サービス等利用計画案**の検討を経て、市町村による支給決定が行われます。

　支給決定後は、**指定特定相談支援事業者**が、実際に利用するサービスの種類や内容、担当者等の詳細な情報を記した**サービス等利用計画**を作成し、この計画に基づいてサービスの利用が開始されます。指定特定相談支援事業者は、サービス担当者会議の運営を含めたケアマネジメントを行い、サービス開始後もモニタリングやプラン修正を行うなど、最適なサービス提供のための調整を図ります。利用したサービスに要する費用の一部は、利用者負担となりますが、所得に応じた「応能負担」が原則です。

サービスの利用申請から支給決定、利用開始までの流れは、介護保険制度の要介護認定やケアプランの作成に似ていますね。

CHECK

　訓練等給付については、利用申請から支給決定に至るプロセスが異なる。

ゴロ合わせ

自立支援給付

放送だ。　**海**　　　**軍**
（補装具）　（介護給付）　（訓練等給付）

自立し、**円いる**　**そうだ**
（自立支援医療）　　　（相談支援）

障害者総合支援法における自立支援給付は、補装具、介護給付、訓練等給付、自立支援医療、相談支援からなる。

詳しくは▶ p.79

キーワードで CHECK!　指定特定相談支援事業者　⇒

◆障害者総合支援法に基づくサービス

自立支援給付	障害福祉サービス	介護給付	訪問系	居宅介護（ホームヘルプ）
				重度訪問介護
				同行援護
				行動援護
				重度障害者等包括支援
			日中活動系	短期入所（ショートステイ）
				療養介護
				生活介護
			施設系	施設入所支援
		訓練等給付	居住支援系	自立生活援助 ※1
				共同生活援助（グループホーム）
			訓練系 就労系	自立訓練（機能訓練・生活訓練）
				就労移行支援
				就労継続支援（A型：雇用型・B型：非雇用型）
				就労定着支援 ※1
		相談支援／基本相談支援、計画相談支援、地域相談支援		
		自立支援医療		
		補装具		
地域生活支援事業	市町村事業	必須事業		理解促進研修・啓発、自発的活動支援、相談支援、成年後見制度利用支援、意思疎通支援、日常生活用具給付、移動支援、地域活動支援センター機能強化等

※1 2018（平成30）年4月から実施。

◆児童福祉法に基づくサービス

障害児相談支援
障害児通所支援／児童発達支援、医療型児童発達支援、放課後等デイサービス、居宅訪問型児童発達支援、保育所等訪問支援
障害児入所支援

◆サービスにおける国の費用負担

自立支援給付	国負担 1/2
地域生活支援事業	国補助 1/2以内
児童福祉法に基づくサービス	国負担 1/2

市町村によって指定されている**「特定相談支援事業所」**のことで、基本相談支援と計画相談支援の両方を行う。

POINT
障害者総数は増加傾向にあり、障害福祉サービスの需要の伸びに応ずるために制度の改正が行われている。

2016（平成28）年に障害者総合支援法が改正され、地域生活に移行する障害者の増加等に対応して訓練等給付に「**自立生活援助**」「**就労定着支援**」が創設されました。また、2018（平成30）年には**共生型サービス**が創設され、高齢障害者も介護保険サービスを利用しやすくなりました。

2020（令和2）年現在、障害者の総数は964.7万人で、総人口の約7.6%にあたります。このうち身体障害者（児）は436.0万人、知的障害者（児）は109.4万人、精神障害者は419.3万人です（内閣府「令和元年版障害者白書」）。

近年は障害者の**高齢化**（48%が65歳以上）や、医療的ケアを常時必要とする障害者（児）の増加がみられます。また、精神障害者（児）の新規利用者の増加率が7%台と高い傾向にあります。

2021（令和3）年には、第6期障害者福祉計画・第2期障害児福祉計画策定に向けた基本指針が打ち出されましたが、その中には、**精神障害**にも対応した地域包括ケアシステムの推進が含まれています。そのほか、福祉施設の入所者の地域生活への移行・一般就労への移行、基幹相談支援センターの設置による相談支援体制の充実・強化などが掲げられています。

今後の課題としては、感染症や災害への対応、持続性と安定性確立のためのICTの活用、介護職員の処遇改善などが指摘されています。

キーワードで CHECK! ノーマライゼーション／障害者基本法　⇒

4 ノーマライゼーションの理念とその影響 ★★

POINT

　ノーマライゼーションの理念は、世界各国の障害者福祉に大きな影響を与えた。

　ノーマライゼーションとは、障害者や高齢者が、他の一般の人々とともに社会の中で普通に生活できるようにしなければならないという考え方です。このような考え方を最初に提唱したのは、デンマークの社会省で障害者問題に取り組んでいたバンク＝ミケルセン（N. E. Bank-Mikkelsen）でした。

　ノーマライゼーションの理念は、1959年にデンマークで制定された法律に盛り込まれたことをきっかけに、1960年代以降、欧米諸国にも広まっていき、1971年に国際連合で採択された「知的障害者の権利宣言」、1975年の「障害者の権利宣言」にも影響を与えました。

　日本でも、1981年の**国際障害者年**をきっかけにノーマライゼーションの理念が認知されるようになり、障害者施策に関する基本理念を定めた「**障害者基本法**」にもその思想が取り入れられています。

プラスα

　障害者基本法は、従来の「心身障害者対策基本法」を改正・改題して、1993（平成5）年に制定・施行された。

> ノーマライゼーションの理念は、障害者は一般社会から隔離して施設等で保護すべきであるという考え方に異を唱えたものです。

北欧で生まれたノーマライゼーションの理念は、1981年の**国際障害者年**をきっかけに日本でも認知されるようになり、「障害者基本法」にもその思想が取り入れられた。

一問一答で確認しよう！

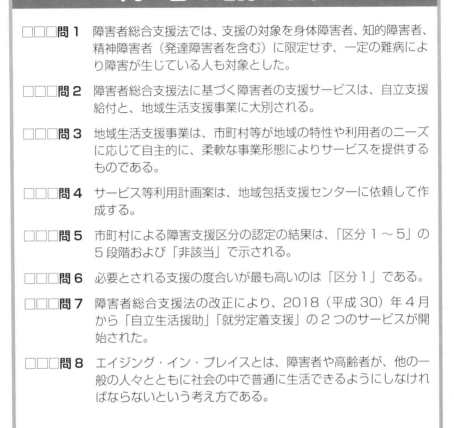

□□□**問 1** 障害者総合支援法では、支援の対象を身体障害者、知的障害者、精神障害者（発達障害者を含む）に限定せず、一定の難病により障害が生じている人も対象とした。

□□□**問 2** 障害者総合支援法に基づく障害者の支援サービスは、自立支援給付と、地域生活支援事業に大別される。

□□□**問 3** 地域生活支援事業は、市町村等が地域の特性や利用者のニーズに応じて自主的に、柔軟な事業形態によりサービスを提供するものである。

□□□**問 4** サービス等利用計画案は、地域包括支援センターに依頼して作成する。

□□□**問 5** 市町村による障害支援区分の認定の結果は、「区分 1 ～ 5」の5 段階および「非該当」で示される。

□□□**問 6** 必要とされる支援の度合いが最も高いのは「区分1」である。

□□□**問 7** 障害者総合支援法の改正により、2018（平成 30）年 4 月から「自立生活援助」「就労定着支援」の 2 つのサービスが開始された。

□□□**問 8** エイジング・イン・プレイスとは、障害者や高齢者が、他の一般の人々とともに社会の中で普通に生活できるようにしなければならないという考え方である。

正解 1○ 2○ 3○ 4× 5× 6× 7○ 8×

4：サービス等利用計画案は、障害者総合支援法に基づく**指定特定相談支援事業者**に依頼して作成する。

5：障害支援区分の認定の結果は、「**区分 1 ～ 6**」の 6 段階および「非該当」で示される。

6：「**区分 6**」である。

8：**ノーマライゼーション**とは、障害者や高齢者が、他の一般の人々とともに社会の中で普通に生活できるようにしなければならないという考え方である。

実力問題にチャレンジ！

次の記述の内容が適切なものは○を、不適切なものは×を選びなさい。

第1問 障害者総合支援法では、支援の対象を身体障害者、知的障害者、精神障害者に限定しているが、精神障害者には発達障害者を含むことを明記している。

第2問 障害者総合支援法に基づく障害者の支援サービスには、障害福祉サービスや相談支援などからなる「自立支援給付」と、地域の特性や利用者の状況に応じて市町村等が柔軟に実施できる「地域生活支援事業」がある。

第3問 障害児相談支援、障害児通所支援、障害児入所支援など、障害児のみを対象としているサービスにおいても、障害者総合支援法に基づいている。

第4問 介護サービスの利用を希望する場合は、市町村の窓口に申請し、障害支援区分の認定を受けることが必要である。認定結果は、「区分1～4」の4段階および「非該当」で示される。認定結果に加えて、障害者や介護者の状況等の検討を経て、市町村による支給決定が行われる。

第5問 障害福祉サービスを利用する際のサービス等利用計画は、指定特定相談支援事業者が作成し、サービス担当者会議の運営を含めたケアマネジメントを行う。

第1問 ×　障害者総合支援法では、「制度の谷間」を残さないために、支援の対象を身体障害者、知的障害者、精神障害者（発達障害者を含む）に限定せず、一定の**難病**により障害が生じている人も対象としている。

第2問 ○　**自立支援給付**には、障害福祉サービス（介護給付・訓練等給付）、相談支援、自立支援医療、補装具が含まれる。**地域生活支援事業**は、市町村等が地域の特性や利用者のニーズに応じて自主的に、柔軟な事業形態によりサービスを提供するものである。

第3問 ×　障害児のみを対象としているサービスは、児童福祉法に基づいている。

第4問 ×　障害支援区分の判定結果は、「**区分1〜6**」の6段階および「非該当」で示される。

第5問 ○　指定特定相談支援事業者は、サービス開始後も、**モニタリング**や**プラン修正**を行うなど、最適なサービス提供のための調整を図る。

障害支援区分の認定結果で、支援の度合いが最も高いとされるのは「区分6」です。

第2章

健康と自立をめざして

1節：高齢者の健康と自立

2節：障害者が生活の不自由を克服する道

Lesson 8 老化のとらえ方と高齢者の自立

学習日 ／

高齢者にとっての健康とは、自立した日常生活をおくれるということにほかなりません。

1 元気な高齢者の暮らしから学ぶ ★★

POINT

老化というと病気や障害などがイメージされることが多いが、実際は元気な高齢者のほうが多い。高齢になっても健康でいるための研究もさかんになっている。

　加齢にともない、足腰が弱くなる、記憶力が衰える、免疫力が低下するなどの生理的・心理的変化は、個人差は大きいものの、だれもが経験することです。成人期以降に起きるこのような心身の機能の低下を、一般に**老化**と呼んでいます。

　老化というと、年をとるにしたがって心身の状態がしだいに衰えていき、やがては寝たきりや認知症など、何らかの障害をもつようになるという悲観的なイメージでとらえられがちですが、実際には、元気で長生きし、**自立した生活**をおくっている高齢者が**大多数**を占めています。

　老年期にかかわる問題をさまざまな角度から研究する、老年学という学問があります。老年学においても、当初は、健康を害して病院などの施設で暮らす高齢者が主な研究対象になっていました。しかし、現在では、**元気な高齢者**を対象とする**研究**も進んでいます。どんな生活をすれば、高齢になっても健康でいられるのかが、さかんに研究されるようになったのです。

 用 語

老年学
　老化、加齢という現象にかかわる諸問題を、医学、生物学、心理学、社会学などの各分野におけるさまざまな観点から研究する学問。英語では "gerontology"。

 キーワードで CHECK! 動作性能力・言語性能力 ⇒

2 低下しない能力を生かす ★★★

POINT
心身の機能すべてが加齢とともに低下するのではなく、
比較的よい状態を保ち続けられる機能もある。

　最近の研究によると、心身の機能すべてが加齢とともに
直線的に低下するとは必ずしもいえず、元気な高齢者が
保っているさまざまな能力は、よい状態を保ち続けると考
えられています。**知力**も例外ではなく、健康な高齢者の知
力は、死の直前に急激に**知力**が低下すると考えられ、心理
学では、そのような傾向を「**終末低下**」と呼びます。また、
人口学では、年齢と生存率の関係に見られる同様の傾向を
「**直角型の老化**」と呼んでいます。この場合、平均寿命と健
康寿命の差は少ないといえます。

　心理学の分野では、人の知能を「**動作性能力**」と「**言語
性能力**」に大きく分けてとらえることがあります。動作性
能力とは、車を運転しているときに、状況に対応して機敏
にブレーキを踏めるか、パソコンのキーボードを1分間に
どれくらい叩けるか、というような、動作に現れる能力を
さします。単純な暗記力なども、動作性能力に含まれます。
一方、言語性能力とは、物事を判断したり、概念を操作し
たりする能力をいいます。

　元気な高齢者を対象としたある調査によると、動作性能
力は加齢とともに**下降**するものの、言語性能力は80歳代
になっても**下降**することなく、むしろ**上昇**していました。
また、動作性能力と言語性能力を総合した知能検査（WAIS
尺度得点）では、加齢による下降は見られませんでした。
人間の人格や能力は生涯発達し続けるという「生涯発達理
論」も登場しています。

 用　語

WAIS 尺度得点
　成人用に作成され
た知能検査。WAIS
は、Wechsler Adult
Intelligence Scale
の略で、「ウェクス
ラー成人知能検査」
とも訳される。

動作性能力は加齢とともに**下降**するが、言語性能力は**下降**することなく、むしろ**上
昇**する。

◆最近の研究に基づく老化のとらえ方

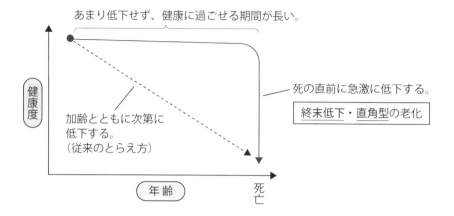

あまり低下せず、健康に過ごせる期間が長い。

健康度

死の直前に急激に低下する。

終末低下・直角型の老化

加齢とともに次第に
低下する。
（従来のとらえ方）

年齢　　　　死亡

3 高齢者の健康とは日常生活の自立 ★★★

POINT
高齢者の場合は、病気にかかっているかどうかよりも、
自立した日常生活をおくれるかどうかを健康の基準とし
てとらえるべきである。

　高齢者が最後まで満足のいく人生をおくることを、「**ウェル・ビーイング**（well-being）」と表現することがあります。ウェル・ビーイングを実現するためには、身体が健康であるだけでなく、精神的にも充実し、家庭や社会の中で自分の役割を果たしている実感が得られることなども大切です。言い換えると、①天寿を全うすること、②生活の質（QOL）が維持されること、③社会貢献ができることが重要です。

　とはいえ、QOLの維持も、社会貢献も、健康状態が良好であってこそ可能なことですから、やはり、健康であることがすべての源といえるでしょう。それでは、高齢者にとっての健康とは何でしょうか。

📖 **用 語**

QOL
　Quality of Life の略。人がどれだけ人間らしく、意義のある人生をおくることができているかを表す概念。あるいは、そのような充実した生活ができることを重視する考え方をいう。

キーワードで
CHECK! 　死亡率／罹病率／生活機能　⇒

世界保健機関（WHO）は、1984年に行った高齢者の健康に関する提言の中で、3つの健康指標として、①死亡率、②罹病率、③生活機能を挙げました。そして、その中でも、高齢者の健康にとって最も重要な指標は「生活機能」だとしています。

中年期では、がんや心臓病などの**生活習慣病**にかかるリスクが高くなるので、その予防や早期発見が、健康維持のための重要な課題になります。一方、高齢期には、中年期にかかった病気の後遺症をかかえている人や、生活に支障のない程度の何らかの持病がある人が少なくありません。しかし、病気をもっているからといって、必ずしも、その人たちが充実した人生をおくることができないわけではありません。

一病息災という言葉があるように、高齢期においては、生活に支障のない程度の持病をもっていたりするのはよくあることですから、それ自体は特に悪いこととはいえません。中年期と高齢期では健康に関する基準が異なり、高齢者の場合は、病気にかかっているかどうかよりも、自立した日常生活をおくれるかどうかを健康の基準としてとらえるべきなのです。

一般に、高齢者の自立の程度を判断するための基準としてよく用いられるのが、**日常生活動作**（ADL：Activities of Daily Living）です。朝起きてから夜寝るまでの日常生活の中で必要となる動作を一人でどれくらいできるかが、ADLの基準になります。

ADLには、食事、排泄、着脱衣、入浴、洗面など、自立して生活するために必要な、基本的な動作が含まれます。それよりも複雑な動作が要求される、バスや電車を利用しての外出、買い物、食事の用意、調理、掃除、洗濯、金銭の管理などは、**手段的日常生活動作**（IADL）と呼ばれて

用　語

一病息災
　一つくらい持病があったほうが健康に気をつかうようになるので、かえって長生きできるという意味で、「無病息災（病気一つせず元気であること）」をもじった表現。

CHECK

　ADL障害があると健康寿命は失われたという考え方が広まっているが、他人の力を借りたり道具を使ったりすることは自立と矛盾するものではない。言葉の概念がゆがめられていないか常に点検する必要がある。

WHOは、3つの健康指標として、①死亡率、②罹病率、③生活機能を挙げ、高齢者の健康にとって最も重要な指標は「**生活機能**」だとしている。

います。

　老年学者のロートンは、高齢者の生活機能のレベルを表す7段階のモデルを提唱しました。そのうち、「**身体的自立**」は、ADL が支障なくできるレベルです。ひとつ上のレベルは「**手段的自立**」、IADL が行えるレベルです。

　多くの高齢者が大家族の中で暮らしていた時代は、身体的自立ができていれば問題なく生活できたのですが、夫婦のみの世帯や単独世帯が多くなった現在では、自立して生活していくためには手段的自立が必要とされます。

◆ロートンによる高齢者の生活機能の7段階のモデル

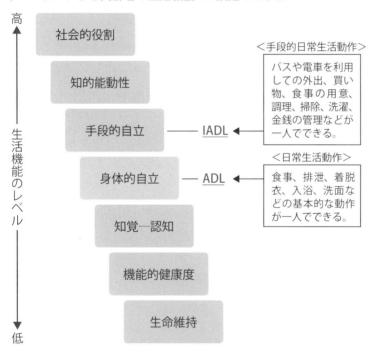

<手段的日常生活動作>
バスや電車を利用しての外出、買い物、食事の用意、調理、掃除、洗濯、金銭の管理などが一人でできる。

<日常生活動作>
食事、排泄、着脱衣、入浴、洗面などの基本的な動作が一人でできる。

高
生活機能のレベル
低

社会的役割
知的能動性
手段的自立 ── IADL
身体的自立 ── ADL
知覚─認知
機能的健康度
生命維持

キーワードで **CHECK!**　身体的自立／手段的自立　⇒

現代は、自立して生活するためには、生活機能が「手段的自立」以上のレベルであることが必要です。

4　自立した高齢者は全体の8割　★★

POINT

生活機能のレベルが「手段的自立」以上の元気な高齢者が、すべての高齢者の8割を占めている。

老年学の研究によると、前項で述べた「手段的自立」以上のレベル、すなわち、少なくとも一人で買い物や食事の用意などができるレベル以上の自立をしている高齢者は、すべての高齢者の8割を占めると考えられています。このような元気な高齢者に求められることは、有償労働であるか、ボランティア活動であるかにかかわらず、何らかの形で**社会貢献**ができることです。

高齢者が自分の能力を生かし、自分に適した仕事をすることは、QOLの向上につながるだけでなく、社会にとっても有意義なことです。また、社会貢献などの活動をしている高齢者は、寝たきりや認知症になりにくく、長生きできることもだんだんわかってきています。

一方、残りの2割の高齢者は、何らかの健康上の問題をかかえているということになります。5%は、障害をもち、介護を必要とする高齢者、残る15%は、手段的自立が不十分なために部分的なサポートを必要とする高齢者です。老年学では、前者に当てはまる人を障害（もしくは要介護）、後者に当てはまる人を**虚弱**（もしくは要支援）と呼んでいます。

プラスα

老年学でいう要支援、要介護は、介護保険制度における要支援、要介護認定者とは必ずしも一致しない。

身体的自立は、**ADL**が支障なくできるレベルである。現代は、自立して生活するには、生活機能が**手段**的自立以上のレベルであることが必要である。

虚弱に該当する人の状態を表す用語として、よく使われているものに**フレイル**があります。**フレイル**は加齢にともない心身の機能が低下し、ADL は**自立しているが**、IADL においては**サポートを必要**とする状態のことをいいます。身体的な弱さ、虚弱さを意味する英語の"frailty"に由来し、2014（平成 26）年に日本老年医学会が提唱した用語です。

◆高齢者の生活機能による分布のモデル

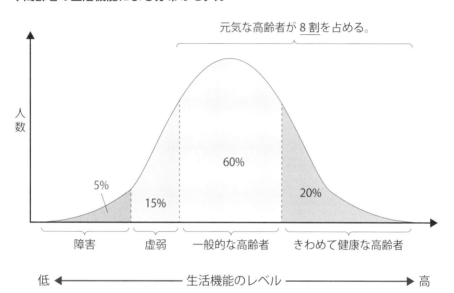

元気な高齢者が 8 割を占める。

人数

5%
15%
60%
20%

障害　　虚弱　　一般的な高齢者　　きわめて健康な高齢者

低 ◀━━━━━ 生活機能のレベル ━━━━━▶ 高

高齢者全体の人口が増えているので、「障害」や「虚弱」に分類される人も増えていますが、元気な高齢者はもっとたくさんいるんですね。

一問一答で確認しよう！

□□□**問1** 現在の老年学においては、元気な高齢者を対象とする研究も進んでいる。

□□□**問2** 元気な高齢者が保っているさまざまな能力は、かなりよい状態を保ち続けて、死の直前に急激に低下すると考えられている。心理学では、そのような傾向を「病的老化」と呼んでいる。

□□□**問3** 動作性能力は加齢とともに下降するが、言語性能力は高齢になっても下降することなく、むしろ上昇するという報告がある。

□□□**問4** 買い物や食事の用意が一人でできる高齢者は、すべての高齢者の8割を占めていると考えられている。

□□□**問5** 高齢者が最後まで満足のいく人生をおくることを、QOLという。

□□□**問6** 一般に、高齢者の自立の程度を判断するための基準としてよく用いられるのがWAIS尺度得点である。

□□□**問7** 高齢者が一人で自立して生活するためには、生活機能が「身体的自立」以上のレベルであることが必要である。

□□□**問8** 加齢にともない心身の機能が低下し、ADLは自立しているがIADLはサポートを必要とする状態をフレイルという。

正解 1○ 2× 3○ 4○ 5× 6× 7× 8○

2：問題文のような傾向を、心理学では「**終末低下**」と呼んでいる。
5：高齢者が最後まで満足のいく人生をおくることを、「**ウェル・ビーイング**」という。
6：一般に、高齢者の自立の程度を判断するための基準としてよく用いられるのはADLである。WAIS尺度得点は、成人を対象にした知能検査である。
7：高齢者が一人で自立して生活するためには、生活機能が「**手段的自立**」以上のレベルであることが必要である。

実力問題にチャレンジ！

次の記述の内容が適切なものは〇を、不適切なものは×を選びなさい。

第1問 最後まで満足のいく人生を送ることを「直角型の老化」という。直角型の老化を実現するには、（1）天寿を全うすること、（2）生活の質（QOL）が維持されること、（3）社会貢献ができること、の3つが必要とされる。

第2問 ICFは、1984年に行った高齢者の健康に関する提言の中で、3つの健康指標として、（1）死亡率、（2）罹病率、（3）生活機能を挙げ、その中でも、高齢者の健康にとって最も重要な指標は「罹病率」だとしている。

第3問 IADLとは、食事、排泄、着脱衣、入浴、洗面など、自立して生活するために必要な基本的な動作をいう。それよりも複雑な動作が要求される、バスや電車を利用しての外出、買い物、食事の用意、調理、掃除、洗濯、金銭の管理などは、ADLと呼ばれる。

第4問 心理学では、人の知能を「動作性能力」と「言語性能力」に大きく分けてとらえている。元気な高齢者を対象にした調査によると、「動作性能力」は加齢とともに下降したが、「言語性能力」は、80歳代になっても低下することはなく、むしろ上昇し、両者を総合した知能テストでは、加齢による下降は見られなかった。

第5問 ロートンが提唱した、高齢者の生活機能のレベルを表す7段階のモデルのうち、ADLが支障なくできるのは「身体的自立」である。

第1問 ×　選択肢の文中、「直角型の老化」は「**ウェル・ビーイング**」の誤りである。

第2問 ×　選択肢の文中、「ICF」は「**世界保健機関（WHO）**」の誤りである。また、WHOは、高齢者の健康にとって最も重要な指標は「**生活機能**」だとしている。

第3問 ×　選択肢の文は、ADLとIADLの説明が逆になっている。

第4問 ○　動作性能力と言語性能力を総合した知能検査（WAIS尺度得点）では、**加齢による下降は見られなかった**。

第5問 ○　食事や排泄などの基本的な動作ができるレベルである。現代は、自立して生活するためにはひとつ上の「**手段的自立**」レベル以上であることが必要である。

ゴロ合わせ

IADL

外出、買い物、ご飯の準備だ。掃除洗濯もしちゃうよ
（外出、買い物、食事の用意、掃除、洗濯）

愛があるねー
（I　　ADL）

外出、買い物、食事の用意、調理、掃除、洗濯などの基本的な動作より複雑なものを IADL（手段的日常生活動作）という。

ADLとIADL、違いを理解しておきましょう。

Lesson

9 健康増進のための取り組み

高齢者の自立を支えるのは健康です。健康を維持するには、食事の改善、運動のほか、地域の活動に積極的に参加することなども重要です。

1 食事の改善と栄養のとり方 ★★★

POINT

高齢者は、塩分を控えめにし、油っこい食事は避けたほうがよいなどの思い込みから低栄養に陥ることがある。

　高齢者の自立を支えるのは健康、そして、健康を維持するために欠かせないのが、充実した食生活です。身体を健康な状態に保つために必要な栄養が不足することを**低栄養**といいますが、高齢者は低栄養に陥りやすく、それは、余命を短くすることにもつながります。

　食事には、栄養をとること以外にもさまざまな意味があります。食事をするときにおいしいと感じることは、食欲を増進させるだけでなく、脳の**生理活性物質**を増加させ、幸福感を増し、**認知能力**も向上させます。また、食事には、コミュニケーションの場という役割もあります。

　高齢者の食生活において特に注意すべきことを、以下に挙げていきます。

①動物性たんぱく質を多めにとること

　高齢者は、一般に身体が小さく、活動量も少ないことなどから、若い人よりもエネルギーの必要量は低いものの、**ビタミン・ミネラル**や**たんぱく質**などは、若いときと変わらない量を必要とします。特に、肉、魚、牛乳、卵などに含まれる**動物性たんぱく質**は、米、めん類、パン、大豆な

CHECK

　高齢者が低栄養になる原因としては、口腔機能の低下による摂食・嚥下障害、歯の劣化、認知機能障害、うつ状態などが考えられる。

キーワードで CHECK! 　動物性たんぱく質／植物性たんぱく質　⇒

どに含まれる**植物性たんぱく質**よりやや多めにとることを心がけるようにします。

　1日に必要な動物性食品の摂取量は、少なくとも、肉、魚をそれぞれ60〜100g、卵1個、牛乳200cc程度をとることが目安となります。体格が大きい人や活動量の多い人は、さらに必要量が多くなります。

②緑黄色野菜と淡色野菜を組み合わせて摂取する

　野菜は、ブロッコリー、ニンジンなどの<u>緑黄色野菜</u>と、白菜などの淡色野菜を組み合わせて、1日350gを摂取するようにします。野菜には、ビタミン・ミネラルのほか、**食物線維**（食物繊維）も含まれています。食物線維は、人の消化酵素では分解されず、消化・吸収が困難ですが、腸内細菌の栄養源となるので、適度に摂取することにより整腸作用があります。高齢者は、胃に食べ物が入ったときに便意をもよおす「**胃・大腸反射**」が鈍くなるため**便秘**になりがちですが、やわらかく煮た野菜をよく噛んで食べると食物線維が効果的にとれ、便秘の解消に有効です。

③減塩のしすぎに注意する

　一般に、高齢者は若い人よりも食事量が少ないことが多いので、極端に**塩分**を制限する必要はありません。食欲を低下させるほど塩分を制限することは、むしろ好ましくないといえます。減塩が必要な場合は、香草やスパイスなどをうまく使って、食事を味気ないものにしないように工夫します。

CHECK

　牛乳には、骨を丈夫にするカルシウムも多く含まれている。

用 語

緑黄色野菜
　カロテンを多く含む色の濃い野菜で、ニンジン、トマト、ホウレンソウ、カボチャなどが含まれる。有色野菜ともいう。

2章

1節

9　健康増進のための取り組み

栄養のバランスももちろん大事ですが、食事をおいしく感じられるということもとても大切です。

肉、魚、牛乳、卵などに含まれる動物性たんぱく質は、米、めん類、パン、大豆などに含まれる植物性たんぱく質よりやや多めにとるように心がける。

④油脂の摂取量不足に注意する

　和食に代表される日本の伝統的な食習慣は、**油脂類**をあまり用いないものでした。高齢者には、そのような食事を好む人が現在もいますが、そのために油脂の摂取量が不足する傾向もあります。脂肪分のとり過ぎはもちろんよくないのですが、脂肪も身体に欠かせない栄養の一つですから、適度に摂取することが必要です。

⑤よく噛んで食べることの効用

　食べ物を**よく噛む**ことにより、消化がよくなり、身体に必要な**栄養素**が吸収しやすくなるほか、脳の血流が促進され、記憶力が後退しにくくなるともいわれています。よく噛むことにより**唾液**の分泌が多くなりますが、唾液は消化を助けるだけでなく、殺菌作用や口腔内の浄化作用もあり、歯周病の予防にもなります。また、唾液には老化防止に役立つホルモンも含まれています。高齢者に多い誤嚥性肺炎の予防にもなります。

⑥交流の場としての食事

　食事は一人で食べるよりも**だれかと一緒**に食べるほうが楽しく、おいしく食べられます。一人暮らしの高齢者でも、地域の催しに参加したり、料理教室に通ったりして、交流の機会を増やすことができます。

⑦食欲がないときはおかずを先に

　食欲がなく、食事を全部食べきれないときは、おかずを先に食べて、ごはんを残すようにします。

年をとったら油っこい食事や生ものを避けたほうがよいという思い込みから低栄養に至るリスクもある。

📖 **用　語**

誤嚥性肺炎
　食物の残渣などとともに、口腔内の細菌が誤って気管や気管支に入ってしまい、細菌が肺に吸引されることにより発症する肺炎。

食に対する教育（食育）も高齢者の健康維持には重要です。

キーワードで CHECK!　**唾液の分泌／誤嚥性肺炎**　⇒

98

・動物性たんぱく質を多めにとる。

・緑黄色野菜と淡色野菜を組み合わせる。

・減塩のしすぎや油脂の不足に注意。

・よく噛んで食べる。

・共食の機会を増やす。

2 高齢者の運動の目的と方法 ★★★

POINT

高齢者にとって、適度な運動をすることは、生活機能を維持するために重要です。運動する際は、身体の状態や気温などに気を配り、水分補給も忘れないようにします。

高齢者にとって、運動やスポーツをすることの第一の目的は、**生活機能**を維持し、向上させることにあります。適度な運動をすることは、筋肉、骨、関節などの機能低下を予防し、バランス感覚を鍛えるだけでなく、認知症やうつの予防にもつながります。

身体は、動かさないでいると機能が低下します。それを防ぐためには、有酸素運動（ウオーキング、ダンス、水泳など）に加えて、適度な筋力トレーニングなども取り入れることが推奨されます。

適度な運動をすることで、筋肉が鍛えられ、足腰が丈夫になり、肺活量が維持され、肥満の防止、血圧の安定、動脈硬化の防止などの効果もあるといわれています。

高齢者が運動・スポーツを行う場合に重視すべきことや注意点を、以下に挙げていきます。

①まずは歩く能力を維持すること

日常生活で最も必要とされる基本的な動作は、歩くこと

 用語

有酸素運動

酸素を消費し、糖質や脂肪を燃焼させてエネルギーを得ながら行う、比較的負荷の低い、軽い運動をいう。これに対し、酸素を使わずに筋肉にあるグリコーゲンやATPという物質を直接エネルギーに変えて行う運動を無酸素運動という。無酸素運動はより大きなエネルギーを発生させるが、長く持続しない。

食べ物を**よく噛む**ことにより、唾液の分泌が多くなる。唾液は消化を助け、殺菌作用や口腔内の浄化作用もあり、歯周病や、高齢者に多い誤嚥性肺炎の予防にもなる。

です。したがって、自立した暮らしをするためには、歩行
能力を維持することが大変重要です。自立して暮らす高齢
者が、歩行能力を維持するために必要な歩行数は、最低で
も1日5,000歩程度といわれています。この歩行数に達
するには、戸外を散歩したり、地域の活動に参加したりし
て、行動半径を広げることが必要になります。

プラス α

　歩幅を60cmとし
て計算すると、5,000
歩は3kmに相当す
る。

　ウオーキングは、いつでも、どこでも、だれでもできる
運動で、心肺機能を高め、基礎体力を向上させる効果があ
ります。

②急激な運動を避ける

　高齢者は、静止した状態からいきなり運動を始めると、
身体の機能が急激な変化に対応しきれないことがありま
す。若いとき以上に十分な準備運動を行うことが重要です。

③極端に寒い日、暑い日の運動は避ける

　高齢者は、**体温の調節力**が低下していることが多いので、
極端に寒い日、暑い日の運動は避けるようにします。

④食後2時間以内の運動は避ける

　食後は、胃腸や肝臓の血流量が増加します。このときに
運動を行うと、消化・吸収によくないので、食後2時間は
運動を避けるようにします。

⑤休養を十分にとる

　高齢者は疲労がとれにくくなっているので、運動の前後
や途中に十分な休養をとるようにします。また、定期検診
等で異常がなくても、自分の健康状態を過信せず、日頃か
らわずかな体調の変化に気を配ることが大切です。

スポーツの経験や、身体を使う
仕事の経験、持病や病歴などに
より、体力や運動能力には個人差
がありますから、運動はマイペー
スで行うことが大事です。

キーワードで
CHECK!　1日5,000歩　⇒

100

⑥身体の異常を感じたらすぐに運動をやめる

運動中に大量に汗をかいたり、**動悸**が激しくなったりした場合は、直ちに運動を休むか中止します。

⑦水分の補給を欠かさないこと

高齢者は、汗をかくと**脱水**を起こしやすいので、運動中も水分の補給を忘れないようにします。こまめに水分補給することを常に心がけることが重要です。

⑧持病がある人は医師に相談

高血圧、**糖尿病**などの持病がある人は、運動の仕方についても医師の指導を受けることが必要です。

⑨転倒予防には足腰を鍛える体操が有効

高齢者は、**筋力**の低下や平衡感覚の機能低下により転倒しやすくなります。転んで大腿骨などを骨折すると、回復するまでに足腰が弱くなり、そのまま寝たきりになってしまうこともあります。そのため、転倒を恐れるあまり外出を控えようとする人もいますが、それではかえって筋力の低下を招いてしまいます。転倒のリスクは、実は外出時より**在宅時**に多いことにも注意すべきです。

転倒を防止するには、住宅をバリアフリー化することももちろん重要ですが、日頃からよく**運動**するように心がけることも重要です。転倒予防には、下半身を動かす体操やスクワットなどで足腰の筋肉を鍛えることが有効です。毎日歩く習慣をつけることも転倒の予防につながります。

プラスα

高齢者は病気に対する抵抗力が低下しているので、インフルエンザにかかると肺炎などを併発しやすく、そのまま死亡してしまうこともある。症状が軽いからといって軽視することは禁物である。

◆年をとると変わるからだの機能

予備力が低下する	いざというときに発揮されるのが予備力。**頑張り**が利かなくなる
防衛力が低下する	病気に対する**抵抗力**が低下する
適応力が低下する	暑さ、寒さに対する**体温の調節力**が低下してくる。新しい場所への適応力が劣る
回復力が低下する	**疲れ**がとれにくくなり、病気やケガからの回復などが遅くなる

自立して暮らす高齢者が、**歩行能力を維持**するために必要な歩行数は、最低でも1日5,000歩程度といわれている。屋内で生活しているだけでは、この歩行数に達することは難しい。

POINT

生活機能のレベルが異なるさまざまな高齢者が、それぞれの状況に応じてより高いレベルの健康状態を目指すために、ヘルスプロモーションの考え方が重要となる。

ヘルスプロモーションとは、WHO が 1986（昭和 61）年の**オタワ憲章**で提唱した概念で、「人々がみずからの健康をコントロールし、改善することができるようにするプロセス」と定義されています。言い換えると、自ら何らかの力を獲得することによって、健康状態を少しでもよくしようとするプロセスといえます。

要介護状態等となるおそれの高い高齢者に対する二次予防として考えることもできます。介護予防における二次予防は、生活機能の低下の早期**発見**・早期**対応**を目的としています。

障害をもつ高齢者は虚弱高齢者のレベルを、虚弱高齢者は自立高齢者のレベルを、自立高齢者はさらに自立度の高いレベルを目標に、それぞれの状況に応じてより高いレベルの健康状態を目指すことが可能で、そのために欠かせないのがヘルスプロモーションという考え方です。

ヘルスプロモーションの実践のためのポイントとしては、①**食生活と栄養**、②**生涯体育**、③**生涯学習**、④**口腔機能の改善**、⑤**生活環境**の 5 つが挙げられます。

①食生活と栄養

自立高齢者の場合は、自分自身で食生活の管理を行っていることが多いので、食と栄養に関する知識や、食材の保存や調理のスキルが求められます。高齢者が特に注意しなければならないのは**低栄養**です。低栄養の予防には、3 食のバランスをよくし、**動物性**たんぱく質を十分にとること、

CHECK

介護予防における段階的区分の一次予防は生活機能の維持、三次予防は要介護状態等の改善を目的としている。

プラスα

義歯を使用している人は、噛む力を維持するために定期的に検査を受けることが必要です。

キーワードで CHECK! 赤筋・白筋 ⇒

魚と肉は1対1の割合で摂取し、肉はさまざまな種類の
ものを食べること、**油脂類**を十分摂取すること、**牛乳**を毎
日飲むこと、緑黄色野菜、根菜など多くの種類の野菜を食
べることなどが重要です。

　一方、手段的自立の能力が十分でない高齢者の場合は、
買い物のサポート、在宅給食サービス等の支援が必要にな
ることがあります。対象者のニーズをよく見きわめて、適
切な支援を行うことが大切です。

②生涯体育

　自立高齢者を対象とした生涯体育のプログラムにはさま
ざまなものがあります。最近は、生活機能の自立のみを目
標とするのではなく、**社会貢献**の能力も視野に入れたプロ
グラムが求められるようになっています。そのためには、
生活機能の維持のために主に必要な**赤筋**（遅筋線維）だけ
でなく、加齢により衰えやすい**白筋**（速筋線維）も鍛える
プログラムが必要です。持久力にすぐれた赤筋は、主に**ウ
オーキング**、**水泳**などの有酸素運動で鍛えられるのに対し、
スピードやパワーなど、瞬発力を発揮する白筋は、**ダンベ
ル**を持ち上げるなどの無酸素運動で鍛えられます。

　自立高齢者に対する生涯体育は、**グループ活動**のような
形のものが適しています。一方、要介護状態等となるおそ
れの高い高齢者の場合は、その人によって抱えている問題
が異なるので、ある程度**個別に対応**することが必要になり
ます。その場合、たとえば、通所によりマシンを使ったエ
クササイズを教えたとしても、自宅に戻ったら何をしてよ
いかわからないのでは、運動の目的が果たせません。自治
体による取り組みにも、そのような対応に終わっているも
のがあることは否めません。

プラスα

　赤筋は、遅い速度
で収縮し、小さい力
を長時間持続できる。
筋肉に酸素を貯蔵す
るミオグロビンという
物質を多く含むので
赤く見える。白筋は、
速い速度で収縮し、
瞬間的に大きな力を
発揮する。ミオグロビ
ンの含有量が少ない
ので白く見える。

持久力にすぐれた赤筋は、ウオーキング、水泳などの**有酸素運動**で、瞬発力を発揮
する白筋は、ダンベルを持ち上げるなどの**無酸素運動**で鍛えられる。

③生涯学習

　生涯学習は、生きがいづくり、**認知症予防**などの観点から重視されています。社会貢献などの地域の活動に参加することも大いに意義があります。

　しかし、要介護となるおそれの高い高齢者の場合は、生涯学習は必須のものではなく、生涯学習を取り入れる場合も、自立高齢者と同じプログラムでよいとは限りません。**対象者のニーズ**に応じたプログラムを用意することが必要です。

④口腔機能の改善

　口腔機能を改善することにより、咀嚼力が高まり、栄養状態もよくなり**体力が向上**します。また、容貌も若々しくなり、滑舌もよくなる、歌唱力やコミュニケーション能力も高まるなどの効果があります。

⑤生活環境

　環境面の課題としては、特に都市部では、健康増進のための取り組みを行う場が不足していることが挙げられます。また、だれでも自由に社会参加できるようにするためには、**バリアフリー化**や、**ユニバーサルデザイン**の考え方にのっとった環境の整備も必要です。

　生活環境には、まちづくり、乗り物、住宅、生活用具、福祉用具といった**物的**な環境のほかに、人的、社会的な環境も含まれます。

CHECK

　ユニバーサルデザインについては、次章でくわしく取り上げる。

生活環境の整備では、介護保険制度に代表されるフォーマルなサービスだけでなく、家族や地域の人々によるインフォーマルなサポートも重要になります。

キーワードで
CHECK! アルツハイマー型認知症　⇒

4　認知症の予防　★★★

POINT

認知症の予防法はまだ十分に確立されていないが、老化を遅らせることが予防につながると考えられている。

　いったん獲得した知的・精神的能力が何らかの原因によって失われ、その過程が進行していく状態を**認知障害**といい、その結果として、日常生活に支障をきたしている状態を**認知症**といいます。認知症の原因はさまざまですが、代表的なものとして、**アルツハイマー型**認知症、**脳血管性**認知症が挙げられます。

　アルツハイマー型認知症は、**脳細胞**の老化による脳の萎縮により生じる認知症です。欧米にはこのタイプの認知症が非常に多く、日本でも現在は最も多くなっています。アルツハイマー型認知症は、原因が十分に解明されておらず、予防法も確立されていません。

　脳血管性認知症は、脳血管の動脈硬化や脳血管疾患により生じる認知症です。原因がはっきりしているので、予防法もかなり確立されているといえます。**高血圧**の予防・治療、**栄養状態**の改善など、脳血管疾患の予防法が、そのまま脳血管性認知症の予防法となります。

　認知症は高齢者に多く生じることから、加齢が原因の一つになっていると考えられます。したがって、老化を遅らせることが認知症予防にもつながるといえるでしょう。そのために重要なのは、**食事**、**身体活動**、**知的活動**の3つです。

　食事については、特定の食品や栄養素が老化を遅らせるというエビデンスはまだ示されていませんが、バランスのよい食事を心がけることが基本となります。

　脳の血流を促すような頭の使い方が、認知症予防に効果があるという説がありますが、まだはっきりと確認されて

プラスα

　最近は、レビー小体型認知症も、脳血管性認知症と同程度に多く報告されている。

用　語

エビデンス

　医学において、ある治療法を選択することの裏づけとなる科学的根拠をいう。

認知症で最も多いアルツハイマー型認知症は、**脳細胞**の老化による脳の萎縮により生じる。原因が十分に解明されておらず、予防法も確立されていない。

いません。じっと座って本を読んだり、計算をしたりというような方法では、予防には至らないようです。

　身体活動と社会貢献活動は、認知症予防に効果があるというエビデンスが比較的よく示されています。頭だけを使うのではなく、心身をバランスよく、柔軟に使う活動が老化を防止し、認知症の予防にもつながるようです。

　また、最近はうつ病のために認知症と同じような症状が現れる**うつ病性仮性認知症**が注目されています。うつ病性仮性認知症は、本来の認知症とは治療法が異なるので注意が必要です。

認知症と診断された人が、実はうつ病だったというケースもあります。

覚えよう！　｜　**認知症の種類と予防法**

・アルツハイマー型認知症　→　原因が十分に解明されておらず、予防法も確立されていない。

・脳血管性認知症　→　脳血管の動脈硬化や脳血管疾患が原因なので、その予防が脳血管性認知症の予防になる（高血圧の予防・治療、栄養状態の改善など）。

一問一答で確認しよう!

□□□問1 高齢者は、若い人よりもエネルギーの必要量が低いので、ビタミン・ミネラル、たんぱく質などの摂取量も若いときより少なくする必要がある。

□□□問2 高齢者は、動物性たんぱく質よりも、植物性たんぱく質を多めにとるように心がける。

□□□問3 高齢者の食事では、塩分や油脂類の摂取を控えることが第一である。

□□□問4 よく噛んで食べることは、誤嚥性肺炎の予防にも有効である。

□□□問5 適度な運動をすることは、認知症やうつの予防にもつながる。

□□□問6 自立高齢者の場合、歩行能力を維持するために必要な歩行数は1日5,000歩程度とされ、屋内で普通に生活していれば達成できる。

□□□問7 高齢者も、ウオーキングのような有酸素運動に加えて適度の筋力トレーニングを行うことが望ましい。

□□□問8 脳血管性認知症とアルツハイマー型認知症のいずれについても、予防法がかなり確立されている。

正解 1× 2× 3× 4○ 5○ 6× 7○ 8×

1：高齢者であっても、ビタミン・ミネラルやたんぱく質などは、**若いときと変わらない量**を必要とする。

2：**動物性たんぱく質**を、植物性たんぱく質よりやや多めにとることを心がける。

3：高齢者は、**減塩**のしすぎや**油脂類**の不足に注意する必要がある。

6：屋内で生活しているだけでは、**この歩行数に達することは困難**なので、戸外を散歩したり、地域の活動に参加したりして、行動半径を広げることが必要である。

8：**アルツハイマー型認知症**は、原因が十分に解明されておらず、予防法も確立されていない。

次の記述の内容が適切なものは○を、不適切なものは×を選びなさい。

第1問　高齢者は運動をしてもあまり汗をかかないので、脱水を起こすことはまれである。したがって、運動を行う前後に適度に水分をとっていれば十分で、運動中の水分補給は特に必要ない。むしろ、運動中に水分をとると疲労しやすいことに注意する。

第2問　高齢者は、外出時よりもむしろ在宅時に転倒することが多い。転倒のリスクを恐れて外出を控えようとする人もいるが、閉じこもりがちな生活は筋力の低下につながり、かえって転倒しやすくなるおそれがある。

第3問　食後すぐに運動すると、消化・吸収によくないので、食後2時間は運動を避けるようにする。

第4問　高齢者の運動の目的は生活機能を維持することなので、生活機能にかかわる赤筋を鍛えることが重要である。瞬発力を発揮する白筋を鍛えようとするとオーバーワークになり、赤筋の発達も妨げられるので、白筋を鍛えるトレーニングは避ける。

第5問　脳血管性認知症は、アルツハイマー型認知症と同じく原因がはっきりしていないため、高血圧の予防や栄養状態の改善などを行っても予防にはならない。

第1問　×　高齢者は、汗をかくと脱水を起こしやすいので、**運動中も水分の補給を行う**ようにする。のどが渇いてから水を飲むのではなく、こまめに水分補給することを心がけることが重要である。

第2問　○　高齢者は、外出時よりもむしろ**在宅時**に転倒することが多い。外出を控えて筋力を低下させることは、むしろ転倒のリスクを**高める**ことになると考えられる。

第3問　○　食後は、**胃腸**や**肝臓**の血流量が増加する。このときに運動を行うと、消化・吸収によくないので、**食後2時間**は運動を避ける。

第4問　×　最近は、高齢者の生涯体育において、生活機能の自立だけでなく、社会貢献の能力も視野に入れたプログラムが求められるようになった。そのため、生活機能の維持のために主に必要な**赤筋**（遅筋線維）だけでなく、瞬発力を発揮する**白筋**（速筋線維）も鍛えるプログラムが必要とされている。

第5問　×　脳血管性認知症は、脳血管の動脈硬化や脳血管疾患により生じるため、高血圧の予防・治療、栄養状態の改善などの**脳血管疾患の予防法**がそのまま脳血管性認知症の予防法になる。

年をとると変わるからだの機能は、p.101 の表で確認しましょう。

Lesson
10 障害者の自立のために

学習日
／

障害者が在宅で自立した生活をおくるためには、一人ひとり違う障害者の
ニーズに応じた、適切な支援を受けられる環境が必要です。

1 障害の種類に応じた自立の方策 ★★

POINT
障害の種類、障害をもった時期、障害を受けた部位など
によって、障害者が経験する生活上の問題点はさまざま
であり、自立のための方策もそれぞれ異なる。

「障害者基本法」により、障害者は「身体障害、知的障
害、精神障害（発達障害を含む）その他の心身の機能の障
害がある者であって、障害及び**社会的障壁**により継続的に
日常生活または**社会生活**に相当な制限を受ける状態にある
者」と定義されています。社会的障壁とは、「障害がある者
にとって日常生活または社会生活を営む上で障壁となるよ
うな社会における事物、制度、慣行、観念その他一切のもの」
とされています。

　これらの定義から読み取れるのは、障害者が日常生活や
社会生活において経験する不自由さをもたらしているの
は、本人の心身の機能の障害だけではなく、社会の側にも
その原因があると考えられているということです。

　障害は、障害をうける時期によって、**先天性障害**と**中途
障害**に分けられます。先天性障害とは、何らかの先天的な
原因による障害をいい、中途障害とは、人生の中途で生じ
た**病気**や**事故**などが原因となり、心身のある部位に完全に
は治癒することのない後遺症が残ることをいいます。

用 語

障害者基本法
　1993（平成5）年
に、従来の「心身障
害者対策基本法」を
改正・改題して制定
された法律。障害者
の自立及び社会参加
の支援等のための施
策に関する基本事項
を定めている。

CHECK

　障害者総合支援法、
児童福祉法等の法律
により、障害をもつ
18歳以上の人は障
害者、18歳未満の
人は障害児と定義さ
れている。

キーワードで
CHECK! 　先天性障害／中途障害 ⇒

また、障害を受ける部位によって、（1）身体障害①運動機能障害（肢体不自由）、②視覚障害、③聴覚言語障害、④内部障害、（2）知的障害、（3）精神障害（発達障害を含む）、（4）難病に分かれます。これらの障害をもった人がどのような生活上の問題をかかえているか、その問題を克服して生活機能を自立させる手段にはどのようなものがあるかを、以下に述べていきます。

（1）身体障害者
①肢体不自由者
　手足（四肢）や体幹（胴体、頸部）に**運動機能障害**がある人を、肢体不自由者といいます。運動機能障害とは、神経系、筋肉・骨・関節系などの運動にかかわる器官の機能が低下したり、機能が失われたりした結果、運動に支障をきたしている状態です。

　肢体不自由となる原因はさまざまですが、外傷や疾患により脊髄（せきずい）が傷付けられることにより生じる四肢麻痺（まひ）や対麻痺（つい）、**脳血管障害**により生じる片麻痺（へん）、外傷や疾患のために四肢の一部もしくは全部を**切断**、**欠損**した状態、胎生期から新生児期に起きる**脳性麻痺**による四肢の一部もしくは全部の麻痺などが挙げられます。

　肢体不自由者は、**医学的リハビリテーション**により可能な限り機能の改善を図るとともに、車椅子、つえ、義肢（義手・義足）などの**福祉用具**や**補装具**を使用できるよう訓練し、**住宅改修**等の環境の整備により、生活機能の一部もしくは全部において自立している人が多数います。

②視覚障害者
　視覚障害者とは、**視力**もしくは**視野**に障害がある人をいいます。人は視覚から多くの情報を得ているので、視覚障害者は、歩行、コミュニケーション、食事、入浴、化粧、

用　語

四肢麻痺・対麻痺・片麻痺
　四肢麻痺は両上肢、両下肢と体幹、対麻痺は両上肢または両下肢、片麻痺は身体の片側、つまり右半身か左半身の上下肢が麻痺することをいう。

先天性障害とは、何らかの先天的な原因による障害、中途障害とは、人生の中途で生じた**病気**や**事故**などにより、心身のある部位に後遺症が残ることをいう。

爪切り、家事全般など、日常生活のほとんどの場面で不便・不自由を経験します。

　視覚障害者は、生活を自立させる訓練を行ったり、矯正眼鏡、弱視のための眼鏡などの補装具や音声パソコンなどの用具やガイドヘルパーを活用したりすることで、生活機能の一部もしくは全部を自立している人が少なくありません。

③聴覚言語障害者

　聴覚障害とは、外耳、中耳、内耳、聴神経を経て大脳の聴覚中枢に至る音を伝える器官のどこかに障害が生じたことにより、**聞こえ**に支障をきたしている状態をいいます。

　言語障害とは、言葉を理解することや、言葉を使って表現することに支障をきたしている状態（**失語症**）や、発声がうまくできない状態（**言語障害**）をいいます。

　聴覚言語障害者とは、これらの障害により、**コミュニケーションや情報の入手**が制限されている人をいいます。

　聴覚言語障害者は、言語聴覚士による支援のもとで、言語訓練や、補聴器、意思伝達装置などを使ったコミュニケーション訓練を行うとともに、手話通訳者やテレビなどの視覚情報を活用することにより、生活機能の一部もしくは全部を自立している人が少なくありません。

④内部障害者

　内部障害には、心臓機能障害のために**ペースメーカー**をつけている人、呼吸器機能障害のために**酸素吸入装置**を使用している人、腎臓機能障害のために**人工透析**が必要な人、小腸・直腸・膀胱機能障害のために**人工肛門・人工膀胱**を造設している人などがいます。これらの医療器具や治療法は、低下した内臓機能を補助したり、代替したりするものですが、維持管理が難しいことから不便を強いられることもあります。

用　語

ガイドヘルパー
　一人で外出することが困難な障害者の外出時に同行し、歩行や車いすの介助、コミュニケーション支援などを行う人。外出介護員ともいう。視覚障害者ガイドヘルパーは、制度上は「同行援護従事者」と呼ばれる。

用　語

言語聴覚士（ST）
　言語障害、聴覚障害、嚥下障害などがある人に対して言語訓練その他の訓練や指導を行う専門職で、国家資格。

用　語

意思伝達装置
　言葉で意思を伝えることが困難な障害者が、残存する身体機能を活用して意思を伝達できるように工夫された装置。

プラス*α*

　人工肛門は消化管ストーマ、人工膀胱は尿路ストーマともいう。また、ストーマを造設している人をオストメイトという。

失語症は、脳の特定部位の損傷により生じます。

（2）知的障害者

知的障害者は、おおむね18歳までの**発達期**に**知的機能**に障害が生じる人のことをいいます。知的機能は知能指数70未満が知的低下とされますが、日常生活上の適応機能も併せて評価することにより、重症度を軽度、中度、重度、最重度に区分することがあります。

適応機能とは、発達段階の各段階で期待される機能のことで、**概念的**な領域（記憶、言語、数学的思考、問題解決等）、**社会的**な領域（共感、コミュニケーション能力等）、**実用的**な領域（金銭管理、自己管理等）があります。

知的障害は中枢神経系疾患等が原因になることが多いので、早期から適切な治療・療育・教育を行う必要があります。こうした適応機能の障害や発達の可能性を総合的に評価・判断して、適切な**発達支援プログラム**を作成し、本人と家族や専門職等が連携して長期的に取り組むことが重要です。

知的障害者（児）が福祉サービスなどを受けるための制度として、都道府県・指定都市が**療育手帳**を交付しています。窓口は市町村、管轄の児童相談所、障害者センター等で、障害の程度を判定します。

（3）精神障害者（発達障害を含む）

精神障害の**原因**は広範にわたっており、精神障害者の定

プラスα

知的障害では、障害者本人だけでなく、家族への支援も欠かせない。

聴覚障害とは、**聞こえ**に支障をきたしている状態、言語障害とは、言葉を使って**表現**することに支障をきたしている状態や、**発声**がうまくできない状態をいう。

義もさまざまです。精神保健福祉法では、「この法律で『精神障害者』とは、統合失調症、精神作用物質による急性中毒又はその依存症、知的障害、精神病質その他の精神疾患を有する者をいう」となっています。

精神障害の原因としては、①統合失調症、②気分障害、③てんかん、④依存症、⑤高次脳機能障害、⑥発達障害が代表的な疾患・障害です。

①統合失調症

原因はよくわかっていませんが、比較的一般的な病気で、「**幻覚**」や「**妄想**」が特徴的な症状です。

②気分障害

気分に**波**があるのが主な症状です。うつ状態のみを認めるうつ病と、うつ状態と躁状態を繰り返す双極性障害（躁うつ病）があります。

③てんかん

何らかの原因で、脳の一部が一時的に過剰に興奮することにより発作が起きる病気です。**けいれん**を伴う発作、突然意識を失う発作、意識はあるが認知の変化を伴う発作などさまざまなタイプがあります。

④依存症

アルコール依存症や薬物およびギャンブル依存症に代表されるように、その行為を繰り返さないと満足できず、自分では止めることができない**過度な依存**に陥った結果、心身に障害が生じたり家庭生活や社会生活に悪影響が及ぶようになる病気です。

⑤高次脳機能障害

脳血管障害などの病気や事故などにより、脳が損傷されて認知や行動に障害が起きている状態です。言語や記憶、思考などが障害を受けますが外見ではわかりにくいため、「**見えない障害**」ともいわれます。

統合失調症は約100人に一人がかかるといわれている。

高次脳機能障害　⇒

⑥発達障害

　発達障害は、**発達障害者支援法**において、「自閉症、アスペルガー症候群その他の広汎性発達障害、学習障害、注意欠陥多動性障害その他これに類する脳機能の障害であってその症状が通常低年齢において発現するもの」と定義されています。これらの障害が重なり合っていたり、年齢や環境により目立つ症状が違ってきたりするため、障害のタイプを明確に診断するのは難しいとされています。

　精神障害により支援が必要な人は、**精神障害者保健福祉手帳**を持つことで、自立や社会参加促進のための支援を受けることができます。申請は、**市町村**の窓口で行い、都道府県・政令指定都市で審査・認定されます。

（4）難病患者

　一般に、治療が困難で**慢性の経過**をたどる疾病を難病といいます。難病は、完治することはないものの、適切な治療や自己管理を継続することにより、自立した生活をおくることができる場合も少なくありません。障害者総合支援法では、一定の難病により障害がある人も支援の対象としています。

プラスα

　難病患者は、現在は適切な治療や自己管理を続けながら、働き続けることが課題となっている。

病気や障害をもちながらも仕事を続けて、普通に生活できるようにすることが、社会全体の課題になっています。

高次脳機能障害は多くの場合、高次脳機能障害専門のリハビリテーション機関による**診断**と**治療**、**訓練**等が必要とされる。

2 障害者の自立のために必要なこと ★★

POINT

障害者が在宅に復帰して自立した生活をおくるためには、多くの専門職が連携して支援することが必要である。

　ここでは、障害者の自立のために必要なことは何か、また、障害者の自立の妨げとなるものは何かということを、脳血管障害と脊髄損傷の場合を例に挙げて考えてみることにします。

①脳血管障害の場合

　脳血管障害には、脳の血管が破れる**脳出血**、脳の表面の血管が切れる**クモ膜下出血**、脳の血管が詰まる**脳梗塞**があります。いずれの場合も、後遺症として、右半身または左半身の麻痺（**片麻痺**）が生じることがあります。また、言語障害、感覚障害、知的機能の障害などが生じることもあります。このような障害が生じると、歩行が困難になったり、食事、排泄、入浴などの日常生活動作（ADL）に支障をきたしたりします。これを「**活動制限**」といいます。

　脳血管障害の場合、脳の損傷部位や損傷の程度、**リハビリテーション**による回復の度合いによって、ADL の自立度が大きく異なります。そのため、急性期の治療を終えた後は、できるだけ早期に、リハビリテーション病棟などで集中的にリハビリテーションを行います。医師、看護師、理学療法士、作業療法士などの専門家がチームを組んでリハビリテーション・プログラムを策定し、実行します。

　退院のめどがついたら、介護保険による**要介護認定**を受け、**ケアプラン**を作成します（p.58 参照）。多くの場合は、在宅復帰に備えて、介護保険制度を利用した**住宅改修**を検討することになります。伝い歩きができる場合は**手すり**の設置、屋内で車椅子を使用する場合は、車椅子で走行でき

CHECK

脳血管障害は、寝たきりになる原因の第１位となっている。

用 語

理学療法士（PT）
　身体に障害のある人に対して、主に基本的動作能力の回復を図るために、運動療法、物理療法などを行う専門職で、国家資格。

用 語

作業療法士（OT）
　身体または精神に障害のある人に対して、主に応用的動作能力や社会的適応能力の回復を図るために、作業療法や生活動作訓練を行う専門職で、国家資格。

キーワードで CHECK! 脳出血／クモ膜下出血／脳梗塞　⇒

る**有効寸法**の確保、**段差**の解消などが住宅改修のポイントになります。入浴時や排泄時に介助が必要となる場合は、介助者のためのスペースを確保することも必要です。

　歩行補助つえや車椅子は、介護保険制度による**福祉用具**貸与の対象とされています。また、**通所介護**（デイサービス）、**ショートステイ**などのサービスを利用することにより、家族の介護の負担が軽減されるとともに、本人の外出の機会も増えて、活動の場が広がります。

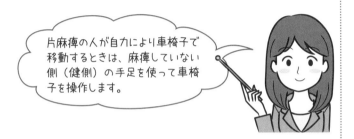

片麻痺の人が自力により車椅子で移動するときは、麻痺していない側（健側）の手足を使って車椅子を操作します。

②<ruby>脊髄<rt>せきずい</rt></ruby>損傷の場合

　脊髄損傷は、事故など何らかの原因により脊柱に強い力が加わり、脊髄が損傷されることによって、神経の経路が絶たれ、運動機能、知覚機能、自律神経などに障害が生じることをいいます。脊髄が高い位置で損傷されるほど、障害の程度が重くなります。

　T₇の**胸髄損傷**の例では、上肢と体幹の機能には問題なく、両下肢に麻痺が残ります。下肢の機能は一部残っているため、訓練により、屋内では**松葉づえ**を使用して歩行することが可能になりますが、外出時は**車椅子**を自力で操作しての移動になります。

　脊髄損傷では、脊髄が完全に切断された完全麻痺の場合は、失われた機能が回復する可能性はほぼないので、残存する機能を活用してできる限り ADL を自立させることが

プラスα

　脊髄は頸髄、胸髄、腰髄、仙髄、尾髄からなる。T₇の胸髄損傷とは、T₁〜T₁₂の12か所ある胸髄の7番目までは機能が残っている状態のことをいう。Tは胸髄の略語である。

CHECK

　脊髄が部分的に切断された不全麻痺の場合は、リハビリテーションにより機能の改善が見られることもある。

脳血管障害には、脳の血管が**破れる**脳出血、脳の**表面**の血管が**切れる**クモ膜下出血、脳の血管が**詰まる**脳梗塞がある。

リハビリテーションの目的となります。

　脊髄損傷により下肢機能が麻痺した場合、下半身の**感覚**も麻痺するので、排便・排尿・性機能に支障が生じます。排尿については、収尿器を自力で身に付けて常時装着し、2時間おきくらいにトイレに行って尿を捨てる訓練を行うことにより、自立を図ることができます。排便については、便秘になりやすいので、座薬を使って自然排便を促す方法により自立を目指します。

　理学療法では、長下肢装具を使用しての松葉づえでの室内歩行訓練、上肢を中心とした筋力トレーニングなどを行います。職場復帰を目指している人の場合、下半身に感覚障害があると、長時間の座位作業により臀部が圧迫され、褥瘡（じょくそう）が生じるおそれがあるため、作業療法により、定期的にプッシュアップ動作を行う習慣をつける訓練をします。

　リハビリテーションが軌道に乗り、退院のめどがついてくると、脳血管障害の場合と同様に、在宅での生活に備えた**住宅改修**等の住環境の整備が課題になります。職場に復帰する場合は、職場で車椅子の使用が可能なように準備しておくことも必要ですし、職場関係者に相談して理解してもらうことも必要です。

　退院を控えた時期には、このようにさまざまな課題が生じることがあります。本人や家族だけでそのすべてに対処するのは大変ですが、**ソーシャルワーカー**（SW）に相談して問題解決の手助けをしてもらうことができます。

障害をもった人が在宅に復帰して自立した生活をおくるためには、さまざまな専門職のチームによる支援が欠かせません。

用　語

収尿器

　トイレでの排泄が困難な場合に使用する福祉用具で、本人または介助者が受尿器を陰部に当てるとチューブを通って尿が容器にたまるようになっている。センサーで排尿を検知してポンプで自動的に尿を吸引するものもあり、その本体部分は、自動排泄処理装置として介護保険制度による福祉用具貸与の対象になっている。

用　語

長下肢装具

　下肢を膝まで固定し、大腿部まで覆うように装着する装具で、両側に金属製の支柱が付いている。体重を支えて立位を保持し、歩行機能を改善する目的で使用される。

用　語

プッシュアップ

　座位の姿勢で床や車椅子の座面などに両手をつき、腕の力で上体を持ち上げる動作。

キーワードで
CHECK!　　**褥瘡／プッシュアップ**　⇒

覚えよう！｜医療・福祉にかかわる主な専門職

- 医師：医師法や医療法に基づいて、病院や診療所で診察行為を行うとともに、看護師、保健師、理学療法士、作業療法士等への指示や、薬の処方を行う。国家資格。
- 看護師：病院、診療所などで、医師の指示に基づいて、診療、治療の補助や看護を行う。国家資格。
- 保健師：保健所、市町村、学校、病院などに勤務し、集団検診や健康指導などを行う。国家資格。
- 理学療法士（PT：physical therapist）：p.116 参照。
- 作業療法士（OT：occupational therapist）：p.116 参照。
- 言語聴覚士（ST：speech -Language-Hearing therapist）：p.112 参照。
- 介護支援専門員（ケアマネジャー）：介護保険法に基づいて、要介護認定の申請や介護サービス計画（ケアプラン）の作成等を行う。公的資格。
- 社会福祉士（ソーシャルワーカー）：福祉事務所、児童相談所、障害者支援施設などに勤務し、福祉に関する相談援助を行う。国家資格。
- 介護福祉士：入浴、排泄、食事、着替えの介助等の介護全般や、介護に関する指導を行う。国家資格。
- 義肢装具士：医師の指示に基づいて、義肢・装具の作成や身体への適合を行う。国家資格。
- 福祉用具専門相談員：福祉用具の選定や調整、使用方法の指導等を行う。公的資格。

下半身に**感覚障害**がある人が長時間の座位作業を行う場合、臀部が圧迫され、褥瘡が生じるおそれがあるため、定期的にプッシュアップ動作を行うように習慣づける。

一問一答で確認しよう！

□□□**問1** 中途障害とは、先天的障害とは異なり、人生の中途で完全に治癒する可能性がある障害をいう。

□□□**問2** 対麻痺とは、身体の片側、つまり右半身か左半身の上下肢が麻痺することをいう。

□□□**問3** 障害者の外出時に同行し、歩行や車いすの介助、コミュニケーション支援などを行う人を、ケアマネジャーという。

□□□**問4** 腎臓機能障害がある人は、人工透析が必要になることがある。

□□□**問5** 脳血管障害、脳腫瘍、事故による外傷などで脳が損傷され、言語、記憶、思考、学習などの脳の高次機能に障害が生じている状態を高次脳機能障害という。

□□□**問6** 理学療法士は、身体に障害のある人に対して、主に基本的動作能力の回復を図るために、運動療法、物理療法などを行う専門職である。

□□□**問7** 下半身の感覚が麻痺している場合、尿意を感じないので、排尿を自立させることは困難である。

□□□**問8** 病院などの医療機関に勤務し、療養中の社会的、心理的問題に関する相談や退院援助などを行う人を、介護福祉士という。

正解 1× 2× 3× 4○ 5○ 6○ 7× 8×

1：中途障害とは、**人生の中途で生じた病気や事故など**が原因となり、心身のある部位に**完全には治癒することのない**後遺症が残ることをいう。

2：対麻痺とは、**両上肢または両下肢**が麻痺することをいう。

3：障害者の外出時に同行し、歩行や車いすの介助、コミュニケーション支援などを行う人を、**ガイドヘルパー**という。

7：**収尿器**を自力で身に付けて常時装着し、2時間おきくらいにトイレに行って尿を捨てる訓練を行うことにより、自立を図ることができる。

8：病院などの医療機関に勤務し、療養中の社会的、心理的問題に関する相談や退院援助などを行う人を、**医療ソーシャルワーカー**という。

実力問題にチャレンジ！

次の記述の内容が適切なものは〇を、不適切なものは×を選びなさい。

第1問 手足（四肢）や体幹（胴体、頸部）に運動機能障害がある人を、肢体不自由者という。運動機能障害とは、脳血管障害、脳腫瘍、事故による外傷などで脳が損傷された結果、運動に支障をきたしている状態をいう。

第2問 精神障害の原因となる疾患・障害は広範にわたるが、そのなかには、統合失調症、気分障害、てんかん、依存症、高次脳機能障害、発達障害などがある。

第3問 内部障害とは、心臓、呼吸器、腎臓、膀胱、直腸、小腸、肝臓などの内臓の機能障害である。低下した内臓機能を補助したり、代替したりする手段はまだ開発されていないので、薬物療法が唯一の治療法となっている。

第4問 一般に、治療が困難で慢性の経過をたどる疾病を難病という。難病は、完治することはないものの、適切な治療や自己管理を継続することにより、自立した生活をおくることができる場合もある。障害者総合支援法では、一定の難病により障害がある人を支援の対象としている。

第5問 人は視覚から多くの情報を得ているので、視覚障害者は日常生活のほとんどの場面で不便・不自由であり、生活機能の自立を目指すことはない。

第1問 ×　運動機能障害とは、**神経系、筋肉・骨・関節系**などの運動にかかわる器官の機能が低下したり、機能が失われたりした結果、運動に支障をきたしている状態をいう。脳が損傷されたことにより運動機能障害が生じることもあるが、他の原因によるものもある。

第2問 ○　精神障害の**原因**は広範にわたり、その定義もさまざまであるが、問題文の疾患・障害は代表的な原因とされている。

第3問 ×　心臓機能障害のために**ペースメーカー**をつけている人、呼吸器機能障害のために**酸素吸入装置**を使用している人、腎臓機能障害のために**人工透析**を行っている人、小腸・直腸・膀胱機能障害のために**人工肛門・人工膀胱**を造設している人などがいる。これらの医療器具等は、低下した内臓機能を補助したり、代替したりするためのものであるが、維持管理が難しいことから、生活上の不便・不自由を強いられることがある。

第4問 ○　障害者総合支援法では、「制度の谷間」を残さないために、支援の対象を身体障害者、知的障害者、精神障害者（発達障害者を含む）に限定せず、一定の**難病**により障害が生じている人も対象としている。

第5問 ×　視覚障害者は、視覚以外の**感覚**や残された**機能**を活用して訓練したり、矯正眼鏡などの補装具や用具、ガイドヘルパーを活用したりすることで生活機能の一部または全部を自立させることを目指す。

ゴロ合わせ

OT と ST

おっと作業だ、　サッと超確信
（OT：作業療法士）　（ST：言語聴覚士）

作業療法士：OT、言語聴覚士：ST など多くの専門職が医療・福祉にかかわっている。

詳しくは ▶ p.112、116、119

第3章

バリアフリーと
ユニバーサルデザイン

1節：バリアフリーと
　　　ユニバーサルデザインを考える
2節：生活を支えるさまざまな用具

Lesson
11 バリアフリー、ユニバーサルデザインという考え方

学習日
／

> バリアフリー、ユニバーサルデザインという考え方が生まれた背景や、それぞれの概念の特徴をしっかり押さえておきましょう。

1 バリアフリーとは ★★

POINT
障害のある人の社会参加を妨げる障壁（バリア）には、物理的な障壁と社会的な障壁がある。

　バリアフリーとは、高齢者や障害者が自立した生活をおくるうえで妨げになっているさまざまな**障壁（バリア）** を取り除くこと、または、それが実現している環境を意味します。バリアフリーという概念は、1974年に出版された国連障害者生活環境専門家会議による報告書「Barrier Free Design」に用いられたことにより、世界的に広く知られるようになりました。

　一般に、公共の建築物などは、統計から導かれた標準的な体格の人間（**ミスター・アベレージ**）の寸法や運動能力を想定してつくられてきました。しかし、建築物を利用する人たちは、体格も運動能力も異なります。そのため、多くの建築物は、標準的な体格から大きく外れている人や、障害者にとっては、利用しにくいものになっていたのです。ミスター・アベレージという、実際には存在しない平均的な人を想定して建築物をつくったために、想定から外れた人が利用できないような環境が生まれていると、上記の報告書は指摘しました。

　また、この報告書は、障害のある人の社会参加を妨げて

CHECK

　ミスター・アベレージという表現には「平均的な体格をもつ男性」という意味が込められている。

キーワードで CHECK! ミスター・アベレージ ⇒

いるものとして、建築物や交通機関などに現れる**物理的**な障壁だけでなく、障害に対する人々の意識などの**社会的**な障壁も挙げています。それらの、人間がつくりだした要因による**障壁**が、身体的、精神的な障害のある人の生活にさまざまな制約をもたらしているということです。そして、障害のある人が公共の施設を利用することや、働くこと、教育を受けること、文化に接すること、スポーツを楽しむこと、公共の交通機関を利用すること、住宅を選ぶことなどは当然の権利であり、それを実現できるようなバリアのない環境を整備することが必要だとしています。

　このように、障害のある人の活動を妨げる要因は社会環境にあるとして、それをなくすのは社会の責務であるとする考えを**障害の社会モデル**といいます。日本でも、1995（平成 7）年版の「障害者白書」（副題：バリアフリー社会をめざして）において、物理的、制度的、文化・情報面、意識上の 4 つの**障壁**の存在が指摘され、それらをなくす社会環境の必要性が示されました。

　現在では、バリアフリーという言葉自体は広く知られるようになり、公共の建築物等のバリアフリー化もしだいに進められています。しかし、すべてのバリアを解消することは容易ではありません。一つの問題が解決されても、その先にさらに多くの問題が現れることもあります。社会にかかわる**さまざまな分野**で、バリアフリーという目的が共有され、取り組みが行われるようにしなければなりません。

バリアフリーとは、平等な社会参加を実現するという究極のゴールを目指すことを意味しているともいえます。

CHECK

　社会的な障壁には、たとえば、障害に対する理解不足や障害者への偏見などが含まれる。

📖 **用　語**

障害者白書
　障害者基本法の規定に基づいて、政府が 1994（平成 6）年から毎年、国会に提出している報告書。障害者のために講じた施策の概況などを記している。2000（平成 12）年版までは総理府、翌年からは内閣府が作成。

従来の建築物は、**標準的な体格の人間**（ミスター・アベレージ）を想定してつくられてきたために、その想定から外れた人が利用できないような環境が生まれていた。

2 バリアフリーへの取り組み ★★

POINT

仙台市で始まった「福祉のまちづくり」の運動は、日本におけるバリアフリーへの取り組みの先駆けとなった。

日本では、1970年代初頭あたりから、バリアフリーへの取り組みが行われるようになりました。1969（昭和44）年に、車椅子使用者からの要望を受けて仙台市で始まった「**福祉のまちづくり**」の運動は、1971（昭和46）年に発足した「福祉のまちづくり市民の集い」へと発展し、その後全国に広まった「福祉のまちづくり」の活動の先駆けになりました。

1973（昭和48）年には、当時の建設省（現：国土交通省）から「歩道および立体横断施設の構造について」という通達が出されました。この通達は、歩道と車道の境界の**段差**の切り下げなどについて定めたものでしたが、その目的を「老人、身体障害者、自転車、乳母車等の通行の安全と利便を図るため」としており、高齢者や障害者を含む対象に配慮した施策であったことがわかります。

このように、日本では、世界的に見ても比較的早い時期からバリアフリーへの取り組みが行われていましたが、その後はあまり大きな進展が見られず、停滞の時期が長らく続きました。

国連は、障害者の「完全参加と平等」をスローガンに、1981年を**国際障害者年**と定め、1983〜1992年の10年間を「国連・障害者の十年」としました。これをきっかけに、海外でのさまざまな障害者施策の取り組みが日本にも紹介されるようになります。また、アメリカでは、1990年に、障害者への差別を禁止するADA（障害をもつアメリカ人法）が成立しました。

用 語

ADA
"Americans with Disabilities Act" の略。雇用、公共サービス、公共施設の利用等において、障害を理由とする差別を禁止する法律。

 ハートビル法／交通バリアフリー法 ⇒

このような海外での動きは日本にも影響を与え、バリアフリーへの関心が再び高まりました。高齢化対策を検討していた地方自治体では、「福祉のまちづくり条例」（p.279参照）が定められ、バリアフリーへの取り組みが活発に行われるようになりました。

　1994（平成6）年には、商業施設やホテル、学校など、多くの人が利用する建築物のバリアフリー化について定めた「**ハートビル法**」が、2000（平成12）年には、公共交通機関の旅客施設（駅など）と車両等のバリアフリー化を推進する「**交通バリアフリー法**」が制定され、2006（平成18）年には、この2つの法律を統合・拡充した「**バリアフリー法**」が制定・施行されました。この法律は、一定の地区において、建築物、旅客施設、道路、公園などのバリアフリー化を、総合的、一体的に整備するしくみを定めたものです。右欄に掲げた法の正式名からもわかるように、法の対象も従来の「身体障害者」から「（すべての）障害者」に拡大されました。

「ハートビル法」の正式名は「高齢者、身体障害者等が円滑に利用できる特定建築物の建築の促進に関する法律」、「交通バリアフリー法」は「高齢者、身体障害者等の公共交通機関を利用した移動の円滑化の促進に関する法律」、「バリアフリー法」は「高齢者、障害者等の移動等の円滑化の促進に関する法律」。

◆バリアフリー法の概要

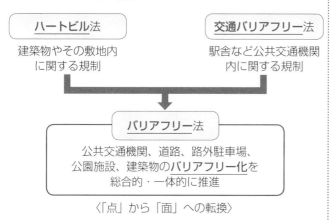

```
┌─────────────┐      ┌─────────────────┐
│  ハートビル法  │      │  交通バリアフリー法  │
└─────────────┘      └─────────────────┘
 建築物やその敷地内      駅舎など公共交通機関
 に関する規制          内に関する規制
```

```
┌─────────────┐
│  バリアフリー法  │
└─────────────┘
 公共交通機関、道路、路外駐車場、
 公園施設、建築物のバリアフリー化を
 総合的・一体的に推進
```

〈「点」から「面」への転換〉

建築物のバリアフリー化に関する「ハートビル法」、**公共交通機関**のバリアフリー化に関する「交通バリアフリー法」が統合・拡充され、「**バリアフリー法**」となった。

3 ユニバーサルデザインとは ★★

POINT
ユニバーサルデザインとは、年齢、性別、障害の有無などの違いにかかわらず、すべての人にとって使いやすい製品、施設、生活空間などをデザインすることをいう。

ユニバーサルデザインとは、年齢、性別、障害の有無、人種、国籍、言語、文化などの違いにかかわらず、**すべての人**にとって使いやすい製品や施設、生活空間などをデザインすることをいいます。

ユニバーサルデザインという概念を提唱したのは、アメリカの建築家で、製品デザイナーでもあった**ロナルド・メイス**（Ronald L. Mace）です。1970年代後半に、当時のバリアフリー住宅に関してメイスが抱いた疑問が、最初のきっかけになりました。

当時の**アメリカ**では、車椅子に対応した設計の住宅はまだ少なく、共同住宅の一部に少数の特殊な仕様の住戸が設けられる例がわずかに見られる程度でした。しかし、価格や立地条件、認知度の低さなどから入居者が見つからない場合もあったので、車椅子対応の住戸を車椅子使用者以外の人にも貸し出そうとしたところ、車椅子での使用を前提につくられている住宅は、さまざまな理由により車椅子を使用しない人にとっては使い勝手が悪く、不評であることがわかりました。

そもそも、住宅を車椅子専用の設計にしたことに問題があったのではないかと、メイスは考えました。共同住宅に住む人は、体格も年齢も運動能力もそれぞれ違います。それならば、最初から**どんな人のニーズ**にも応えられるような住宅をつくるべきだとメイスは考え、そのような考え方をユニバーサルデザインと名付けたのです。

CHECK

車椅子専用につくられた住宅が健常者にとって使いにくかった理由として、キッチンの作業面が低いこと、流し台の下に車椅子使用者の膝が入るようにするために収納が少ないことなどが挙げられる。

キーワードで
CHECK! アダプタブル ⇒

ユニバーサルデザインの概念をメイスが最初に雑誌に発表したのは、1985年のことでした。その記事において、メイスは、ユニバーサルデザインを「建物や施設を、追加の費用なしに、あるいは最低限の費用で、**すべての人**にとって機能的で魅力的であるようにデザインする方法」と説明しています。

　その後、メイスらはユニバーサルデザインの概念を発展させ、下記のような「**ユニバーサルデザインの7原則**」を提唱しました。

原則①：だれにでも**入手**でき、使いこなせること。
原則②：使い方に柔軟性があること。
原則③：使い方が**簡単**で、わかりやすいこと。
原則④：使い手に必要な**情報**がすぐにわかること。
原則⑤：使い方を誤っても危険が少ないこと。
原則⑥：身体への負担が少なく、**楽**に使えること。
原則⑦：アプローチしやすく、使いやすい**広さ**があること。

　メイスは、これらの7原則に加えて、「**アダプタブル**」という考え方を重視しました。アダプタブルとは、わずかな手間だけで**調整**ができたり、何かを**付け加え**たり、何かを**取り除い**たりできることをいいます。たとえば、流し台の下のキャビネットを容易に取り外せるようにしておくと、車椅子や座位による作業に対応したつくりに簡単に変えることができます。

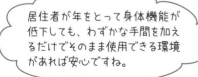

居住者が年をとって身体機能が低下しても、わずかな手間を加えるだけでそのまま使用できる環境があれば安心ですね。

CHECK

ユニバーサルデザインとは、具体的な数値などを定めるものではないので、客観的な基準にはならない。

3章
1節
11　バリアフリー、ユニバーサルデザインという考え方

プラスα

"アダプタブル"には、「適応力がある」「柔軟性がある」「融通がきく」「改造できる」などの意味がある。

ユニバーサルデザインを提唱したメイスが重視した考え方で、わずかな手間だけで**調整**ができたり、何かを**付け加え**たり、何かを**取り除い**たりできることをいう。

4 ユニバーサルデザインの考え方　★★

POINT

ユニバーサルデザインとは、初めからバリアが生じない
ようにしようという考え方である。

　ユニバーサルデザインという言葉は、バリアフリーと同
様にすでに広く知られています。ユニバーサルデザインを
定義する場合に必ず出てくるのが、「だれにでも」「すべて
の人に」「簡単に（使用できる）」などの語句です。

　ここで注意しなければならないのは、すべての人にとっ
て使いやすいデザインとは、平均的な人（ミスター・アベ
レージ）を想定したデザインとは根本的に異なるというこ
とです。すべての人を対象とするということは、「対象を特
定しない」こととも違います。すべての人に合うデザイン
を目指すためには、むしろ、一人ひとりの対象にきちんと
向き合って、それぞれのニーズにしっかり対応する製品や
環境をつくり出すことが必要になるのです。

　実際には、一つの製品をすべての人が使いやすいものに
することは容易ではなく、現実にはとても不可能だとも考
えられます。

　しかし、少しでも多くの人のニーズに対応できるように、
少しずつ改良を重ねながら、よりよいものを目指すことは
可能です。これまでの経験に基づいて、検討を重ねながら、
段階的・継続的な発展を図っていくことが重要で、そのよ
うな一連の過程を「スパイラルアップ」と呼んでいます。

　ユニバーサルデザインにはインクルーシブデザイン
（Inclusive Design）、デザインフォーオール（Design
for All）、アクセシブルデザイン（Accessible Design）
などの類似の言葉がありますが、ユニバーサルデザインの
実現をめざしているという点では共通です。

プラスα

　ユニバーサルデザ
インの考え方がある
程度うまく実現されて
いる製品もたくさんあ
る。次節で取り上げる
「共用品」もその例
としてとらえることが
できる。

キーワードで
CHECK!　スパイラルアップ　⇒

　ここで、ユニバーサルデザインとバリアフリーという2つの概念を比較してみます。バリアフリーとは、バリアがある環境をどうにかして解決しようという考え方でした。つまり、バリアがあることを前提にしているともいえます。それに対し、ユニバーサルデザインとは、初めから**バリアが生じないようにしよう**という考え方です。

　しかし、すでに述べたように、すべての製品や環境をユニバーサルデザインにすることは困難です。ユニバーサルデザインとは、「**可能なかぎり**」多くの人にとって使いやすいものをつくろうという提案であり、そのためには、よりよいものを目指す姿勢をもち続けることが重要です。

現実に生じているさまざまな問題を解決するためには、バリアフリーとユニバーサルデザインのどちらの考え方も必要です。

5 ユニバーサルデザインの取り組み ★★

POINT
静岡県浜松市では、2003（平成15）年4月に全国初となる「浜松市ユニバーサルデザイン条例」が施行された。

　バリアフリーに関しては、これまでにすべての**都道府県**が「福祉のまちづくり条例」（p.279参照）を制定しているほか、バリアフリー法の規定をさらに強化・拡大した条例を定めている自治体もあり、バリアフリーへの取り組みは、ある程度広く浸透しているといえるでしょう。

　一方、ユニバーサルデザインの考え方を政策に取り入れる自治体も増えています。静岡県浜松市では、2003（平

これまでの経験に基づいて、**よりよいもの**をつくるために検討を重ねながら、**段階的・継続的**な発展を図っていく一連の過程を「スパイラルアップ」と呼ぶ。

成 15）年 4 月に全国初となる「浜松市ユニバーサルデザイン条例」を施行、京都市でも 2005（平成 17）年 4 月に「京都市みやこユニバーサルデザイン推進条例」が施行されました。同年 7 月に、国土交通省は、「ユニバーサルデザイン政策大綱」を策定し、ユニバーサルデザインの考え方を踏まえた具体的施策を示しました。

　浜松市の条例では、市長がユニバーサルデザインによるまちづくりの施策を推進するための計画を策定することが定められています。その計画を策定する際に、市長は、市民及び浜松市ユニバーサルデザイン審議会の意見を聴くとともに、その意見を反映させるよう努めることとされています。また、市は、市が設置し、または管理する建物、道路、公園等の公共施設の新築等を行う際はユニバーサルデザインに基づいて整備し、公共交通事業者や、市以外の施設の設置・管理者、製品の製造者、サービスの提供者等に対しても、ユニバーサルデザインに基づく整備・製造・サービスの提供等を行うように努めることを求めています。ユニバーサルデザインによるまちづくりへの利用者への参画やスパイラルアップは、政策のなかで位置づけられ、社会のしくみとして継続的に行われなければなりません。

ゴロ合わせ

ADA（障害をもつアメリカ人法）

アーいや**だー**
（A　　　DA）

一休さんは**きゅうくつだ**
（19　　　　90）

ADA（障害をもつアメリカ人法）は 1990 年に成立した。

詳しくは ▶ p.126

132

一問一答で確認しよう！

□□□**問1** 1948年に国連総会で採択された『世界人権宣言』は、バリアフリーという概念が世界的に知られるきっかけになった。

□□□**問2** 障害のある人の社会参加を妨げるものは、建築物や交通機関などに現れる物理的な障壁だけでなく、障害に対する人々の意識などの社会的な障壁も含まれる。

□□□**問3** 1971（昭和46）年に宮城県仙台市で開かれた「福祉のまちづくり市民の集い」は、「福祉のまちづくり」の活動が全国に拡がる先駆けになった。

□□□**問4** 日本では、世界的に見ても比較的早い時期からバリアフリーへの取り組みが行われ、その後も現在まで停滞することなく、先進的な取り組みが続けられてきた。

□□□**問5** 「ハートビル法」は、「バリアフリー法」と「交通バリアフリー法」を統合・拡充したものである。

□□□**問6** ユニバーサルデザインとは、標準的な体格の人「ミスター・アベレージ」にとって使いやすい製品や施設、生活空間などをデザインすることをいう。

□□□**問7** ユニバーサルデザインは、バリア（障壁）があることを前提にするのではなく、最初からバリアのない環境をつくろうとする考え方である。

□□□**問8** ユニバーサルデザインとは、具体的な数値などを定めたものではない。

- -

正解 1× 2○ 3○ 4× 5× 6× 7○ 8○

1：バリアフリーという概念が世界的に広く知られるきっかけになったのは、1974年に出版された国連障害者生活環境専門家会議による報告書「Barrier Free Design」である。

4：日本では、比較的早い時期からバリアフリーへの取り組みが行われていたが、その後は**あまり大きな進展が見られず**、**停滞**の時期が長らく続いた。

5：「**ハートビル法**」と「**交通バリアフリー法**」を統合・拡充した法律が「バリアフリー法」である。

6：ユニバーサルデザインとは、年齢、性別、障害の有無、人種、国籍、言語、文化などの違いにかかわらず、**すべての人**にとって使いやすい製品や施設、生活空間などをデザインすることをいう。

実力問題にチャレンジ！

次の記述の内容が適切なものは〇を、不適切なものは×を選びなさい。

第1問 1974年に出版された国連障害者生活環境専門家会議による報告書「Barrier Free Design」は、公共の建築物などが、統計から導かれた標準的な体格の人間（ミスター・アベレージ）を想定してつくられてきたために、その想定から外れた人が利用できないような環境が生まれていると指摘した。

第2問 「ユニバーサルデザインの7原則」とは、すべての人にとって使いやすい製品や施設、生活空間などのデザインについて、具体的な数値を挙げて模範を示したもので、製品等がユニバーサルデザインの考え方に適合しているかどうかを判断する際の客観的基準とされている。

第3問 スパイラルアップとは、わずかな手間だけで調整ができたり、何かを付け加えることや、何かを取り除くことができたりすることをいい、ユニバーサルデザインの考え方の重要な要素の一つとなっている。

第4問 静岡県浜松市では、2003（平成15）年4月に全国初となる「浜松市ユニバーサルデザイン条例」が施行された。この条例は、市長がユニバーサルデザインによるまちづくりの施策を推進するための計画を策定することを定めており、その計画を策定する際には、市民と審議会の意見を聴くとともに、その意見を反映させるよう努めることとされている。

第5問 1995（平成7）年版の「障害者白書」（副題：バリアフリー社会をめざして）において指摘された4つの障壁とは、「物理的」、「制度的」、「文化・情報面」、「行政上の手続き」の4点である。

- -

第1問 ○ **ミスター・アベレージ**という、実際にはどこにも存在しない平均的な人を想定して建築物などをつくったために、その想定から外れた人が利用できないような環境が生まれていると、同報告書は指摘した。

第2問 × ユニバーサルデザインとは、**具体的な数値**などを定めたものではないので、客観的な基準にはならない。

第3問 × わずかな手間だけで調整ができたり、何かを付け加えることや、何かを取り除くことができたりすることを、**アダプタブル**という。スパイラルアップとは、これまでの経験に基づいて、さらによいものをつくるために検討を重ねながら、段階的・継続的な発展を図っていく一連の過程をさす。

第4問 ○ 浜松市の条例では、**市長**がユニバーサルデザインによるまちづくりの施策を推進するための計画を策定することが定められ、その計画を策定する際に、市長は、**市民及び浜松市ユニバーサルデザイン審議会**の意見を聴くとともに、その意見を反映させるよう努めることとされている。

第5問 × 「物理的」、「制度的」、「文化・情報面」、「**意識上**」の4つの障壁が指摘され、それらをなくす社会環境の必要性が示された。

バリアフリーとユニバーサルデザイン、それぞれの考え方を、しっかり確認しておきましょう。

3章

1節

11 バリアフリー、ユニバーサルデザインという考え方

Lesson
12 共用品

共用品は、身体的な特性や障害にかかわりなく、より多くの人が使いやすいように工夫された用具です。

1 共用品の定義 ★★★

POINT
共用品には、福祉用具をもとにしてつくられたものや、一般製品をもとにつくられたもの、最初から共用品としてつくられたものがある。

高齢者や障害者が自立した生活をおくるうえで、さまざまな用具をうまく活用することは大変重要です。用具を使って自分でできることが増えれば、QOL が向上し、社会参加の促進にもつながります。介護が必要な場合も、用具を使って自分でできることはできるだけ自分ですることが、本人にとっては尊厳の回復に、介護者にとっては介護の負担の軽減につながります。そのような目的で使用される用具として、この節では、共用品と福祉用具を取り上げます。

共用品は、より多くの人が使いやすいように工夫された用具で、英語では**アクセシブルデザイン**といいます。公益財団法人共用品推進機構は、共用品を「身体的な特性や障害にかかわりなく、より多くの人々が共に利用しやすい製品・施設・サービス」と定義しています。

よく知られている共用品の例として、側面にギザギザの付いたシャンプーの容器があります。シャンプーとリンスの容器は形状が同じで触っただけでは区別がつかなかった

CHECK
共用品は、日用品、衣料品、玩具、家電製品、IT 機器、自動車、住宅設備、エレベーターなどの製品や設備機器だけでなく、小売店、外食、レジャーなどのサービス産業にも広がりを見せている。

プラスα
共用品の概念は、前節で取り上げたユニバーサルデザインとの共通点が多い。共用品の英訳であるアクセシブルデザインは、ユニバーサルデザインと同じ意味で使われる場合もある。

キーワードでCHECK! 共用品／アクセシブルデザイン ⇒

ために、間違えて使用されることが多かったのですが、シャンプーの容器の側面にギザギザを付けることで、洗髪時に目をつぶっている人も、視覚に障害のある人も、シャンプーとリンスを間違えずに使えるようになりました。

スマートフォンで文字が大きく表示される機種は、当初は高齢者向けに開発されましたが、高齢者だけでなく、多くの人が使用するようになりました。

共用品には、**福祉用具をもとにしてつくられたもの**や、一般製品をもとにつくられたもの、最初から共用品としてつくられたものがあります。

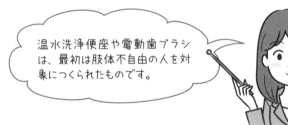

温水洗浄便座や電動歯ブラシは、最初は肢体不自由の人を対象につくられたものです。

◆共用品の範囲

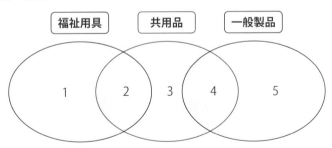

| 福祉用具 | 共用品 | 一般製品 |

1：専用福祉用具（<u>狭義の福祉用具</u>）
2：一般化した福祉用具の設計製品
3：共用設計製品
4：バリア解消設計製品
5：一般製品

} <u>広義の福祉用具</u>

共用品は、英語ではアクセシブルデザインといい、**ユニバーサルデザイン**と同じ意味で使われる場合もある。

◆共用品の具体例

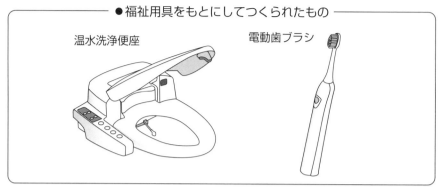

●福祉用具をもとにしてつくられたもの

温水洗浄便座　　　　　　　電動歯ブラシ

●わかりやすさに配慮したもの

シャンプー・リンス・ボディソープの容器

側面と上面にギザギザが付いている
のが**シャンプー**、一直線状の突起が
付いているのが**ボディソープ**。

牛乳パック

他の飲料と区別するた
めに、加工乳ではない
牛乳の紙パックの上部
には**半円**形の切り欠き
がある。

プリペイドカード　切り欠きの形状により、カードの
　　　　　　　　　　種類が区別できる。

◀電話用カード　　　◀買物用カード　　　◀乗物用カード

電話用カード　　　　買物用カード　　　　乗物用カード
だ円の切り欠き　　　**四角**の切り欠き　　　**三角**の切り欠き

キーワードで
CHECK!　エレベーター／鏡　⇒

●アプローチのしやすさに配慮したもの

エレベーター

ノンステップバス

奥に鏡があり、車椅子使用者が後ろ向きに出るときに後方を確認できる。

自動販売機

高さの調節ができる机

車椅子での使用に適した高さにもできる。

車椅子使用者用に品物やおつりの取り出し口、押しボタンを低めの位置にまとめてある。

●扱いやすさに配慮したもの

牛乳びん・ペットボトル

容器にくびれがあると滑りにくく、持ちやすい。

家電製品等のスイッチ

ON側に突起がある。

●多様な人の安全に配慮したもの

駅のホームドア

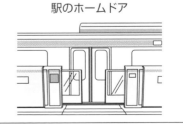

エレベーターの奥の壁面に鏡があるのは、**車椅子使用者**が後ろ向きに出るときに、**後方**を確認できるように配慮したものである。

2 共用品の普及と標準化の取り組み ★★

POINT
共用品の普及のために、配慮点の統一を図る標準化の取り組みが行われてきた。

多くの人にとって使いやすい、すぐれた共用品が開発されるのはとても喜ばしいことですが、せっかく開発された共用品も、メーカーによって配慮点が**共通**していなければ、かえってわかりにくく、使いにくいものになりかねません。ですから、共用品を普及させるためには、メーカーの垣根を越えて、業界全体で配慮点の統一を図り、共用品の標準化に取り組むことが重要になります。

1996（平成8）年に、プリペイドカードの切り欠きが、高齢者・障害者配慮設計指針として、初めて日本工業規格（JIS：現・日本産業規格）に制定されました。その後、家電製品等のスイッチ部への凸表示や、包装・容器の触覚識別表示なども JIS 規格に制定されています。

共用品の標準化を国内にとどめることなく、国際的に広める取り組みも行われました。日本工業標準調査会（JISC：現・日本産業標準調査会）は、国際標準化機構（ISO）の消費者政策委員会（COPOLCO）に、規格を作る際に高齢者や障害のある人に配慮するためのガイドの作成を提案し、満場一致で承認されました。そのガイドは、2001年11月に、**ISO/IEC ガイド 71** として制定されています。

同ガイドは、JIS では「高齢者及び障害のある人々のニーズに対応した規格作成配慮指針」として 2003（平成15）年に制定されました。2021（令和3）年6月までに同ガイドに基づく 42 種類の規格が定められ、そのうち5つの規格は国際規格になっています。

 用 語

日本産業規格（JIS）
　産業標準化法に基づいて制定される工業製品等の国家規格。従来は「日本工業規格」と呼ばれていたが、2019（令和元）年7月から標準化の対象がデータ、サービス等に拡大されるとともに、現名称に変更された。略称の JIS は従来通りで、英語名 Japanese Industrial Standards の略。

 用 語

国際標準化機構（ISO）
　電気分野を除く産業分野の国際的な標準規格を策定している国際機関で、1947年に設立された。ISO は、International Organization for Standardization の略。

一問一答で確認しよう！

□□□**問1** 共用品は、より多くの人が使いやすいように工夫された用具で、英語ではバリアフリーデザインという。

□□□**問2** シャンプーの容器は側面に凹凸がないので、側面にギザギザの付いたリンスの容器と区別できる。

□□□**問3** 共用品には、福祉用具をもとにしてつくられたものや、一般製品をもとにつくられたものもある。

□□□**問4** 温水洗浄便座や電動歯ブラシは、最初は肢体不自由の人を対象につくられたものである。

□□□**問5** 牛乳の紙パックは、他の飲料と区別するために、上部に半円形の切り欠きが設けられている。

□□□**問6** エレベーターの奥に鏡があるのは、室内を広く見せるためである。

□□□**問7** 家電製品等のスイッチ部への凸表示は、JIS規格に制定されていない。

□□□**問8** 日本工業標準調査会（JISC：現・日本産業標準調査会）は、国際標準化機構（ISO）の消費者政策委員会（COPOLCO）に、規格を作る際に高齢者や障害のある人に配慮するためのガイドの作成を提案したが、まだ承認には至っていない。

- -

正解 1× 2× 3○ 4○ 5○ 6× 7× 8×

1：共用品は、より多くの人が使いやすいように工夫された用具で、英語では**アクセシブルデザイン**という。

2：側面にギザギザが付いているのが、**シャンプー**の容器である。

6：奥に鏡があるエレベーターは、**車椅子使用者**が後ろ向きに出るときに後方を確認できるように配慮したものである。

7：家電製品等のスイッチ部への凸表示は、JIS規格に**制定されている**。

8：JISCの提案は、**満場一致で承認された**。

次の記述の内容が適切なものは〇を、不適切なものは×を選びなさい。

第1問 スマートフォンで文字が大きく表示されるタイプの機種は、当初は高齢者向けに開発されたが、高齢者だけでなく、多くの人が使用するようになった。このように、特定の人だけでなく、より多くの人が使いやすいようにつくられた用具を共用品といい、英語ではアクセシブルデザインという。

第2問 共用品には、福祉用具をもとにしてつくられたものや、一般製品をもとにつくられたもの、最初から共用品としてつくられたものがある。温水洗浄便座や電動歯ブラシは、最初は肢体不自由の人を対象とする用具としてつくられたものである。

第3問 共用品を広く普及させるためには、共用品の仕様を標準化することが重要である。1996（平成8）年に、プリペイドカードの切り欠きが、初めて国際標準化機構（ISO）に制定された。

第4問 わかりやすさに配慮した共用品の実例としてよく知られているのが、シャンプー・リンス・ボディソープの容器である。側面にギザギザが付いているのがシャンプー、一直線状の突起が付いているのがボディソープで、リンスの容器には突起がなく、この違いにより、触っただけで区別できるようになっている。

第5問 共用品には、もとは障害のある人たちのためにつくられたものが、のちに広く使われるようになったものがある。駅のホームドアは、障害のある人のわかりやすさに配慮してつくられたものである。

第1問 ○ 公益財団法人共用品推進機構は、共用品を「身体的な特性や障害にかかわりなく、**より多くの人々が共に利用しやすい製品・施設・サービス**」と定義している。

第2問 ○ 共用品には、**福祉用具**をもとにしてつくられたもの（一般化した福祉用具の設計製品）や、**一般製品**をもとにつくられたもの（バリア解消製品）、最初から共用品としてつくられたもの（共用設計製品）がある。

第3問 × 1996（平成8）年に、プリペイドカードの切り欠きが、初めて**日本産業規格**（JIS：当時・日本工業規格）に制定された。

第4問 ○ 側面にギザギザが付いているのが**シャンプー**、一直線状の突起が付いているのが**ボディソープ**の容器である。

第5問 × 駅のホームドアは、**多様な人への安全に配慮**したものであり、線路への転落や電車との接触防止が図られている。わかりやすさへの配慮の例としては、文字の大きさや点字の併記などがある。

共用品には、シャンプーの容器、プリペイドカードなど、身近にあるものが多いので、実物を見て確かめてみましょう。

操作を自動化、簡略化することで使いやすくなっている全自動洗濯機も共用品のひとつです。

福祉用具① 〈福祉用具の定義と分類／移動・移乗のための福祉用具〉

福祉用具を導入する際は、対象者の心身の状況や家族の介護力、用具を使用する生活環境などをよく把握し、それに合った用具を選択することが重要です。

1 福祉用具の定義と分類 ★

POINT

どのような福祉用具を選択し、使用するかは、対象者の自立度や介護の必要度によって変わる。

　Lesson 12 で取り上げた共用品は、より多くの人が使いやすいように工夫された、使用者を限定しない用具でした。これに対し、福祉用具とは、障害のある人や高齢者を対象に、特別な配慮をした用具をいいます（共用品と狭義の福祉用具、広義の福祉用具の関係については、p.137 の図参照）。

　1993（平成5）年に制定・施行された「福祉用具の研究開発及び普及の促進に関する法律（**福祉用具法**）」では、福祉用具を以下のように定義しています。

> 福祉用具法第2条
> この法律において「福祉用具」とは、心身の機能が低下し日常生活を営むのに支障のある老人又は心身障害者の日常生活上の便宜を図るための用具及びこれらの者の機能訓練のための用具並びに補装具をいう。

　一方、国際標準化機構（ISO）による国際福祉用具分類では、福祉用具を次のように定義しています。

キーワードで CHECK! 介護機器／自立機器　⇒

障害者のための用具、器具、機具、機器、ソフトウェアであって、特製品、汎用製品を問わず、以下のいずれかを目的とするもの。

・社会参加
・心身機能／身体構造と活動の保護、支援、訓練、測定、代替
・機能障害、活動制限あるいは参加制約の防止

ISO による定義は、生活機能の改善に役立つものであれば、共用品や汎用製品をも含む幅広い解釈となっています。

福祉用具は、もともと、加齢により低下した身体機能や、障害により失われた機能を補うための用具として開発され、発達してきましたが、今日では単に身体機能を補完するだけでなく、**QOL** の向上や**社会参加**を促し、人間としての尊厳を回復させる役割も期待されています。

福祉用具は、使用する目的や用具の機能などにより、下表のように分類されます。どのような福祉用具を選択し、使用するかは、対象者の自立度や介護の必要度によって変わってきます。

◆福祉用具の分類の例

福祉用具	介護機器	日常生活の介護を容易にする機器	例：介助用車椅子
	自立機器	生活機能の自立に役立つ機器	例：自走用車椅子
	治療機器	治療の目的で使用される機器	例：物理療法、運動療法に用いられる機器、生命維持機器（人工呼吸器など）
	機能補填機器	失われた機能を代替する機器	例：眼鏡、補聴器、義肢、義眼、義歯、装具、酸素補給器
	職業能力開発機器	職業能力を開発するための機器	例：作業訓練機器

介護機器は日常生活の介護を容易にする機器、自立機器は生活機能の自立に役立つ機器。同じ車椅子でも、**介助用**車椅子は前者、**自走用**車椅子は後者に含まれる。

2 福祉用具を導入する際の注意点 ★★

POINT
福祉用具に頼りすぎると、廃用症候群（生活不活発病）につながるおそれがある。

　福祉用具を導入する際は、対象者のニーズに合った福祉用具を選択するとともに、使用する福祉用具の機能や使用方法をよく理解しなければなりません。福祉用具の導入にかかる**コスト**をあらかじめ知っておくことも大切です。

　福祉用具の導入に当たって注意すべきことがらについて、以下に整理します。

①目的に合った用具を選択すること

　対象者の心身の状況や家族の**介護力**、用具を使用する生活環境などをよく把握し、それに合った福祉用具を選択することが重要です。

②導入の時期を見きわめること

　対象者の心身の状況は変化するので、そのときの状況に合った福祉用具を選択することが必要です。特に、進行性疾患の場合は、症状の進行に合わせて適切な福祉用具を**適切な時期**に導入するようにしなければなりません。

③導入の目的を明確にすること

　福祉用具を利用して何をしたいのか、**具体的な目的**を明確にすることで、より有効に福祉用具を活用することができます。たとえば、車椅子を単なる移動のための道具としてとらえるのではなく、地域のサークル活動に参加するために車椅子で外出できるようにしたいというように、目的をもつことで、本人のモチベーションも高まります。

④適切な使い方をすること

　福祉用具に頼りすぎると、廃用症候群（生活不活発病）につながる可能性があります。また、使用方法を誤ると事

 用　語

進行性疾患
　時間の経過とともに、症状が徐々に進行する疾患。

 用　語

廃用症候群
（生活不活発病）
　心身のさまざまな機能を長い間使用せずにいることにより、その機能が低下すること。安静、寝たきりの状態によって引き起こされやすい。

キーワードで
CHECK!　廃用症候群（生活不活発病）　⇒

146

故が発生し、けがをするおそれもあります。**認知症高齢者**の場合は、安全面への配慮が特に重要です。福祉用具を導入する際は、専門職から使用方法や使用に当たっての注意点などをアドバイスしてもらうようにします。

⑤福祉用具を福祉住環境整備の一つととらえること

福祉用具を導入するだけで、すべての**生活上の問題点**を解決することは困難です。福祉用具を福祉住環境整備の方法の一つととらえて、住宅改修や家具の配置の見直し、介護の役割分担や介護サービスの利用など、生活全体のあり方を視野に入れながら、福祉用具の有効な活用方法を考えることが重要です。

3 つえ ★★★

POINT
つえは、握り、支柱、つえ先からなり、握りやつえ先の形状が、つえの種類により異なる。

歩行を補助する福祉用具には、つえ、歩行器、歩行車などがあります。なかでも、つえは、一般に最もよく使用されるもので、下肢の機能が低下している人や、**片麻痺**により歩行能力が低下している人などが用いるのに適しています。

つえは、**握り**、**支柱**、**つえ先**からなり、つえ先には、滑り止めのゴムキャップが付いています。握りやつえ先の形状は、つえの種類により異なります。

①Ｃ字型つえ（彎曲型つえ・ステッキ）

握りの部分の形状がＣ字になっているつえ。体重をかけたときの**安定性**に欠けるため、下肢の機能がやや低下した高齢者が軽い支えとして用いるのに適している。

CHECK

つえの材質は、軽量化を図るためにアルミニウム合金製のものが多い。

心身のさまざまな機能を長い間使用しないでいることにより、その機能が低下することを、廃用症候群（生活不活発病）という。過度の**安静**などがその原因となる。

②Ｔ字型つえ

　握りの部分の形状がＴ字になっているつえ。Ｃ字型つえよりも体重をかけやすく、脳血管障害により下肢の機能が低下している人や、**片麻痺**の人が用いるのに適している。

③多脚つえ（多点つえ）

　つえ先が３～５脚に分かれているつえ。**支持面積**が広く安定性にすぐれ、体重を十分に負荷できる。Ｔ字型つえを使用する場合よりもさらに歩行時の安定性が低下している場合に使用する。**接地面**が平らでない場合は安定しないので、屋内、屋外ともに、使用する場所を考慮する必要がある。

④ロフストランド・クラッチ

　上部に前腕を支えるための**カフ**があり、前腕と握りの２点で支持できるので、握力の弱さを補うことができる。下肢の骨折、片足切断、対麻痺、股関節症、膝関節症などの障害がある場合などに使用する。前腕固定型つえ、エルボークラッチともいう。

CHECK

ロフストランド・クラッチのカフには、一方が開いたＵ字型のオープンカフと、Ｏ字型のクローズドカフがある。クローズドカフのほうが前腕部をしっかり固定できるが、転倒したときに腕が抜けず、事故につながるおそれがある。

◆つえの種類

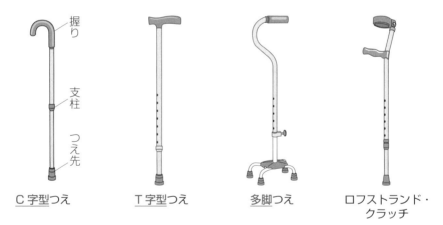

Ｃ字型つえ　　　　Ｔ字型つえ　　　　多脚つえ　　　　ロフストランド・クラッチ

（図中ラベル：握り／支柱／つえ先）

キーワードで
CHECK!　つえ／握り／大腿骨大転子　⇒

つえの高さは、握りの部分が**手首**の位置、あるいは足の付け根にある大腿骨大転子の高さにくるのが適当です。高さを調節できるものが多いので、使用者が最も使いやすいように調節します。

つえの適応は、障害の程度や疾患により異なるので、理学療法士などの専門職による指導を受けるようにします。

4 歩行器・歩行車・シルバーカー ★★★

POINT
歩行器・歩行車は、つえを使用する場合よりもさらに歩行の安定性が低下している場合に用いる。

　歩行器・歩行車は、歩行支援のための用具で、つえを使用する場合よりもさらに歩行の安定性が低下している場合に用います。回復期につえ歩行に移行する前の段階で使用されることもあります。

　歩行器・歩行車は、**握り部**、**フレーム**、**脚部**からなり、脚部に車輪が付いているものを歩行車といいます。

①固定型歩行器

　フレームには可動性がなく固定されており、フレーム全体を持ち上げて前方に下ろすことにより前進する。**下肢の支持性**はあるが、歩行の耐久性が低い場合に用いられる。握力が低下している場合や、肩・肘の動きや支持力が十分でない場合は適応が困難である。

②交互型歩行器

　フレームに可動性があり、フレーム全体が斜めに変形す

つえの高さは、握りの部分が手首、または**足の付け根**にある大腿骨大転子の高さにくるのが適当である。高さを調節できる場合は、その高さを目安にする。

る。片側ずつ交互に前方に押し出しながら前進することができるので、固定型歩行器のようにフレーム全体を持ち上げる必要はない。**片麻痺**の人には適さない。

③歩行車

　二輪以上の車輪を備え、両手で前に押し出して操作する。移動中にも体重を支えることができるので、**転倒**のおそれがある場合に有効である。ブレーキが付いているものもあり、その場合はブレーキ操作が必要となる。シート付きのものもある。

④シルバーカー

　高齢者が、主に買い物や散歩のときなどに使用する手押し車で、三輪のものと四輪のものなどがある。支持面積が広く、手元に**ブレーキ**が付いている。強く体重をかけると、前輪が浮き上がって転倒するおそれがある。

シルバーカーは、自立歩行ができる人が補助的に用いるのに適している。体重を保持する機能が必要な場合は、歩行車を選択する。

◆歩行器・歩行車・シルバーカー

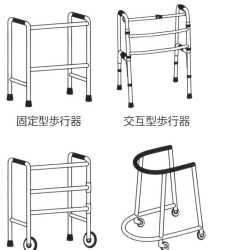

固定型歩行器　　交互型歩行器

二輪歩行車　　四輪歩行車

シルバーカー

キーワードで CHECK!　手押しハンドル／ティッピングレバー　⇒

歩行器・歩行車・シルバーカーは、ある程度の広さがあって、段差がない場所で使用します。

歩行器・歩行車・シルバーカーは、つえと同様に高さを調節して使用する。

5 車椅子 ★★★

POINT
車椅子は、使用者が自ら操作する自走用車椅子と、介助者が操作する介助用車椅子に大別される。

車椅子は、疾患や障害により歩行が困難になっている人が、腰かけたまま移動できるように、座面、背もたれ、肘当てなどを有する椅子に車輪が付いた形状の用具です。移動のための駆動方式により、**手動**式と**電動**式に分かれます。また、使用者が自ら操作する自走用車椅子と、介助者が操作する介助用車椅子に大別されます。

①自走用（自操用）標準形車椅子

最も広く使用されている車椅子で、**ハンドリム**で駆動輪を動かすことにより使用者が自ら操作することを前提としてつくられているが、**手押しハンドル**や**ティッピングレバー**を使って**介助者**が操作することもできる。

②介助用標準形車椅子

介助者が押して操作する車椅子で、車輪は小さく、**ハンドリム**が付いていない。自走用標準形車椅子にくらべて寸法は小さめで、収納や持ち運びがしやすく、折りたたんで車のトランクに積み込むことも可能である。ただし、フレームの強固さに欠けるため、屋外の整地されていない場所での使用には適さない。

*プラス*α

車椅子は、単に移動の手段として用いられるだけでなく、歩行が困難になった人の離床を促し、座位をとって活動的に過ごせるようにするためのものでもある。

自走用標準形車椅子は、ハンドリムで駆動輪を動かして使用者が自ら操作するが、手押しハンドルやティッピングレバーを使って**介助者**が操作することもできる。

③座位変換形車椅子

　座面が昇降したり、姿勢を変換させたりする機能をもつ車椅子。昇降機構をもつ座席昇降式車椅子は、机や洗面台などの高さに合わせて、座面の高さを作業がしやすい位置に調節できる。座面を下げて、床や畳に下りられるようにしたものもある。

　姿勢の変換ができる車椅子には、シートとバックサポートの角度を保ったまま全体を傾ける**ティルト**機構をもつティルト式車椅子や、バックサポートを倒す**リクライニング**機構をもつリクライニング式車椅子がある。リクライニング機構は、**座位**の持続性が低い人や、起立性のめまいを起こす人に適応される。

④電動車椅子

　上肢の機能障害などにより、自走式車椅子の操作が困難な人や、重度の障害がある人などが主に使用する車椅子で、駆動用のモーターとバッテリーを搭載している。

　標準形電動車椅子は、通常肘当ての前方にあるコントロールボックスの**ジョイスティックレバー**で操作する。ジョイスティックレバーを手で操作するのが困難な場合は、顎などを使って操作できる位置にコントロールボックスを設置することにより操作が可能になる。

　ハンドル形電動車椅子は、両手でハンドルを持って操作するもので、高齢者が外出や買い物の際に、スクーター代わりに使用する。重量が重く、もっぱら**屋外**で使用される。道路や踏切での死亡事故の事例も多く、導入に当たっては十分な練習が必要である。

　簡易形電動車椅子は、自走用標準形車椅子に電動駆動装置とジョイスティックレバーを備えたコントロールボックスを装着したもので、電動車椅子としては軽量で、屋内でも使用できる。

CHECK

　標準形電動車椅子は、座位保持のための適合が必要なので、脊髄損傷などで重度の障害をもつ、若くて活動的な人に主に用いられる。

プラスα

　車椅子を押す介助者の負担を小さくする介助用電動車椅子もある。

キーワードでCHECK!　ティルト機構／リクライニング機構　⇒

◆自走用（自操用）標準形車椅子の構造

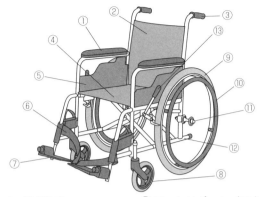

① **アームサポート**（肘当て）
座位姿勢を安定させ、移乗や立ち上がりの支えにもなる。着脱式、跳ね上げ式のものもある。

② **バックサポート**（背もたれ）
座位姿勢を保持する。

③ **グリップ**（手押しハンドル）
介助者が手で持って操作する。介助用車椅子には、ここにブレーキの付いたものもある。

④ **シート**（座面）
たわみが大きいと座位姿勢がくずれるので注意する。

⑤ **サイドガード**
衣服などがタイヤに巻き込まれないようにするもの。

⑥ **レッグサポート**
足が後方に落ちるのを防ぐ。立ち上がりができる場合は、着脱できる物がよい。

⑦ **フットサポート**（足台）
足を乗せる台。立ち座りのときは跳ね上げておく。

⑧ **前輪**（キャスタ）
方向転換がしやすいように、自在輪になっている。

⑨ **後輪**（駆動輪）
自走用車椅子では、22インチや24インチのものが多い。

⑩ **ハンドリム**
手でつかんで回し、駆動輪を回転させて前進、後退を行う。

⑪ **車軸**
車軸の位置によって全体のバランスや駆動のしやすさが決まる。

⑫ **ティッピングレバー**
段差に乗り上げる際に、介助者が足で踏んでキャスタを持ち上げる。

⑬ **ブレーキ**
駆動輪が動かないように固定する。

手動用車椅子に用いられる素材は、一般的にはスチール製が普及していますが、耐久性を考慮したステンレス製、軽量化を図ったアルミニウム合金製やチタン合金製などもあります。

座位変換形車椅子の機能で、**シート**と**バックサポート**の角度を保ったまま全体を傾けられるのがティルト機構、**バックサポート**を倒せるのがリクライニング機構。

◆車椅子の種類

介助用標準形車椅子

リクライニング式車椅子

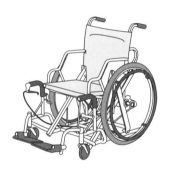

座席昇降式車椅子

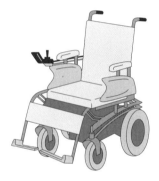

標準形電動車椅子

ハンドル形電動車椅子

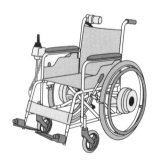

簡易形電動車椅子

キーワードで CHECK! 福祉用具のスロープ ⇒

6 スロープ ★★

POINT

福祉用具のスロープは、屋内と屋外のアプローチや玄関の上がりがまちなどの、あまり大きくない段差を解消する場合によく使用される。

福祉用具のスロープは、段差を緩やかな勾配に変えるための用具で、屋内と屋外の**アプローチ**や玄関の**上がりがまち**などの、あまり大きくない段差を解消する場合によく使用されます。車椅子で移動する人にとっては、特に重要な用具です。

段差を解消するためのスロープには、コンクリートを敷設するなどの本格的な**工事**を行って設置するものもありますが、福祉用具である可搬型のスロープは、工事をともなわずに簡易に設置できます。

スロープの形状は、**平面**のもの、**くさび形**のもの、車椅子の車輪の部分だけを乗せる2本の**レール状**のものなどがあります。また、常時設置しておくものと、使用するときだけ設置する折り畳み式、伸縮式のものがあります。材質も、木製、金属製、特殊樹脂製などさまざまなものがあるので、使用する場所に適したものを選択します。

スロープを導入する場合は、車椅子使用者や介助者の車椅子の操作能力や、設置する際の労力などを考慮することが必要です。

車椅子で使用するスロープは、緩やかな勾配でなければならないので、高低差が大きいほど長いスロープが必要になります。スロープを設置するのに十分なスペースがない場合は、**段差解消機**を設置するなど、他の方法で段差を解消することを検討します。

プラスα

スロープは、立位で移動する際に使用されることもあるが、下肢装具を装着して足関節を固定している場合などは、かえって歩行しにくくなることもある。

段差を解消するためのスロープには、本格的な**工事**を行って設置するものもあるが、福祉用具である可搬型のスロープは、工事をともなわずに設置できる。

◆福祉用具のスロープの例

平面状のスロープ

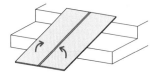

まん中で折り畳める。

レール状のスロープ

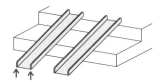

脱輪防止のために、両端に立ち
上がりが設けられている。

くさび型のスロープ

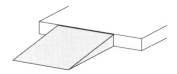

7 段差解消機 ★★

POINT
段差解消機は、屋内と屋外、道路と敷地などの比較的大
きな段差を解消する場合に使用される。

　段差解消機は、人や車椅子を乗せた台を**垂直**に昇降させ
る装置で、屋内と屋外、道路と敷地などの比較的大きな段
差を解消する場合に使用されます。主に、車椅子使用者や、
階段の上り下りが困難な人が使用します。

　段差解消機は、比較的狭い場所にも設置できるので、高
低差が大きく、スロープが設置できない場合に有効です。
駆動方式は、介助者がハンドルや足踏みペダルで操作する
手動式と、車椅子使用者本人も操作できる**電動式**がありま
す。

CHECK

　電動式の段差解消
機には、台の下部に
パンタグラフ式の昇
降機構をもつものと、
側面の支柱に沿って
昇降するフォークリ
フト式のものがある。

キーワードで
CHECK! パンタグラフ式／フォークリフト式 ⇒

◆段差解消機の例

フォークリフト式

パンタグラフ式

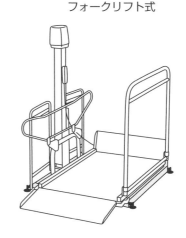

　身体能力の低下が予想される場合や、車椅子の操作能力が低い人の場合は、スロープよりも段差解消機の設置が適していることもあります。介助が必要な場合も、**介助者**の負担軽減につながります。

　段差解消機を設置する場合は、安全に使用するために、使用者や介助者の訓練が必要です。転落防止や、子どもによる誤操作などにも十分配慮しなければなりません。

覚えよう！ | スロープと段差解消機

・福祉用具の可搬型のスロープは、工事が不要で簡便に設置できる。
・スロープは、高低差が比較的小さい場合に用いる。
・高低差が大きく、スロープが設置できない場合や、使用者の身体能力が低下している場合、介助者の負担を軽減したい場合などは、段差解消機の設置を検討する。

電動式の段差解消機には、台の下部にパンタグラフ式の昇降機構をもつものと、側面の支柱に沿って昇降するフォークリフト式のものがある。

8 階段昇降機（階段昇降装置） ★★

**可搬型階段昇降機は、特に安全性への配慮を必要とする
福祉用具で、介助者の訓練が欠かせない。**

階段昇降機は、自力で階段を昇降することが困難な場合
に用いられるもので、以下の2種類があります。

①固定型階段昇降機（階段昇降機）

階段に固定されたレールに沿って、駆動装置の付いた椅
子が昇降するもので、椅子の座面や肘かけなどに取り付け
られたスイッチを本人が操作することも、階段の上下に設
置されたスイッチを介助者が操作することもできる。介助
者の負担が大きく軽減されるが、安定した**座位**をとれるこ
とが適応の条件となる。使用に当たっては安全ベルトを着
用し、車椅子から移乗する際の転落防止にも配慮する。

②可搬型（自走式）階段昇降機

車椅子や人を乗せて階段を昇降するもので、エレベー
ターのない共同住宅の階段などで用いられる。ゴムのキャ
タピラーで駆動するクローラ方式と、1段ずつ昇降するリ
フトアップ方式がある。

介護保険制度では、機種が使用環境に適していること、
介助者が安全指導員による指導を受け、操作に習熟してい
ることなどが、貸与のための条件とされている。

可搬型階段昇降機は、骨折など
の事故も報告されています。使用
に当たっては、介助者の訓練が欠
かせません。

◆階段昇降機の例

固定型階段昇降機

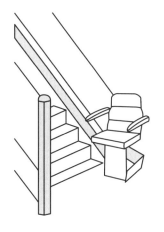

可搬型（自走式）階段昇降機

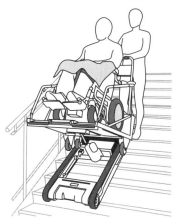

9 移動用リフト　★★

POINT

移動用リフトを導入する際は、設置に必要なスペースが
あるか、段差が解消されているか、移動のための経路が
確保されているかなどを検討する。

　移動用リフトは、自力で移動・移乗ができず、人的な介
助だけでも移動・移乗が困難な場合に用いられるもので、
以下のような種類があります。

①床走行式リフト

　使用者の身体の下に吊り具を敷き込み、ハンガー部分に
引っかけて、アームを上げることにより身体を持ち上げ、
床の上を移動するもの。主にベッドから車椅子への移乗用
に用いられる。アームの駆動方式には**電動式**と**油圧式**があ
り、電動式にはコード式と充電式がある。リフト自体の移
動は、介助者が支柱部分を握って**手動**で行う。

CHECK

　床走行式リフトの
架台にはキャスタが
付いており、任意の
場所に移動できるが、
段差が解消されてい
ることが必要である。

可搬型階段昇降機は、介護保険制度では、**介助者**が安全指導員による指導を受け、
操作に習熟していることなどが貸与のための条件とされている。

②固定式（設置式）リフト

　床面や壁面に固定する**住宅設置式リフト**と、ベッドや浴槽に設置する**機器設置式リフト**がある。可動範囲は、**垂直**の昇降と支柱を中心とした**回転**の範囲で、ベッドから車椅子への移乗、浴槽への出入りなどに使用される。アームの上げ下げは**電動**で、旋回は介助者による**手動**で行うものが多い。

③レール走行式リフト

　架台の上に組み立てられたレールの範囲を走行する**据置式リフト**と、天井面に敷設したレールに沿って走行する**天井走行式リフト**がある。据置式リフトは工事が不要で、主にベッドから車椅子への移乗のために用いられる。天井走行式リフトは、レールの設置工事が必要である。レールにカーブを設けることもでき、レールさえ設置できれば、部屋から部屋への移動も可能である。

　移動用リフトを導入する場合は、リフトを設置するために必要な**スペース**があるか、**段差**が解消されているか、移動のための**経路**が確保されているかなどをよく検討することが必要です。これらの条件が満たされていない場合は、せっかく導入してもかえって使いにくいものになってしまうこともあります。また、介助者が高齢であるときや、上肢の力が弱いときは操作が困難になることもあります。

リフトを使用する場合は、使用者がリフトに吊り下げられることによる不安を和らげるために、介助者が声かけを行います。

キーワードでCHECK!　移動用リフト／可動範囲　⇒

160

◆移動用リフトの例

床走行式リフト

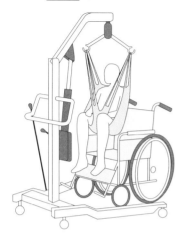

固定式（設置式）リフト

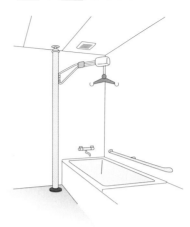

据置式リフト

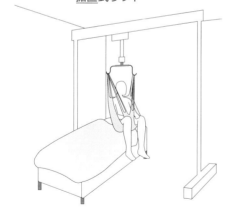

天井走行式リフト

床走行式リフトは**段差**が解消されていれば任意の場所に移動できる。固定式リフトは支柱を中心とした回転の範囲、レール走行式リフトはレールの範囲を移動できる。

一問一答で確認しよう！

□□□**問1** 福祉用具に頼りすぎると、廃用症候群（生活不活発病）につながるおそれがある。

□□□**問2** Ｔ字型つえは、Ｃ字型つえにくらべて体重をかけにくく、安定性に欠ける。

□□□**問3** 交互型歩行器は、フレームを持ち上げる必要がないので、片麻痺の人に適している。

□□□**問4** 自走用（自操用）標準形車椅子は、手押しハンドルやティッピングレバーを使って介助者が操作することもできる。

□□□**問5** ハンドル形電動車椅子は、電動車椅子としては軽量で、屋内でも使用できる。

□□□**問6** スロープは、立位で移動する際に使用されることもあるが、下肢装具を装着して足関節を固定している場合などは、かえって歩行しにくくなることもある。

□□□**問7** 可搬型（自走式）階段昇降機は、もっぱら室内で使用される。

□□□**問8** 固定式（設置式）リフトは、天井面に敷設したレールに沿って走行する。

正解 1○ 2× 3× 4○ 5× 6○ 7× 8×

2：Ｔ字型つえは、Ｃ字型つえよりも体重を**かけやすく**、脳血管障害により下肢の機能が低下している人や、片麻痺の人が用いるのに適している。

3：交互型歩行器は、フレームに可動性があり、片側ずつ交互に前方に押し出しながら前進するので、フレームを持ち上げる必要がないが、**片麻痺**の人には適さない。

5：ハンドル形電動車椅子は、高齢者が外出や買い物の際に、スクーター代わりに使用するもので、重量が重く、もっぱら**屋外**で使用される。

7：可搬型（自走式）階段昇降機は、主に、**エレベーターのない共同住宅の階段**などで用いられる。

8：固定式（設置式）リフトには、床面や壁面に固定する**住宅設置式リフト**と、ベッドや浴槽に設置する**機器設置式リフト**がある。可動範囲は、**垂直の昇降と支柱を中心とした回転**の範囲である。

実力問題にチャレンジ！

次の記述の内容が適切なものは○を、不適切なものは×を選びなさい。

第1問 自走用（自操用）標準形車椅子は、最も広く使用されている車椅子で、使用者がティッピングレバーで駆動輪を動かすことにより自ら操作することを前提としてつくられているが、手押しハンドルやハンドリムを使って介助者が操作することもできる。

第2問 介助用標準形車椅子は、介助者が押して操作する車椅子で、駆動輪は小さく、ハンドリムが付いていない。自走用標準形車椅子にくらべて寸法は小さめで、収納や持ち運びがしやすいが、フレームの強固さに欠けるため、屋外の整地されていない場所での使用には適さない。

第3問 標準形電動車椅子は、肘当ての前方にあるコントロールボックスのジョイスティックレバーで操作する。そのため、手でジョイステイックの操作ができない重度の障害がある人は使用することができない。

第4問 ハンドル形電動車椅子は、自走用標準形車椅子に電動駆動装置とジョイスティックレバーを備えたコントロールボックスを装着したものである。電動車椅子としては比較的軽量で、屋内でも使用できる。

第5問 座位変換形車椅子は、座席昇降機構または姿勢変換機能を有する車椅子で、座面の位置の昇降機構をもつ機種では、机や洗面台などの高さに合わせて、座面の高さを作業しやすい位置に調節できる。

第1問 ×　自走用（自操用）標準形車椅子は、**ハンドリム**で駆動輪を動かすことにより使用者が自ら操作することを前提としてつくられているが、手押しハンドルや**ティッピングレバー**を使って介助者が操作することもできる。

第2問 ○　介助用標準形車椅子は、自走用標準形車椅子にくらべて寸法が**小さめ**で、収納や持ち運びがしやすく、折りたたんで車のトランクに積み込むこともできる。ただし、フレームの強固さに欠けるため、**屋外の整地されていない場所**での使用には適さない。

第3問 ×　ジョイスティックレバーを手で操作するのが困難な場合は、顎などを使って操作できる位置にコントロールボックスを設置することにより操作が可能になる。

第4問 ×　ハンドル形電動車椅子は、両手でハンドルを持って操作するもので、高齢者が外出や買い物の際に、スクーター代わりに使用する。重量が重く、もっぱら**屋外**で使用される。選択肢の文は、**簡易形電動車椅子**の説明になっている。

第5問 ○　座面を下げて、床や畳に下りられるようにしたものもある。姿勢の変換ができる車椅子には、ティルト機構やリクライニング機構をもつものがある。

ゴロ合わせ

ロフストランド・クラッチ

花粉症だから
（カフ）

老夫婦　ストライキ　クラッカー食べちゃう
（ロフ　　ストランド　　クラッチ）

つえ上部に前腕を支えるための<u>カフ</u>があるのは、ロフストランド・クラッチである。

詳しくは ▶ p.148

Lesson 14 福祉用具②〈起居・就寝・排泄・入浴のための福祉用具〉

福祉用具をうまく活用することにより、利用者本人の自立が促されるとともに、介助者の負担も軽減されます。

1 特殊寝台（介護用ベッド） ★★★

POINT

特殊寝台（介護用ベッド）は、寝たきりを防止し、離床を促すことを目的とする用具である。

特殊寝台（介護用ベッド）は、**背上げ**、**膝上げ**や、**高さ調節**の機能を備え、高齢者や障害者の**寝返り**、**起き上がり**、**立ち上がり**などの動作を補助する福祉用具です。これらの動作を容易に行えるようにすることで、介助者の負担も軽減されます。駆動方式は、電動式と手動式がありますが、在宅で使用されるものは、現在はほとんど**電動式**になっています。

背上げ、膝上げの機能を使って**座位**を保持することも可能で、寝たきり予防につながる効果もあります。ベッドの端に脚を下ろして腰かける姿勢を端座位といい、この姿勢が安定すると、立ち上がりや車椅子への移乗の動作がしやすくなります。

ベッドの高さは、立ち上がり動作を行うときは本人が立ち上がりやすい高さに、介助を行うときは介助者が介助しやすい位置に調節することができます。

特殊寝台（介護用ベッド）は、ベッドで生活するためのものではなく、寝たきりを防止し、離床を促すことを目的とする用具です。

CHECK

特殊寝台（介護用ベッド）は、ベッド上で脚を投げ出して座る長座位から、ベッドの端に腰かける端座位を経て、寝たきりから解放されることを目標として使用することが望ましい。

◆特殊寝台（介護用ベッド）

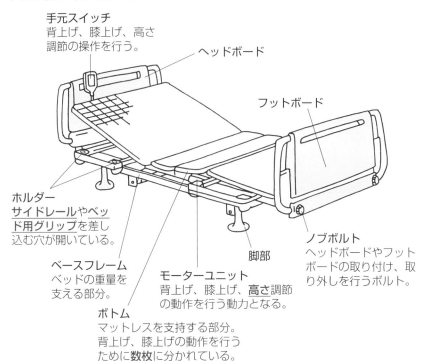

手元スイッチ
背上げ、膝上げ、高さ
調節の操作を行う。

ヘッドボード

フットボード

ホルダー
サイドレールやベッ
ド用グリップを差し
込む穴が開いている。

ベースフレーム
ベッドの重量を
支える部分。

ボトム
マットレスを支持する部分。
背上げ、膝上げの動作を行う
ために数枚に分かれている。

モーターユニット
背上げ、膝上げ、高さ調節
の動作を行う動力となる。

脚部

ノブボルト
ヘッドボードやフット
ボードの取り付け、取
り外しを行うボルト。

特殊寝台と一体的に使用される付属品として、マットレ
ス、**サイドレール**、**ベッド用グリップ**があります。サイド
レールは転落防止のために、ベッド用グリップは、座位保
持、起き上がり、立ち上がり、車椅子への移乗等の動作を
行う際に身体を支えるために用いるものです。

認知症高齢者の場合、サイドレー
ルとヘッドボードの間に頸、手首、
足首、胸などをはさまれる事故や
転落事故に注意します。

キーワードで CHECK! 床ずれ防止用具／体圧分散 ⇒

2 その他の起居・就寝に関する用具 ★★

POINT

以前は褥瘡予防の目的でよく使われていた円座は、現在は使用されなくなっている。

スライディングボードは、表面が滑りやすい素材で作られた板状の用具で、ボードの上で身体を滑らせることで、身体の位置や向きを変える動作をしやすくします。主に、ベッドから車椅子に座位のまま移乗するときに使用します。臥位で身体の下にボードを滑り込ませて体位変換を行う際に用いることもあります。

スライディングマット、スライディングシーツは、筒状に縫い合わされたマット、シーツで、裏面（筒の内側）が滑りやすい素材でできています。身体の下に敷き込んで、ベッド上を滑らせたり、寝返りを打たせたりする場合に使用します。身体全体を乗せるフルサイズのものと、長さが50cm程度のハーフサイズのものがあり、後者は車椅子への移乗の際に用いることもあります。

これらの用具は、移乗や体位変換を行う際に、介助者の負担を軽減するのに有効ですが、移乗は危険をともなう動作なので、介助者が用具を使用した移乗動作に十分に慣れ、技術を習得することが必要です。

床ずれ防止用具は、長時間同じ姿勢で寝ていて皮膚が圧迫されることにより、褥瘡（じょくそう）が生じるのを避けるための用具です。ゲル状のものや、**ウォーターマットレス、エアマットレス、ウレタンマットレス、医療用のムートン**など、さまざまな素材のものがあり、いずれも、身体にかかる圧力を分散させる**体圧分散**機能があります。

なお、以前は褥瘡予防の目的でよく使われていた**円座**は、現在は使用されなくなっています。

CHECK

スライディングボードを使用してベッドから車椅子に移乗する際は、スライディングボードをベッドと車椅子の座面に掛け渡して、臀部を滑らせて移乗する。

用 語

褥瘡
身体の特定の場所の皮膚が長時間圧迫されることにより、組織の末梢血管が閉塞して壊死を起こす病態のことをいう。

CHECK

ここでいう円座とは、まん中にくぼみや穴がある褥瘡予防用のクッションのこと。くぼみ以外の部分には圧力が強くかかることなどから効果が疑問視され、日本褥瘡学会の指針では使用しないことが推奨されている。

床ずれ防止用具は、身体にかかる圧力を分散させ、**褥瘡**を予防する。ウォーターマットレス、エアマットレス、ウレタンマットレス、医療用のムートンなどがある。

◆起居・就寝のための福祉用具の例

スライディングボード

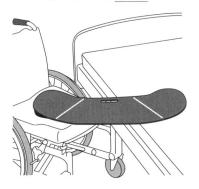

スライディングマット、
スライディングシーツ

エアマットレス

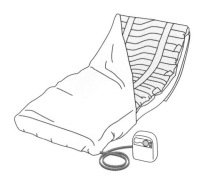

ウレタンマットレス

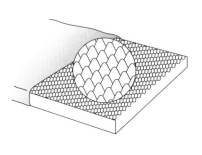

本人の心身の状態や生活環境、
介助者の状況などをよく考慮し
て、最適な用具を選択することが
重要です。

キーワードで
CHECK! 補高便座／立ち上がり補助便座 ⇒

3 排泄に関する用具　★★

POINT

排泄に関連する福祉用具の導入に当たっては、尿意・便意の有無や、排泄のコントロールが可能かどうかをまず確認する。

　排泄に関連する福祉用具の使用を検討する場合は、**尿意・便意**の有無や、排泄のコントロールが可能かどうかをまず判断します。尿意・便意がないときや寝たきりの場合は、おむつや尿器の使用を検討します。ベッドサイドで端座位をとることが可能ならば、**ポータブルトイレ**を使用する方法も考えられます。

　ポータブルトイレは、本体に尿や便を受ける**バケツ状**の容器が組み込まれたもので、スツール型、肘かけや背もたれが付いたもの、家具調の木製のものなど、さまざまなタイプがあります。椅子型で、立ち上がるときに足もとを後ろに引けるようにしたものもあります。最近は、化学的処理や微生物の働きを利用して汚物の臭いを除去する機能を備えたものもあります。

　ポータブルトイレの使用に当たっては、ベッドから移乗するときや、便座から立ち上がるときにバランスをくずして**転倒する**おそれがあるので注意します。固定が不十分な場合、ポータブルトイレごと倒れてしまうこともあります。

　伝い歩きや介助による歩行が可能な場合は、日中はできる限りトイレを使用するようにします。

　トイレ用の**手すり**や、**補高便座**、**立ち上がり補助便座**などを使用することにより、洋式便器からの立ち座りをしやすくなります。トイレが和式の場合は、**据置式便座（床置き式補高便座）**を和式便器にかぶせることで、洋式便器のような腰かけ式に変換することができます。

CHECK

　福祉用具のトイレ用手すりは、工事をともなわずに簡易に設置できるものをいう。補高便座は、洋式便器の上に置いて座面を高くし、立ち座りの動作を容易にするもの、立ち上がり補助便座は、便座を電動で昇降させることにより立ち座りを補助するものである。

洋式便器からの立ち座りをしやすくするための用具で、補高便座は、洋式便器の上に置いて**座面**を高くし、立ち上がり補助便座は、便座を電動で**昇降**させる。

◆福祉用具の腰かけ便座の種類

据置式便座
（床置き式補高便座）

補高便座

立ち上がり補助便座
（昇降機構付き便座）

標準形ポータブルトイレ
（木製椅子型）

スツール形
ポータブルトイレ

　家族と共用するトイレの便器を変更する場合は、家族にとって使いにくいものにならないように配慮することも必要です。

　片麻痺の人が使用するトイレでは、便器の洗浄ボタンや温水洗浄便座のリモコンを麻痺側に設置することを避け、健側に設置するようにしなければなりません。

 用　語

健側
　身体の左右どちらか一方に障害がある場合、障害のない側を健側、障害のある側を患側という。

排泄の自立ができるかどうかは、本人にとっても、介助する家族にとっても非常に重要です。

キーワードで CHECK! バスボード／入浴台（ベンチ型シャワー椅子）　⇒

4 入浴に関する用具 ★★

POINT

入浴時は、着脱衣、浴室への出入り、洗体、洗髪、浴槽への出入り、浴槽内での立ち座りなど、多くの動作を要求される。

入浴時は、洗面・脱衣室での着脱衣に始まり、浴室への出入り、洗体、洗髪、浴槽への出入り、浴槽内での立ち座りなど、多くの動作を要求されます。入浴に関連する福祉用具には、これらの動作を助けるものや、介助者の負担を軽減するものがあります。

入浴用椅子は、洗体の際に身体を安定させるために使用するものです。**座面の高さを調節できる**ものが多く、座面を浴槽の縁の高さに揃えると、入浴台（ベンチ型シャワー椅子）として使用することができます。

シャワー用車椅子は、歩行が困難な人が、脱衣場と浴室の間を移動する場合に使用します。一般の車椅子よりも小さく、浴室に乗り入れた後は、そのまま洗体用の椅子として使用できます。

バスボードは、浴槽への出入り動作を安全に行うための用具で、浴槽の縁に掛け渡して設置します。片麻痺がある場合は、健側から浴槽に入れるような向きに設置します。浴槽の広さや水栓の位置、介助者が立つ場所や介助能力なども考慮します。

入浴台（ベンチ型シャワー椅子）は、浴槽の縁から外側に向けて取り付けるもので、腰かけて身体を洗ったり、腰かけたまま身体をずらしていって浴槽にまたぎこんだりするために使用します。

浴槽用手すりは、浴槽の縁をはさむようにして設置し、浴槽をまたぐときに軽く体重を支えるために使用します。

CHECK

座位のバランスが悪い場合は、背もたれや肘かけが付いている入浴用椅子を選択する。

CHECK

シャワー用車椅子で脱衣場から浴室に乗り入れるには、脱衣室と浴室の間の段差が解消されていることが必要である。

バスボードは**浴槽の縁に掛け渡して設置**し、浴槽への出入りの際に使用する。入浴台は**浴槽の縁から外側に向けて取り付け**、洗体と浴槽への出入りの際に使用する。

◆入浴に関連する福祉用具

入浴用椅子

シャワー用車椅子（トイレ兼用型）

便器に乗り入れ
た状態

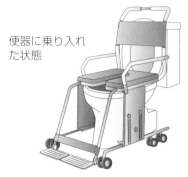

バスボード

入浴台（ベンチ型シャワー椅子）

浴槽用手すり

浴槽内椅子

キーワードで
CHECK!　浴槽内椅子　⇒

浴槽内昇降機（浴槽設置式リフト）　　　入浴用介助ベルト

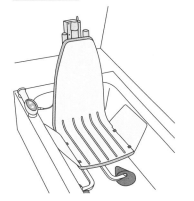
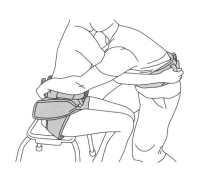

　浴槽内椅子は、浴槽内に置いて、浴槽につかっていると
きに腰かけて姿勢を保持するほか、浴槽への出入りの際に
踏み台として使用することもあります。

　浴槽内昇降機（浴槽設置式リフト）は、浴槽内での立ち
座りを補助する装置で、座面が電動で昇降するものもあり
ます。

　入浴用介助ベルトは、浴室内での移動や立ち座り、浴槽
への出入りの介助をしやすくするための用具で、腰に巻き
付けたベルトに付いた握りの部分を介助者が持って使用し
ます。介助者が装着し、被介助者が持ち手として使用する
こともできます。

入浴時は、浴室の床面が濡れて
滑りやすいことに注意し、居室と
洗面・脱衣室、浴室の温度差や
湯の温度にも気をつけます。

浴槽内椅子は、浴槽の中で腰かけ**姿勢保持**のため使用する。浴槽の出入りの際に踏
み台にすることもある。

一問一答で確認しよう！

□□□**問1** 特殊寝台（介護用ベッド）は、要介護者がベッドで生活するための福祉用具である。

□□□**問2** スライディングマットは、表面が滑りやすい素材で作られた板状の用具で、ボードの上で身体を滑らせることで、身体の位置や向きを変える動作をしやすくするものである。

□□□**問3** 床ずれ防止用具は、褥瘡を予防するためのもので、さまざまな種類があるが、なかでも円座が最も効果的である。

□□□**問4** トイレまで一人で歩いていくことは困難だが、ベッドサイドで端座位をとることが可能な場合は、ポータブルトイレの使用を検討する。

□□□**問5** 据置式便座（床置き式補高便座）は、和式便器にかぶせることで、洋式便器のような腰かけ式に変換するものである。

□□□**問6** 入浴用椅子の座面を浴槽の縁の高さに揃えると、入浴台（ベンチ型シャワー椅子）として使用することができる。

□□□**問7** バスボードは、浴槽の縁から外側に向けて取り付けるもので、腰かけて身体を洗ったり、腰かけたまま身体をずらしていって浴槽にまたぎこんだりするために使用する。

□□□**問8** シャワー用車椅子で脱衣場から浴室に乗り入れるには、脱衣室と浴室の間の段差が解消されていることが必要である。

正解 1× 2× 3× 4○ 5○ 6○ 7× 8○

1：特殊寝台（介護用ベッド）は、ベッドで生活するためのものではなく、**寝たきり**を防止し、**離床**を促すことを目的とする福祉用具である。

2：スライディングマットは、筒状に縫い合わされたマットで、**裏面**が滑りやすい素材でできている。身体の下に敷き込んで、ベッド上を滑らせたり、寝返りを打たせたりする場合に使用する。問題文は**スライディングボード**の説明になっている。

3：以前は褥瘡予防の目的でよく使われていた円座は、現在は使用されなくなっている。

7：バスボードは、浴槽への出入り動作を安全に行うための用具で、浴槽の縁に掛け渡して設置する。問題文は**入浴台（ベンチ型シャワー椅子）**の説明になっている。

実力問題にチャレンジ！

次の記述の内容が適切なものは○を、不適切なものは×を選びなさい。

第1問 特殊寝台（介護用ベッド）は、背上げ、膝上げや、高さ調節の機能を備え、高齢者や障害者の寝返り、起き上がり、立ち上がりなどの動作を補助する福祉用具である。寝たきりを防止し、離床を促すことを目的として使用することが望ましい。

第2問 床ずれ防止用具は、身体にかかる圧力を一か所に集中させることにより、他の部分に圧力がかからないようにし、長時間同じ姿勢で寝ていても褥瘡が生じないようにするものである。

第3問 排泄に関連する福祉用具の使用を検討する場合は、尿意・便意の有無や、排泄のコントロールが可能かどうかを考慮する。尿意・便意がないときや寝たきりの場合は、おむつや尿器の使用を検討するが、ベッドサイドで端座位をとることが可能ならば、ポータブルトイレを使用する方法も考えられる。

第4問 シャワー用車椅子は、洗体の際に身体の安定を図るための用具で、座面の高さを調節できるものが多い。座位のバランスが悪い場合には、背もたれや肘かけが付いているものを選択する。

第5問 特殊寝台と一体的に使用される付属品として、マットレス、サイドレール、ベッド用グリップがあるが、ベッド用グリップは転落防止のために用いるものである。

第1問　○　特殊寝台（介護用ベッド）は、ベッド上で脚を投げ出して座る**長座位**から、ベッドの端に腰かける**端座位**を経て、寝たきりから解放されることを目標として使用することが望ましい。

第2問　×　床ずれ防止用具は、身体にかかる圧力を**分散**させる体圧分散機能により褥瘡を予防するものである。

第3問　○　ポータブルトイレを使用する場合も、伝い歩きや介助による歩行が可能ならば、**日中**はできる限りトイレを使用する。

第4問　×　シャワー用車椅子は、歩行が困難な人が、脱衣場と浴室の間を移動する場合に使用するもので、浴室に乗り入れた後は、そのまま洗体用の椅子として使用できる。問題文は**入浴用椅子**の説明になっている。

第5問　×　転落防止のために用いるのは**サイドレール**である。ベッド用グリップは、座位保持、起き上がり、立ち上がり、車椅子への移乗等の際に身体を支えるために用いるものである。

ポータブルトイレはベッドサイドなど室内で使用するので、プライバシーの配慮などを考えましょう。

Lesson 15 福祉用具③〈コミュニケーション支援用具・自助具等／介護保険制度と福祉用具〉

学習日 ／

介護保険制度により貸与の対象とされている福祉用具は13種目、購入費支給の対象とされている特定福祉用具は5種目あります。

1 コミュニケーション支援用具 ★★

POINT

コミュニケーション支援用具は、障害がある器官や機能の補完もしくは代替を行うものである。

コミュニケーション障害は、自分の意思を相手に伝達したり、相手の意思を理解したりすることに困難が生じている状態をいいます。コミュニケーション障害は、視覚、聴覚などの**感覚器官**の障害や、音声言語にかかわる**運動器**の障害、脳血管障害などによる**認知障害**など、さまざまな原因によって生じます。コミュニケーション支援用具は、これらの障害がある器官や機能の補完もしくは代替を行うものです。

視覚障害者のコミュニケーションを支援する用具には、弱視のための眼鏡、（視覚障害者用）拡大読書器、点字器、文字を音声に変える機器などがあります。点字器は、視覚情報を触覚情報に、文字を音声に変える機器は、視覚情報を聴覚情報に変換することで情報の伝達を図るものです。

聴覚障害者のコミュニケーションを支援する用具としては、聴覚機能を補完する**補聴器**が代表的です。また、携帯電話のメール機能などを活用するのも有効です。

発声、発語が困難な人のコミュニケーションを支援する用具としては、五十音の文字盤の文字を指さすことにより

 用 語

点字器

点字を書くための道具で、点字板、点字定規、点筆からなる。点字板に紙をはさんで穴の空いた点字定規を当て、点筆で紙の裏面から点字を打ち出す。

意思を伝達するものがあります。**携帯用会話補助装置**は、文字盤で入力した文字を表示する機能と、音声により出力する機能を備えています。

　しかし、これらの用具を使ったとしても、十分にコミュニケーションがとれるとは限りません。実際には、ひとつの方法だけに頼るのではなく、たとえば、聴覚障害がある場合は補聴器のほかにファックスを活用するなど、複数の方法を組み合わせて活用する工夫が必要です。

緊急時に備えたコミュニケーション手段をあらかじめ検討しておくことも重要です。

2 自助具　★★

POINT
自助具は、運動機能の障害のために困難になっている日常的な動作を、自力で行えるように工夫された用具で、整容・更衣、食事などの動作に用いられるものが多い。

　自助具とは、運動機能の障害があるために困難になっている日常的な動作を、自力で行えるように工夫された用具です。主に、**関節可動域**に制限がある人や、**筋力**の低下により、物を固定したり保持したりすることが困難な人、**手指**の巧緻性に障害がある人、片麻痺の人などに用いられます。

　自助具には、整容・更衣、食事などの動作に用いられるものが多く、市販の製品から個別に製作されるものまで、さまざまなものが作られています。

プラスα

　自助具は、利用者の身体状況に合ったものでなければ使用しにくいので、既製品だけでなく、作業療法士が製作することもあり、利用者本人や家族が一般の製品を加工して製作することもある。

キーワードで CHECK!　長柄ブラシ　⇒

代表的な自助具の一つである**リーチャー**は、遠くの物をつかんで引き寄せるための用具で、リウマチ疾患などにより、上肢の関節可動域の制限や関節の痛みがある人が用います。洗濯機の中の衣類の出し入れや、カーテンの開け閉めなどを行うときに、遠くまで手を伸ばさずに済みます。

　更衣・整容に関する自助具には、そのほかに、ストッキングエイド、ボタンエイド、固定式爪切り、長柄ブラシなどがあります。食事に関する自助具には、握力が弱くても持つことができる柄の太いスプーンやフォークなどがあります。

CHECK

　先端が曲がったスプーンやフォークは、手と口が離れていても食べ物を口に運べるように工夫したものである。

◆整容・更衣・食事動作に関係する自助具

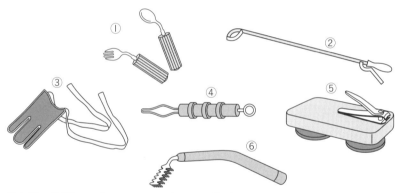

①**太柄・曲がりスプーン、フォーク**
　握力が弱い人や、手や指が不自由な人でも持つことができる。

②**リーチャー**
　長い柄の先に閉じ開きのできるフックがあり、**遠く**の物をつかんで引き寄せることができる。

③**ストッキングエイド**
　本体に靴下をかぶせて足を差し入れ、ひもで本体を引き抜くと、**前傾姿勢**をとらずに靴下がはける。

④**ボタンエイド**
　柄の先に付いた針金をボタン穴に通し、**片手**でボタンを留めることができる。

⑤**固定式爪切り**
　爪切りが台に固定されているため、爪切りを持たずに手のひらや**肘**で押すだけで爪が切れる。

⑥**長柄ブラシ**
　腕を**高く**持ち上げなくても整髪できる。

更衣・整容に関する自助具のひとつで、腕を**高く**持ち上げなくても整髪することができる。

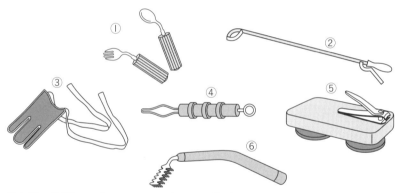

> **覚えよう！｜自助具の名称と役割**
>
> リーチャー：手を伸ばさなくても遠くの物に届く。
> ストッキングエイド：前傾姿勢をとらずに靴下がはける。
> ボタンエイド：片手でボタンを留められる。
> 長柄ブラシ：腕を高く上げなくても整髪できる。

3 介護ロボット ★★

POINT
政府のロボット開発に関する大型プロジェクトをきっかけに、さまざまな介護ロボットが開発・実用化されている。

超高齢社会を迎え、介護を担う人材の不足を補うため、また、介護負担を軽減するため、**介護ロボット**が期待されています。政府の「成長戦略（2021）」においても介護ロボットは大きく取り上げられています。

経済産業省・厚生労働省では、2013（平成25）年からロボット介護機器の開発・実用化・普及を促進するためのプロジェクトが続けられ、**移乗**支援、**移動**支援、**排泄**支援、**入浴**支援、見守り・コミュニケーション支援などの分野に重点が置かれ開発が進められています。

この大型プロジェクトがきっかけとなり、多くの介護ロボットの開発・実用化を促進してきました。なかにはすでに**介護保険給付**の対象となっているものもあります。

厚生労働省は「ロボット技術が応用され利用者の自立支援や介護者の負担の軽減に役立つ介護機器」を介護ロボットと定義しています。主な介護ロボットをいくつか挙げておきます。

①見守りロボット

センサーによって利用者の状態を観測し、異常があると

> **プラスα**
>
> 経済産業省は、ロボットを、情報を感知し（センサー系）、判断し（知能・制御系）、動作する（駆動系）、の3つの要素を有する知能化した機械システムと定義している。

 **キーワードでCHECK!** 介護ロボット ⇒

判断すると警報を発する機能のあるものです。感圧セン
サー、人感センサー、画像解析、電磁波、バイタルセンサー
などの**センサー**が利用されています。警報音を発するだけ
のものから、スマートフォンにメールやプッシュ通信を送
るものなどもあります。

②移乗支援ロボット

　装着型と**非装着**型があり、装着型移乗支援ロボットは、
移乗介護を行う介護者のためのパワーアシストを行うロ
ボットです。非装着型は、利用者を抱え上げるタイプと利
用者が抱え込むタイプのものがあります。

③移動支援ロボット

　屋外用移動支援ロボットとして実用化された電動歩行車
は、上り坂でのアシスト制御、下り坂でのブレーキ制御な
どの機能をもっています。

　また、10年以上前から開発・実用化されてきた食事支
援ロボット、コミュニケーションロボット、機能回復ロボッ
トなどの介護ロボットがあります。

4 介護保険制度と福祉用具

POINT
**介護保険制度による福祉用具の給付は貸与が原則とされ
ているが、特定福祉用具として購入費支給（販売）の対
象になっているものもある。**

　介護保険制度では、要介護・要支援と認定された人を対
象とする居宅サービスとして、福祉用具の**貸与**、特定福祉
用具の**購入費**の支給を行っています。

　福祉用具は、利用者の身体機能や要介護度の変化に合わ
せて、そのときの状況によく合ったものを使用することが

ロボット技術を応用した機器で、利用者の自立支援や介護者の負担の軽減に役立つ
ものが介護ロボットと呼ばれている。

必要です。また、資源の有効利用という観点からも、福祉用具の給付は**貸与**が原則とされています。介護保険制度により貸与の対象とされている福祉用具は、13種目あります。

　福祉用具には、入浴、排泄の用に供するものなど、他人が使用したものを再利用することに心理的抵抗があるものや、再利用が困難なものもあります。そのような用具は、**特定福祉用具**として購入費支給（販売）の対象になっています。介護保険制度により購入費支給の対象とされている特定福祉用具は、5種目あります。

　福祉用具の貸与を受ける場合、貸与に要した費用の一部は利用者の自己負担となります。利用者負担の割合は、他のサービスと同様に、1割、2割（一定以上の所得がある第1号被保険者）、3割（現役並みの所得がある第1号被保険者）の3段階となります。

　特定福祉用具の購入については、同一年度につき**10万円**が支給限度基準額とされ、購入費の**9割**（一定以上の所得がある第1号被保険者は**8割**、現役並みの所得がある第1号被保険者は**7割**）が、償還払いで支給されます。

　なお、福祉用具の貸与については、①貸与する事業者の福祉用具専門相談員が、機能や価格帯の異なる**複数**の商品を提示すること、②国が**全国平均貸与価格**を公表すること、③貸与する事業者の福祉用具専門相談員が、貸与価格と全国平均貸与価格を利用者に説明すること、④貸与価格に**上限**を設定することなどが義務づけられています（①は2018（平成30）年4月、②、③、④は同年10月から施行）。

CHECK

　一般に福祉用具と呼ばれているものでも、介護保険による貸与や販売の対象とされていないものもある。また、貸与の対象とされる福祉用具には、原則として軽度者を対象としていない種目もある。

用　語

償還払い
　利用者が費用の全額を支払い、その一部が、後で市町村から払い戻される方式。

◆貸与の対象となる福祉用具

種　目	内　容
車いす[※1]	自走用標準型車いす、普通型電動車いす、介助用標準型車いす
車いす付属品[※1]	クッション、電動補助装置等
特殊寝台[※1]	背部または脚部の<u>傾斜角度</u>の調整、床板の高さの調整のいずれかの機能をもつもの
特殊寝台付属品[※1]	マットレス、サイドレール、ベッド用手すり、ベッド用テーブル、スライディングボード、スライディングマット、介助用ベルト
床ずれ防止用具[※1]	<u>体圧</u>を分散する効果がある空気マット等
体位変換器[※1]	身体の下に挿入し、体位の変換を容易にするもの
手すり	取り付けに工事を<u>伴わない</u>もの
スロープ	取り付けに工事を伴わないもの
歩行器	車輪を有するもの（歩行車）も含まれる
歩行補助つえ	松葉づえ、カナディアン・クラッチ、ロフストランド・クラッチ、プラットホームクラッチ、多点つえ
認知症老人徘徊感知機器[※1]	対象者が屋外に出ようとしたときなどに、<u>センサー</u>で感知して家族や隣人に通報する装置
移動用リフト[※1] （つり具の部分を除く）	床走行式リフト、固定式リフト、据置式リフト
自動排泄処理装置（**本体**）[※2]	尿または便が<u>自動的</u>に吸引されるもの

※1：原則として、要介護2〜5の者が対象。
※2：自動排泄処理装置については、原則として、要介護4、5の者が対象。

◆購入費支給の対象となる特定福祉用具

種　目	内　容
腰掛便座[※3]	据置式便座（和式便器の上に置いて腰掛式に変換するもの。また、腰掛式に変換する場合に高さを補うものを含む）、補高便座（洋式便器の上に置いて高さを補うもの）、立ち上がり補助便座、<u>ポータブルトイレ</u>
自動排泄処理装置の交換可能な部品	尿や便の経路となる部品で、<u>容易</u>に交換できるもの
入浴補助用具	入浴用椅子、浴槽用手すり、浴槽内椅子、入浴台、浴室内すのこ、浴槽内すのこ、入浴用介助ベルト
簡易浴槽	容易に移動でき、取水、排水工事を伴わないもの
移動用リフトのつり具の部分	移動用リフトに連結して使用するもの

※3：水洗ポータブルトイレを含む（設置費用は自己負担）。

介護保険制度による福祉用具の給付は貸与が原則だが、再利用することに心理的抵抗があるものなどは、特定福祉用具として**購入費支給（販売）**の対象になっている。

□□□**問1** コミュニケーション障害は、視覚、聴覚などの感覚器官の障害や、音声言語にかかわる運動器の障害のほか、脳血管障害などによる認知障害によっても生じる。

□□□**問2** 携帯用会話補助装置は、視覚障害者のコミュニケーションを支援する用具の一つである。

□□□**問3** 点字器は、視覚情報を触覚情報に変換することで情報の伝達を図るものである。

□□□**問4** リーチャーは、食事の動作を助ける自助具の一つで、手と口が離れていても食べ物を口に運べるようにくふうしたものである。

□□□**問5** ストッキングエイドは、前傾姿勢をとらずに靴下がはけるようにくふうされた自助具である。

□□□**問6** 現在開発されている介護ロボットには、見守りロボット、移乗・移動支援ロボット、機能回復ロボットなどがある。

□□□**問7** 介護保険制度による福祉用具の給付は貸与が原則とされているが、貸与の対象とされる用具であっても、利用者が希望する場合は購入費が支給される。

□□□**問8** 介護保険制度による福祉用具の貸与については、国が全国平均貸与価格を公表すること、貸与価格に上限を設定することなどが定められている。

正解 1○ 2× 3○ 4× 5○ 6○ 7× 8○

2：携帯用会話補助装置は、文字盤で入力した文字を表示する機能と、音声により出力する機能を備えたもので、**発声、発語が困難な人**のコミュニケーションを支援する用具である。

4：リーチャーは、遠くの物をつかんで引き寄せるための用具で、リウマチ疾患などにより、上肢の関節可動域の制限や関節の痛みがある人が、**洗濯機の中の衣類**の出し入れや、**カーテンの開け閉め**などを行うときに用いる。

7：介護保険制度により給付される福祉用具は、貸与の対象とされる福祉用具（13種目）と、購入費支給（販売）の対象とされる**特定福祉用具**に分かれている。

実力問題にチャレンジ！

次の記述の内容が適切なものは〇を、不適切なものは×を選びなさい。

第1問 視覚障害者のコミュニケーションを支援する用具には、弱視のための眼鏡、（視覚障害者用）拡大読書器、点字器、文字を音声に変える機器などがある。点字器は、視覚情報を触覚情報に、文字を音声に変える機器は、視覚情報を聴覚情報に変換することで情報の伝達を図るものである。

第2問 自助具には、整容・更衣、食事動作などに使用する用具が多い。たとえば、ストッキングや靴下の着脱の際に使用する「ストッキングエイド」や、ボタンの留め外しを容易にする「ボタンエイド」などがある。

第3問 介護ロボットは、厚生労働省では「ロボット技術が応用され利用者の自立支援や介護者の負担の軽減に役立つ介護機器」と定義されている。

第4問 介護保険制度による福祉用具の給付は貸与が原則とされているが、他人が使用したものを再利用することに心理的抵抗があるものや、再利用が困難なものは、特定福祉用具として購入費支給（販売）の対象になっている。

第5問 介護保険制度による特定福祉用具の購入については、同一年度につき20万円が支給限度基準額とされ、購入費の9割（一定以上の所得がある第1号被保険者は8割、現役並みの所得がある第1号被保険者は7割）が、償還払いで支給される。

第1問 　○　コミュニケーション支援用具は、障害がある器官や機能の**補完**もしくは**代替**を行うものである。しかし、コミュニケーション支援用具を使ったとしても、十分にコミュニケーションが取れるとは限らないので、複数の方法を組み合わせて対応することが重要である。

第2問 　○　食事に関する自助具には、握力が弱くても持つことができる**柄の太いスプーンやフォーク**などがある。

第3問 　○　ロボットを、「センサー、知能・制御系、駆動系の3つの要素技術を有する、知能化した機械システム」と経済産業省が定義したのを受けて、問題のように定義された。

第4問 　○　介護保険制度により購入費支給の対象とされている**特定福祉用具**は、「腰掛便座」「自動排泄処理装置の交換可能な部品」「入浴補助用具」「簡易浴槽」「移動用リフトのつり具の部分」の5種目である。

第5問 　×　特定福祉用具の購入については、同一年度につき10万円が支給限度基準額である。

貸与の対象になる福祉用具と、購入費支給の対象になる特定福祉用具は、p.183の表で確認しましょう。

第4章

安全・安心・快適な住まい

1 節：住まいの整備のための基本技術

2 節：生活行為別に見る
　　　安全・安心・快適な住まい

Lesson

16 段差の解消／床材

住宅内での転倒事故を防ぐためには、住宅の屋内外の段差を解消するとともに、滑りにくい床材を選択することが重要です。

1 屋外の段差の解消 ★★★

POINT

「建築基準法」により、1 階居室の木造床面は、原則として直下の地面から 450mm 以上高くするよう定められている。

　加齢により視機能や下肢機能が低下すると、わずかな段差につまずいて**転倒**してしまうことがあります。高齢者は骨がもろくなっていることが多く、転倒すると、<ruby>橈骨遠位端骨折<rt>とうこつえんいたんこっせつ</rt></ruby>や<ruby>大腿骨近位端骨折<rt>だいたいこつきんいたん</rt></ruby>を招くことがあり、最悪の場合は、寝たきりの原因にもなります。

　転倒のリスクを減らすためには、住宅の屋内外に生じている段差をできる限りなくすことが重要です。また、**車椅子**を使用する場合は、段差があると移動しにくくなるか、移動そのものが困難になるため、段差の解消が必須条件となります。

　道路と玄関付近には高低差があることが多く、その場合、通行を可能にする方法としては、階段の設置、スロープの設置、段差解消機の設置などが考えられます。その住宅に居住する高齢者や障害者の身体状況や移動方法、敷地のスペースなどにより、最も適した方法を選択します。

　道路から玄関までの段差をスロープで解消する場合、スロープの勾配はなるべく緩やかなほうがよいのですが、勾

📖 用 語

橈骨遠位端骨折
　転倒して手をついたときに生じやすい手首の骨折。
大腿骨近位端骨折
　転倒して膝をついたり、太ももをひねったりしたときに生じやすい脚の付け根の部分の骨折。

キーワードで CHECK! スロープ／勾配　⇒

配が緩やかであるほど、スロープの設置に必要なスペース
は大きくなります。少なくともスロープは **1/12** の勾配を
確保できるようにします。

　車椅子を使用する場合、スロープには、車椅子の脱輪を
防ぐために、側面に立ち上がりを設けます。地面や建築物
に固定されたスロープの設置は、介護保険による**住宅改修
費**の支給対象になります（p.255 参照）。

　高齢者や障害者の身体状況によっては、スロープよりも
階段のほうが適している場合もあります。階段を設置する
場合も、勾配をなるべく緩やかにします。また、階段には
必ず**手すり**を取り付けるようにします。

　道路と玄関の高低差が大きく、スロープを設置するス
ペースが足りないときは、段差解消機を設置する方法を検
討します。据置式の段差解消機の設置は、介護保険による
福祉用具貸与の対象となっています。

プラス**α**
　スロープの勾配は
通常、水 平 距 離(L)
に対する高低差(H)
の比(H/L) で床面の
傾きを表す。

道路から玄関までの段差の解消
については、次節の Lesson 19 で
も取り上げます。

◆**スロープの勾配と必要なスペース**

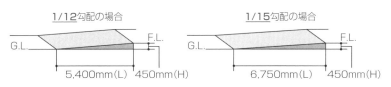

1/12勾配の場合　　　　　　　　　　1/15勾配の場合

G.L.　　　　　　　　　　F.L.　　　G.L.　　　　　　　　　　F.L.

5,400mm(L)　450mm(H)　　　6,750mm(L)　450mm(H)

G.L.＝地盤面　F.L.＝床仕上げ面（1 階床面の高さ）　L＝水平距離　H＝高低差

道路から玄関までの段差をスロープで解消する場合、少なくともスロープは **1/12**
の勾配を確保できるようにする。

「建築基準法」により、1階居室の木造床面は、原則として直下の地面から450mm以上高くするよう定められています。この規定により、多くの木造住宅では、屋外の道路と屋内の床面に450mm以上の高低差が生じています。

床下部分に湿気が上がってくるのを防ぐ<u>防湿土間コンクリート</u>を敷設した場合や、建物の基礎を<u>べた基礎</u>にするなど、地面からの湿気の影響を受けないようにした場合は、上記の規定は適用されず、1階居室の床面を450mmより低い高さにすることができます。その場合、屋内外の高低差が小さくなるので、スロープの設置に必要なスペースも小さくて済みます。ただし、床面を下げると床下の通風が悪くなるので、白アリによる被害のおそれがある地域では、この方法をとることは望ましくありません。

用 語

防湿土間コンクリート
　地中からの湿気により建物の床組みなどが腐朽するのを防ぐために、床下に敷設するコンクリート。
べた基礎
　建物の基礎の種類の一つ。建物の床下全面が鉄筋コンクリートになっていて、建物の荷重を底板全体で受け止め、面で支える構造になっている。

床面を下げる場合、床下の給排水等の配管のメンテナンスに支障がないか検討することも必要です。

◆防湿土間コンクリートの敷設

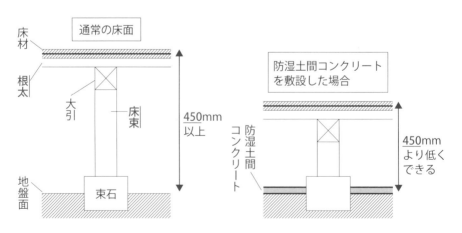

キーワードでCHECK!　和室／洋室／床面　⇒

2 屋内の段差の解消 ★★★

POINT

和室と洋室の床面の段差を解消する方法には、ミニスロープの設置、合板等によるかさ上げがある。

一般に、住宅内の和室の床面は、洋室の床面よりも 10 〜 40mm 程度**高く**なっています。そのため、和室と洋室の間に段差が生じ、高齢者や障害者のつまずきの原因になっています。このような段差を解消する最も簡便な方法は、**ミニスロープ**を設置する方法です。

ミニスロープを設置する場合、ミニスロープの端部につまずかないように、両端部もミニスロープ状に仕上げます（下図参照）。ミニスロープの表面には**滑り止め加工**を施し、ミニスロープの上で足を滑らせないようにします。

ミニスロープを設置しても、歩行時にバランスがくずれるなどの支障が生じたり、車椅子ではうまく移動できないこともあります。その場合は、和室と洋室の**床面の高さ**を揃える方法を検討します。新築の場合は、和室と洋室の間の段差が最初から生じないような施工方法も可能です。

プラスα

和室と洋室の床面に高低差が生じるのは、畳床とフローリング材の厚さが異なるためである。

CHECK

ミニスロープの設置は、介護保険による住宅改修費の支給対象になっており、樹脂製や木製のミニスロープが市販されている。

4章

1節

16

段差の解消／床材

◆ミニスロープの設置

引き戸
敷居
ミニスロープ

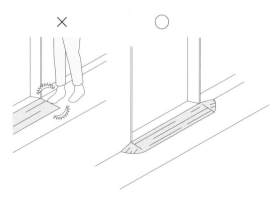

つまずき防止のため両端部もミニスロープ状にする。

一般に、住宅内の和室の床面は、洋室の床面よりも 10 〜 40mm 程度**高く**なっているため、高齢者や障害者のつまずきの原因になっている。

191

◆合板によるかさ上げ

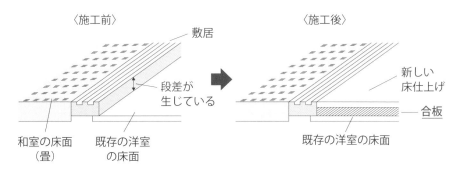

〈施工前〉 　敷居　 〈施工後〉

段差が
生じている

新しい
床仕上げ

合板

和室の床面
（畳）

既存の洋室
の床面

既存の洋室の床面

　和室と洋室の床面の高さを揃えるには、低いほう（洋室）の既存の床面の上に高さを調整するための<ruby>合板<rt>ごうはん</rt></ruby>や木材などを張って**かさ上げ**し、その上に新しい床を仕上げる方法があります（上図参照）。

　屋内では、居室の出入り口に設置される建具の**<ruby>下枠<rt>したわく</rt></ruby>**（**<ruby>敷居<rt>しきい</rt></ruby>**）にも段差が生じがちです。最近の住宅では、その段差は小さくなっていますが、それでも、歩行時につまずいたり転倒したりすることがあります。車椅子を使用する場合は、わずかな段差で車椅子の操作がしにくくなったり、使用者に不快感や恐怖感を与えることもあります。段差で車椅子の車輪がぶれて、壁面に衝突することもあります。したがって、床面と敷居との段差は、わずかなものであっても完全に解消しておくことが望ましいといえるでしょう。

　引き戸の敷居部分の段差の解消には床面に**フラットレール**を設置する方法や、**Ｖ溝レール**を埋め込む方法があります。どちらも、敷居段差が **5**mm 以下になるようにします。

　１階から２階への移動など、異なる階への移動が困難な場合には、階段昇降機（p.158 参照）の設置のほか、**ホームエレベーター**を設置する方法があります。ただし、階段昇降機、ホームエレベーターの設置は、介護保険による住

　フラットレールは金属などの板の中央にわずかな溝をつけ、それに沿って戸が開閉する。施工が容易で、誤差が生じにくい。Ｖ溝レールは、レールが床面から突出しないので、つまずきによる転倒の危険性が低いが、床仕上げ材との接合面にすき間が生じないように施工する必要がある。

キーワードで CHECK! 　フラットレール／Ｖ溝レール　⇒

◆ フラットレール、Ｖ溝レールの施工

フラットレール

Ｖ溝レール

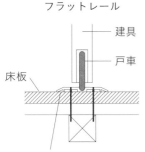

建具
戸車
床板

床板の上に取り付けるので施
工が容易だが、緩やかな凸部
が生じる。

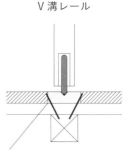

床仕上げ材との接合面にすき
間が生じないように注意する。

宅改修費の支給対象にはなっていません。また、導入の際
は建築条件だけでなく、電気代などの維持費なども検討す
る必要があります。

> **覚えよう！** | **屋外・屋内の段差の解消**
>
> ・道路と玄関の間のスロープの勾配は、少なくとも
>   1/12 を確保する。
> ・1階居室の木造床面は、通常は直下の地面から
>   450mm以上高くなっている（防湿土間コンクリー
>   トを敷設した場合は450mmより低くできる）。
> ・和室と洋室の床面の段差は、ミニスロープの設置や、
>   合板等によるかさ上げで解消する。
> ・引き戸の敷居部分の段差は、フラットレールの設置や、
>   Ｖ溝レールを埋め込む方法で解消する。

引き戸の敷居段差を解消する方法。フラットレールは施工が容易で、**誤差**が生じに
くい。Ｖ溝レールは、床仕上げ材との接合面に**すき間**が生じないように注意する。

3 床材の選択 ★★

POINT

洗面・脱衣室、トイレなどには、滑りにくい仕上げにした塩化ビニルシートなどの床材を用いる。

住宅内の段差が解消されていても、床材に問題があると、歩行や車椅子での移動に支障をきたすことがあります。床材の選択において重要なことは、**滑りにくさと強さ**です。

住宅内での転倒事故を防止するためには、床材を滑りにくいものにすることが重要です。特に、洗面・脱衣室、トイレなどは、床面が濡れることが多いので、滑りにくい仕上げにした**塩化ビニルシート**などの床材を用いるようにします。

住宅内で車椅子を使用する場合は、床材の強さが車椅子の**重量**に耐えられるかどうかと傷付きにくさを確認する必要があります。特に、屋外で使用した車椅子をそのまま屋内でも使用する場合は、車輪に付いた砂ぼこりなどで床面を傷付けることがあるので注意します。車椅子の使用者や介助者が、出入りの際に車輪に付いた汚れを拭き取ったり、出入り口に床マットを敷いてその上で車輪を回転させたりして、屋内に汚れを持ち込まないように配慮します。屋内を汚さないよう対策をしても砂ぼこりなどが取りきれないこともありますので、床材は、表面の**仕上げ板**（つき板）の厚さが1mm以上あるものを選ぶようにします。

車椅子で屋内を移動するときに、車輪のゴム跡が床面に付くこともあります。ゴム跡は掃除してもなかなか取れないので、なるべく汚れが目立ちにくい色の床材を選択します。

CHECK

フローリング材の多くは、合板の上に仕上げ用のつき板を張り付けたものであるが、つき板が薄いものは、車椅子を使用したときにははがれやすいので、つき板の厚さが1mm以上あるものがよい。

一問一答で確認しよう！

□□□**問1** 道路から玄関までの段差をスロープで解消する場合、スロープの勾配は 1/10 〜 1/12 程度にすることが望ましい。

□□□**問2** 高低差が 450mm ある場合、1/12 勾配のスロープを設けるときは、水平距離が 3,750mm 必要である。

□□□**問3** 「建築基準法」により、1 階居室の木造床面は、原則として直下の地面から 450mm 以上高くするよう定められているが、防湿土間コンクリートを敷設した場合はその限りでない。

□□□**問4** 一般に、住宅内の和室の床面は、洋室の床面よりも 10 〜 40mm 程度高くなっている。

□□□**問5** 和室と洋室の床面の段差を解消する最も簡便な方法は、ミニスロープを設置する方法である。

□□□**問6** 引き戸の敷居部分の段差を解消するために、床面にフラットレールを設置する場合は、敷居段差が 10mm 以下になるように施工する。

□□□**問7** ホームエレベーターの設置は、介護保険による住宅改修費の支給対象になっている。

□□□**問8** 洗面・脱衣室、トイレなどは、床面が濡れることが多いので、滑りにくい仕上げにしたフローリング材などの床材を用いる。

- -

正解 1× 2× 3○ 4○ 5○ 6× 7× 8×

1：スロープの勾配は少なくとも **1/12** を確保する。

2：高低差が 450mm ある場合、1/12 勾配のスロープを設けるときは、水平距離が **5,400mm** 必要である。

6：引き戸の敷居部分の段差を解消するには、床面にフラットレールを設置する方法や、V 溝レールを埋め込む方法がある。いずれの場合も、敷居段差が **5mm** 以下になるようにする。

7：ホームエレベーターの設置は、介護保険による住宅改修費の支給対象に**なっていない**。

8：床面が濡れることが多い洗面・脱衣室、トイレなどには、滑りにくい仕上げにした**塩化ビニルシート**などの床材を用いる。

次の記述の内容が適切なものは○を、不適切なものは×を選びなさい。

第1問 道路と玄関付近には高低差があることが多い。この段差を解消する方法として、階段の設置、スロープの設置、段差解消機の設置などがあるが、高齢者や障害者にとっては、どのような身体状況であるかにかかわらず、階段よりもスロープのほうが適している。

第2問 道路から玄関までの段差をスロープで解消する場合、スロープの勾配はなるべく緩やかなほうがよい。具体的には、1/12 勾配のスロープは、1/15 勾配のスロープよりも水平距離が長く、傾きはより緩やかである。

第3問 一般に、住宅内の和室の床面は、洋室の床面よりも 10〜40mm 程度高くなっている。この段差を解消する最も簡便な方法は、ミニスロープを設置する方法であるが、安価で簡単に施工できるものなので、介護保険による住宅改修費の支給対象にはなっていない。

第4問 最近の住宅では、建具の下枠（敷居）の段差はかなり小さくなっているが、歩行時につまずいたり転倒したりすることもある。敷居部分の段差を解消するには、床面にフラットレールを設置する方法と、V溝レールを埋め込む方法があり、いずれも、引き戸、開き戸のどちらにも使用できる。

第5問 階段昇降機やホームエレベーターは、住宅構造が設置に適応するのであれば導入すべきものであり、介護保険の給付対象にもなっている。

第1問　×　高齢者や障害者の身体状況によっては、**スロープ**よりも**階段**のほうが適している場合もある。

第2問　×　1/12勾配のスロープは、1/15勾配のスロープよりも水平距離が**短く**、傾きは**きつい**。

第3問　×　ミニスロープの設置は、介護保険による住宅改修費の支給対象に**なっている**。

第4問　×　フラットレール、V溝レールは、**引き戸**の敷居部分の段差を解消するために施工するものである。開き戸はレールを必要としない。

第5問　×　建築条件だけでなく、電気代などの**維持費**なども検討しなければならない。また、介護保険制度の給付の対象にはなっていない。

ゴロ合わせ

1階居室の木造床面

ぼく雑巾がけするから
（木　造）

1階の床は　汚れてもいいじょー
（1階の床面）　　（450mm以上）

地面から1階居室の木造床面までの高さは、<u>450mm以上</u>とすると、建築基準法で定められている。

詳しくは ▶ p.190

Lesson

17 手すり／建具／幅・スペース

学習日
／

住宅内に手すりを設置することにより、歩行の動作が安定し、立ち座りなどの動作も安全に行うことができます。

1 手すりの種類 ★★★

POINT

住宅内に設置する手すりは、使用方法により、ハンドレールとグラブバーの2通りに分類される。

　手すりは、身体支持用と転落防止用に大きく分けられ、身体支持用の手すりは使い方により**ハンドレール**（hand rail）と**グラブバー**（grab bar）の2通りに分類されます。

　ハンドレールは、屋外の通路、階段、屋内の廊下、階段などに設置され、歩行時に身体の移動と同時に手を滑らせながら使用するものです。ハンドレールとして用いられる手すりの直径は、**32〜36**mm 程度が適当です。動線上を往復することを考慮すると、手すりは通路等の**両側**に設置することが望ましいと考えられます。

　グラブバーは、トイレや浴室などに設置され、立ち座りや移乗の動作の際にしっかりつかまって、身体を安定させるために使用するものです。この場合、身体の位置の移動はあまりなく、**重心**の上下移動などが生じます。グラブバーとして用いられる手すりの直径は、ハンドレールよりもやや細めのほうが握りやすく、**28〜32**mm 程度が適当です。

　また、手すりは、取り付ける向きによって、**横手すりと縦手すり**に分けられます。身体が横に動くときは横手すりが、垂直方向に動くときは縦手すりが適しています。

CHECK

　ハンドレールは、歩行が安定しない人が廊下などを伝い歩きする場合にも用いられる。

キーワードで
CHECK! ハンドレール／グラブバー／直径 ⇒

◆ハンドレールとグラブバー

ハンドレール

身体を横に移動
させるときに手
を滑らせながら
使用する。

直径 <u>32〜36</u>mm 程度

グラブバー

玄関、トイレ、
浴室、洗面・脱
衣室などで立ち
座りや移乗動作
を行う際に使用
する。

直径 <u>28〜32</u>mm 程度

2 手すりの取り付け ★★★

POINT

手すり受け金具は、柱と柱の間にある間柱に留めること
を避け、柱や下地補強がある位置にしっかり留める。

　手すりは、通常、建物の壁面に取り付けたり、床面から
支柱を立てて設置したりします。屋内に手すりを設置する
場合、手すり受け金具を壁面に木ネジで留めることになり
ますが、壁の仕上げ材に留めるだけでは、手すりにかかる
体重を支えるための強度が得られないので、壁仕上げの下
に**柱**などがある位置にしっかりと固定します。柱がない位
置に留める場合は、壁に補強用の**下地**を入れることが必要
です。

　手すりを設置する箇所や、将来設置することが考えられ
る箇所には、なるべく広範囲に**下地補強**を行っておくよう
にします。身体機能が低下すると、使いやすい手すりの位
置が変わることがありますが、あらかじめ広範囲に**下地補**

プラスα

　壁の下地補強は、
新築時や、住宅改修
を行う際に行ってお
くとよい。

ハンドレールとして用いる手すりの直径は **32 〜 36**mm 程度、グラブバーとして
用いる手すりの直径は **28 〜 32**mm 程度が適当である。

強を行っておけば、身体状況の変化に合せて、手すりの位置を柔軟に変更することができます。

　手すり受け金具を、柱と柱の間にある間柱（まばしら）に留めることは避けます。間柱の幅は **35 〜 40**mm 程度しかなく、手すり受け金具を留める木ネジが利きにくく、しっかり留めることができないからです。

用 語

間柱
　壁材を固定するために、柱と柱の間に垂直に立てる部材。

◆手すりの取り付け

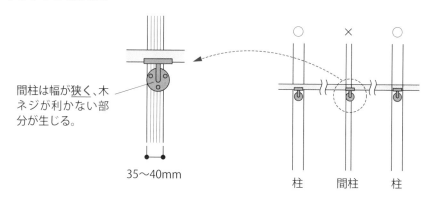

間柱は幅が<u>狭く</u>、木ネジが利かない部分が生じる。

35〜40mm

柱　　間柱　　柱

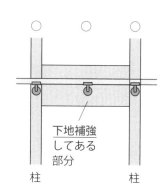

壁に<u>下地補強</u>をしてあると、手すり受け金具をしっかり留めることができる。

下地補強
してある
部分

柱　　　　　　柱

3 設置工事が不要な手すり ★★

POINT

トイレに設置する据置式の手すりで設置工事をともなわないものは、介護保険による貸与の対象になる。

浴室やトイレでは、工事をともなわずに簡易に設置できる、福祉用具の手すりを用いることもあります。

浴室で使用するものには、浴槽の縁にはめ込むタイプの**浴槽用手すり**があります（p.172 参照）。浴槽用手すりは、浴槽への出入りや、浴槽内での身体の保持のために用いられますが、浴槽の縁にはめ込んであるだけなので、手すりに全体重をかけてしまうとずれるおそれがあります。

トイレで使用するものには、床上に設置する**据置式**の手すりがあります。

福祉用具の手すりは、介護保険による福祉用具貸与もしくは特定福祉用具の購入費支給の対象になる場合があります。浴槽用手すりは「**入浴補助用具**」として購入費支給の対象に、トイレに設置する据置式の手すりで設置工事をともなわないものは、貸与の対象になります（p.183 参照）。ただし、床面に手すりを固定する程度の簡易な工事であっても建築工事とみなされるので、その場合は貸与の対象になりません。

福祉用具の手すりを導入する際は、展示場などで実物を見て使い勝手を確認することが大切です。

浴槽用手すりを浴槽の縁にはめ込んだ状態で少し体重をかけてみるなど、実際に使用する状況を再現して確認します。

CHECK

福祉用具の手すりは、使用する場所の掃除のしやすさなども考慮して選択する。

柱と柱の間にある間柱は、幅が 35 〜 40mm 程度しかなく、手すり受け金具をしっかり留めることができないので、手すり受け金具を間柱に留めることは避ける。

4 建具の種類・寸法・各種部品等 ★★

POINT

高齢者や障害者には、開閉時に身体を前後に大きく動かす必要がある開き戸よりも、引き戸のほうが適している。

木造住宅の多くは、910mm（3尺）を基準寸法として造られるため、<u>建具</u>の幅は、通常、枠の<u>内法</u>で700mmより小さくなります。しかし、この寸法では、介助歩行や自走用車椅子で通行することは困難です。トイレや浴室では、居室の出入り口よりもさらにせまい幅の建具が設置されることが多いため、ますます通行が困難になります。

介助用車椅子で直角に曲がって出入り口を通過することを考慮すると、開口部の<u>有効寸法</u>を**750**mm以上にすることが必要です。新築や大規模な改修工事を行う際は、それだけの有効寸法を確保し、幅の広い建具を設置するようにします。

部屋によって床仕上げが異なる場合は、建具の下枠の部分がその境目になり、床仕上げ材（表面の仕上げ材）の厚さの違いにより段差が生じることがあります。頻繁に通過する箇所には、つまずいて転倒する危険性に配慮して建具の下枠部分の段差は、**5**mm以下になるようにします。

建具には、開き戸や引き戸などの種類がありますが、開き戸は、開閉の際に身体を前後に大きく動かさなければならず、バランスをくずしやすいので、高齢者や障害者には**引き戸**のほうが適しています。住宅改修を行う場合は、**開き戸**から**引き戸**への変更を検討します。

建具の把手にもいくつかの種類がありますが、開閉時にノブを握って回すタイプの把手は、手指の巧緻性が低い場合は操作しにくくなります。そのような場合は、**レバーハンドル型**のようなより操作しやすいものに変更することを

用　語

建具
　建具とは、扉（ドア）、戸、窓、襖、障子など、建築物の開口部にある可動部分の総称。

用　語

内法
　管、箱、柱と柱の間などの、内側で測った寸法。

用　語

有効寸法
　通路や開口部などの、実際に通れる寸法。

プラスα

　伝い歩き移動や車椅子での移動、床上に両手足をついての移動、座位姿勢での移動の場合、開き戸よりも引き戸の方が開閉しやすい。

検討します。

　ドアクローザーは、開き戸や引き戸の上部に設ける装置で、建具を開いた後に手を放すと、ゆっくりと自動的に閉まります。開けた戸を自分で閉めるのが困難な場合に有効で、中途半端に開いた戸にぶつかる危険性も減少します。

◆介助用車椅子が通行可能な有効寸法

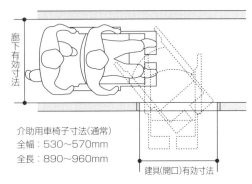

廊下有効寸法

介助用車椅子寸法(通常)
全幅：530〜570mm
全長：890〜960mm

建具(開口)有効寸法

介助用車椅子の場合
廊下幅：780mm、建具幅：750mm

廊下有効寸法が 780mm であれば、開口有効寸法は、少なくとも 750mm が必要。
介助用車椅子の寸法や操作能力などを検討して有効な寸法を割り出すこと。

◆建具の把手の種類

開き戸用		引き戸用	
ノブ（握り玉）	レバーハンドル型	彫り込み型	棒型
開閉時に、握る、回す、引く（押す）の 3 動作が必要で、握力も要する。	レバーを下げる、引く（押す）の 2 動作で開閉でき、形状も大きく扱いやすい。	指先に力が入らない人の場合、使用が困難。	力の入らない人でも開閉できるが、戸を開けたときに引き残しが生じる。

把手の床からの高さは、レバーハンドル型は 900 〜 1,000mm、棒型は 850 〜 1,100mm 程度。

車椅子で直角に曲がって出入り口を通過するためには、開口部の有効寸法を
750mm 以上確保することが必要である。

5 幅・スペース ★★

POINT

必要な幅やスペースを確保するには、既存の壁や柱を取り外す方法と、モジュールをずらす方法がある。

　軸組構法による木造住宅では、多くの場合、廊下、階段、トイレなどの幅員は、柱芯一芯で910mm（3尺）になるように造られています。このように、建築物の設計の基準になる寸法のことを、**モジュール**といいます。柱芯一芯910mmを基準とする建築物の設計は、標準モジュールと呼ばれます。

　柱芯一芯が910mmの場合、廊下などの有効寸法は最大で**780**mmになります。しかし、この寸法では、介助を受けながら廊下を移動することは困難で、トイレ等での介助のためのスペースも確保できません。車椅子で屋内を移動する場合も、困難をともなうことがあります。

　必要な幅やスペースを確保するために有効な方法の一つは、既存の**壁**や**柱**を取り外すことです。この方法は、軸組構法による既存の住宅を部分的に増改築する場合に適しています。たとえば、トイレと洗面・脱衣室の間を仕切っている壁の一部を撤去することにより、より広いスペースが確保でき、介助のためのスペースとして活用できます。

　ただし、壁や柱には、構造上、取り外せるものと取り外せないものがあります。筋かいの入っている壁のように、建物の構造を支えている壁や柱を取り外すことはできません。改修しようとする部分に**上階**があるときも、壁や柱を撤去することは困難なことが多く、可能であっても他の箇所に補強工事が必要になることもあります。

　壁や柱が撤去できるかどうかを確認する場合は、必ず設計者や施工者に図面を見て判断してもらうことが必要です。

 用 語

軸組構法
　柱、梁、筋かいなどを組み合わせて造った骨組みで建物を支える、日本の伝統的な木造建築の構法。

 用 語

筋かい
　木造建築の柱と柱の間に斜めに取り付ける材。建物を補強し、変形を防ぐ役割をもつ。

キーワードで CHECK!　**軸組構法／3尺モジュール**　⇒

◆標準モジュール

日本の木造住宅の多くは基準寸法が**3尺**（910mm）である。トイレ、階段などはこれを基準に幅が決められている。

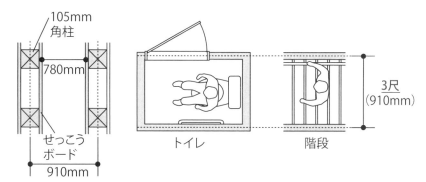

トイレ　　階段

◆壁面撤去による介助スペースの確保

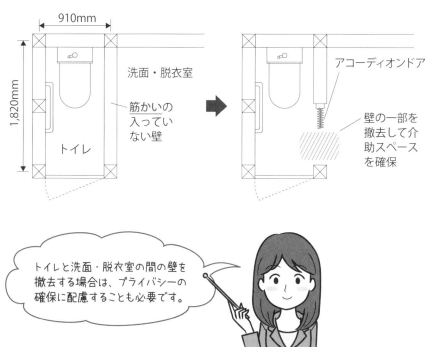

トイレと洗面・脱衣室の間の壁を撤去する場合は、プライバシーの確保に配慮することも必要です。

軸組構法による木造住宅は、尺貫法の影響から、廊下、階段、トイレなどの幅員が、柱芯一芯で**910mm**（3尺）になるように造られていることが多い。

必要な幅やスペースを確保するために有効なもう一つの方法は、モジュールをずらす方法です。たとえば、３尺モジュールで造られる建物の一部分だけモジュールをずらし、柱芯一芯の距離を、910mmの1/6に相当する151mmだけ長くすることにより、その部分の廊下や出入り口の有効寸法が広くとれるようになり、車椅子での通行も容易になります。

　高齢者や障害者が使用する居室と寝室を結ぶ廊下の部分など、頻繁に通行する**動線**に当たる部分のモジュールをずらすと、大きな効果が得られます。

◆モジュールをずらす方法による有効寸法の確保

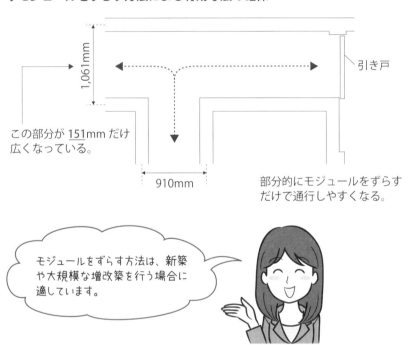

1,061mm

引き戸

この部分が 151mm だけ広くなっている。

910mm

部分的にモジュールをずらすだけで通行しやすくなる。

モジュールをずらす方法は、新築や大規模な増改築を行う場合に適しています。

一問一答で確認しよう！

□□□**問1** ハンドレールとして用いられる手すりの直径は、32〜36mm程度が適当である。

□□□**問2** 手すり受け金具を柱に留められないときは、柱と柱の間にある間柱に留める。

□□□**問3** トイレに設置する据置式の手すりで設置工事をともなわないものは、介護保険による福祉用具貸与の対象になる。

□□□**問4** 部屋によって床仕上げが異なる場合は、建具の下枠の部分に段差が生じることがあるが、その段差は20mm以下にとどめるようにする。

□□□**問5** 高齢者や障害者には、引き戸よりも開き戸のほうが適している。

□□□**問6** 手指の巧緻性が低い場合は、開き戸の把手はレバーハンドル型のものよりもノブ（握り玉）を握って回すタイプがよい。

□□□**問7** 建物の構造上、筋かいの入っている壁は撤去できない。

□□□**問8** モジュールをずらすことにより必要な幅やスペースを確保する方法は、既存の住宅を部分的に増改築する場合に適している。

- -
正解 1○ 2× 3○ 4× 5× 6× 7○ 8×

2：柱と柱の間にある間柱は幅がせまく、手すり受け金具をしっかり留めることができないので、手すり受け金具を間柱に留めることは**避ける**。

4：建具の下枠部分の段差は、**5**mm以下になるようにする。

5：開き戸は、開閉の際に身体を前後に大きく動かさなければならず、バランスをくずしやすいので、高齢者や障害者には**引き戸**のほうが適している。

6：開閉時にノブを握って回すタイプの把手は、手指の巧緻性が低い場合は**操作し**にくいので、レバーハンドル型のものに変更することを検討する。

8：モジュールをずらす方法は、**新築**や大規模な増改築を行う場合に適している。

実力問題にチャレンジ！

次の記述の内容が適切なものは〇を、不適切なものは×を選びなさい。

第1問 住宅内に設置する手すりは、使用方法によって、ハンドレールとグラブバーに分類される。グラブバーは、屋外の通路、階段、屋内の廊下、階段などに設置され、歩行時に身体の移動と同時に手を滑らせながら使用するものである。

第2問 屋内に手すりを設置する場合は、手すり受け金具を壁面に木ネジで留めるが、壁の仕上げ材は薄いので、仕上げ材に留めるだけでは、手すりにかかる体重を支えられるだけの強度が得られない。壁仕上げの下に柱や間柱がある位置にしっかりと固定するようにする。

第3問 工事をともなわずに簡易に設置できる福祉用具の手すりで、浴室で使用するものには、浴槽の縁にはめ込むタイプの浴槽用手すりがある。浴槽への出入りや、浴槽内での身体の保持のために用いられるが、浴槽の縁にはめ込んであるだけなので、手すりに全体重をかけてしまうとずれるおそれがある。

第4問 トイレの床上に設置する据置式の手すりで、床面に手すりを固定する程度の簡易な工事により設置するものは福祉用具とみなされ、介護保険による福祉用具貸与の対象になる。

第5問 高齢者や障害者が伝い歩きや車椅子移動、座位姿勢での移動などをする場合は、引き戸よりも開き戸のほうが適している。

第1問 ✕　グラブバーは、トイレや浴室などに設置され、立ち座りや移乗の動作の際にしっかりつかまって**身体を安定させる**ために使用するものである。選択肢の文は**ハンドレール**の説明になっている。

第2問 ✕　柱と柱の間にある間柱の幅は 35 〜 40mm 程度しかなく、手すり受け金具を留める木ネジが利きにくく、**しっかり留めることができない**。手すり受け金具を**間柱に留めることは避け**、柱か、下地補強されている部分に取り付ける。

第3問 ○　浴槽の縁にはめ込むタイプの浴槽用手すりは、手すりに全体重をかけてしまうと**ずれる**おそれがあるので、全体重をかけてもずれないよう堅固に取り付けることが重要である。

第4問 ✕　トイレに設置する据置式の手すりで**設置工事をともなわないもの**は、介護保険による福祉用具貸与の対象になる。床面に手すりを固定する程度の簡易な工事であっても建築工事とみなされるので、その場合は貸与の対象に**ならない**。

第5問 ✕　引き戸のほうが容易に開閉できるため、開き戸を引き戸に交換することもよく行われる。

ゴロ合わせ

ハンドレールとグラブバー

バンドは　　3人でロック！
（ハンドレール）（3　　6mm）

クラブやバーでは　　ニヤッと
（グラブバー）　　　　　（28mm）

ハンドレールとして用いられる手すりは 32 〜 36mm 程度が適当、、グラブバーとして用いられる手すりは 28 〜 32mm 程度が適当。

詳しくは ▶ p.198、199

Lesson 18 家具・収納／色彩・照明・インテリア／その他

学習日
／

家具の配置を少し変えるだけで、生活上の不便さや介助のしにくさを改善できることもあります。室内の色彩は、生活する人の心理面に影響を与えます。

1 家具への配慮 ★★

POINT

住宅内を移動しやすくするには、設計図面（平面図）に、現在所有している家具や、新たに購入することを予定している家具を描き込んで配置を検討する。

　住宅内で使用する家具の**寸法**や**形状**、**配置**などは、生活動作の利便性や安全性に大きく影響します。長い間使用してきた家具でも、身体機能が低下すると使い勝手が悪くなることがあるので、現在の身体機能に合っているのかどうか確認することも必要です。

　また、現在の住まいが生活しにくく、介助が難しいと感じられる場合でも、家具の配置を少し変えるだけで改善できることがあります。

　新築や増改築を行うときは、家具についても入念に検討するようにします。せっかく広い部屋を確保しても、家具がじゃまになって生活しにくくなることがあるからです。

　新築や増改築の場合は、**設計図面（平面図）**に、現在所有している家具や、新たに購入することを予定している家具を描き込んで検討するのもよい方法です。実際に何度も家具を並べ替えてみるのは大変ですが、図面上なら何度でも自由に家具の配置を変えてレイアウトを検討することができます。

CHECK
　家具の配置を検討する際は、生活動線に無理が生じないようにすることが重要である。

CHECK
　高齢者の動作特性を考慮した、使いやすい家具も市販されている。

キーワードで CHECK! 椅子の立ち座りのしやすさ　⇒

椅子を選ぶときは、**立ち座り**のしやすさ、**座位姿勢**の保持のしやすさ、**清掃**のしやすさなどを考慮します。立ち座りのしやすさは、椅子の**形状**や、座面の**高さ**、座面の**硬さ**、**肘かけ**の有無、安定性などに影響されるので、それらの要素を総合的に検討します。少なくとも、座面の高さが膝よりも低い椅子（ソファーなど）は、高齢者には立ち座りが難しくなることに注意します。

　机・テーブルは、天板の**高さ**や**厚さ**を考慮します。車椅子を使用する場合は、車椅子の**アームサポート**（肘かけ）が机の天板に当たらないかどうか、机の脚が車椅子を入れる際にじゃまにならないかどうかも確認します。

CHECK

　椅子の選択では、その場所で椅子を使用する目的がくつろぐことなのか、食事をすることなのかなどもあわせて検討する。

2 収納への配慮　★★

POINT
収納の奥行きが 600mm 以上ある場合は、中に足を踏み入れられるように、戸の下枠段差を設けないようにする。

　収納の使いやすさは、収納の奥行きや高さ、扉の形状などに影響されます。収納の奥行きが **600**mm 以上ある場合は、中に足を踏み入れられるように、戸の**下枠段差**を設けないようにします。収納の高さは、**腰**から**肩**の高さあたりまでが使いやすいので、頻繁に出し入れする物はその範囲の高さに収納するようにします。

　収納の扉は、開閉動作の際に身体の動きが少ない**引き戸**が最も適しています。**開き戸**を使用する場合は、開閉時に身体が前後に大きく動くので、身体があおられないか確認します。**折れ戸**は、開き戸ほど身体の動きは大きくありませんが、折れた戸の部分に指をはさむことがあるので、無理なく使えるかどうか、ショールームなどで実物を確認してから選ぶようにします。

CHECK

　腰より低いとしゃがみこまなければならず、肩より高いと身体のバランスをくずしやすい。

椅子の立ち座りのしやすさは、椅子の**形状**や、座面の**高さ**、座面の**硬さ**、**肘かけ**の有無、安定性などに影響されるので、それらの要素を総合的に検討する。

◆下枠段差のない収納の例

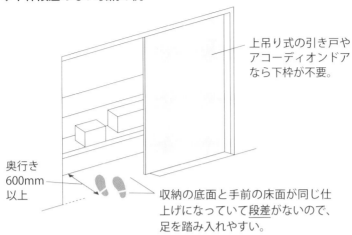

上吊り式の引き戸や
アコーディオンドア
なら下枠が不要。

奥行き
600mm
以上

収納の底面と手前の床面が同じ仕
上げになっていて段差がないので、
足を踏み入れやすい。

　洗面・脱衣室やトイレのように収納する物品が限られて
いる場合は、壁埋め込み収納を設置する方法もあります。
壁厚を利用するので奥行きが浅く、収納量は限られますが、
使用しやすい高さに設置できるのが利点です。

3 色彩・照明・インテリアへの配慮　★

POINT
同じ部屋の中に床面の色が異なる部分があると、高齢者
は床に段差があるように見間違えてしまうことがある。

　高齢者は、加齢にともない視機能が低下し、色彩の区別
がつきにくく、また、暗い場所では物が見えにくくなって
います。そのため、何かにつまずいたりぶつかったりしや
すく、思わぬけがにつながることもあります。住宅内の色
彩や照明に配慮することで、そのようなリスクを減らすこ
とができます。
　たとえば、同じ部屋の中に床面の色が異なる部分がある

キーワードで
CHECK!　収納／下枠／段差　⇒

と、床に**段差**があるように見間違えてしまうことがあるので、そのような床仕上げは避けるようにします。

　室内の色彩は、そこで生活する人の心理面にも影響を与えます。一般に、高齢者には落ち着いた感じの色彩が適していると考える傾向がありますが、住宅内全体をそのような地味な色にまとめてしまうと、変化にとぼしく、雰囲気が重くなります。居間や食堂のような大きな部屋では、壁の一部に明るい鮮やかな色を取り入れるようにすると、全体の雰囲気が明るくなり、気持ちよく生活できます。トイレや洗面・脱衣室のような小部屋では、壁面全体を**明るい色**に仕上げるのもよいでしょう。

　賃貸住宅などで、壁面の色を変更するのが難しい場合は、壁に絵を掛けたり、カーテンやテーブルクロス、ソファーで使うクッションなどに明るい色を取り入れると雰囲気が変わります。

　住宅内の照明は、高齢者の場合、若い人よりも高い照度にする必要があります。しかし、明るすぎるとまぶしく感じ、目に疲労を与えやすくなります。寝室では、ベッドに寝ているときに照明器具の**光源**が目に入らないように、照明器具の選択やベッドとの**位置関係**に注意します。

　玄関や廊下、階段などの照明は、<u>明るさ感知式スイッチ</u>や<u>人感スイッチ</u>にすると、消し忘れもなくなり、経済的です。

　インテリアは、生活する人に安心感や快適さを与え、精神的な安定をもたらすように工夫します。**仕上げの材質**や色彩、家具の選択とレイアウトなどには、そこで暮らす人の意見を取り入れ、本人がリラックスできる雰囲気をつくることが重要です。

　室内に全身が映る大きな鏡を掛けておくと、外出するときに身だしなみを整える習慣がつき、人に会う心構えもで

プラスα

　洗面器や便器の色は、痰、大便、尿の色を確認できるように白色を基本とする。

プラスα

　電球は、使用電力費が少なくてすむLED電球にするとよい。寿命が長いので取り替え回数が少ないことも高齢者や障害者に便利である。

 用　語

明るさ感知式スイッチ
　周囲の明るさをセンサーで感知して、暗くなると自動的に点灯し、明るくなると消灯するスイッチ。
人感スイッチ
　人が近づくと自動的に点灯し、人がいなくなると消灯するスイッチ。

収納の奥行きが600mm以上ある場合は、中に足を踏み入れられるように、戸の**下枠段差**を設けないようにする。上吊り式の引き戸などにすれば、下枠が不要になる。

きて、どんどん外に出て積極的に活動することを促す効果もあります。

4 冷暖房への配慮 ★★

POINT
冬季の夜間などに室間の温度差が大きくなると、血圧が急激に上下し、心筋梗塞や脳血管障害のリスクを高める。

高齢者は、若いときにくらべて温度変化への対応が難しくなっているので、冷暖房への配慮は重要です。特に、冬場の夜間などは、暖房がよくきいている部屋と、廊下やトイレ、洗面・脱衣室などとの温度差が大きくなりがちですが、部屋を移動したときに大きな温度差にさらされると、血圧が急激に上下し、**心筋梗塞や脳血管障害**のリスクを高めることになります。

暖かい部屋から寒い部屋に移動したときに、身体がぞくぞくすることがありますが、そのような感覚が生じたときは危険信号です。急激な温度変化が身体に及ぼすそのような影響を、**ヒートショック**と呼びます。ヒートショックを起こさないためには、室間の温度差をなるべく小さくするようにしなければなりません。住宅の断熱性能を高めるとともに、トイレや洗面・脱衣室、浴室などにも暖房の設置を検討します。

暖房の方法は、**輻射暖房**（ふくしゃ）と**対流暖房**に大別されます。

輻射暖房は、放熱体の放射効果を利用して暖房する方式で、床暖房やパネルヒーターなどが代表的です。輻射暖房は、室内温度が上がるまでに**時間がかかり**ますが、室内の上下温度差が**小さく、ほこり**が立たないことなどが利点です。

対流暖房は、暖めた空気で直接室内を暖房する方式で、

CHECK
急に温度が変化すると、身体は血圧を上下させて、体温を一定に保とうとする。

室間の温度差／ヒートショック　⇒

エアコンやファンヒーターなどが代表的です。対流暖房は、比較的短時間で室内を暖めることができますが、暖かい空気は上昇するので天井付近が暖かくなり、足もとの床面付近が暖まりにくいというように、室内の上下温度差が大きくなりがちです。対流暖房は間欠運転に適しているので、トイレや洗面・脱衣室で小型のものがよく用いられています。

　寒冷地では、各部屋を個別に暖房すると費用が高くつくので、中央暖房方式を使った全室暖房を行うことがよくあります。中央暖房方式は、輻射暖房が主です。

　冷房は、エアコンが主流になっていますが、エアコンから吹き出す冷風が身体に直接当たらないように、位置や風向きに配慮することが必要です。特に、就寝時やベッドで横になっているときに冷風が身体に当たらないように注意します。

　近年は高齢者の熱中症が大きな問題になっています。就寝中に熱中症になる例も多く、冷房を適切に使うことが重要です。

用　語

中央暖房方式
　建物の 1 か所に熱源装置を設け、そこから各部屋に蒸気や温水、温風を送って熱を伝える方式。

用　語

熱中症
　室内や屋外で長時間高温多湿の環境下にいることで、体温の上昇、めまい、けいれんなどが現れる。重症化すると死亡することもある。

4章

1節

18

家具・収納／色彩・照明・インテリア／その他

覚えよう！ | **輻射暖房と対流暖房**

・輻射暖房は、放熱体の放射効果を利用して暖房する方式で、床暖房、パネルヒーターなどがある。
・対流暖房は、暖めた空気で直接室内を暖房する方式で、エアコン、ファンヒーターなどがある。
・輻射暖房は、暖まるまでに時間がかかるが、室内の温度差は小さく、ほこりが立たない。
・対流暖房は、立ち上がりが早いが、天井付近と床面付近の上下温度差が大きくなる。

冬季の夜間などで室間の温度差が大きいときに、急激な温度変化による血圧の変動などの身体に及ぼす影響を、ヒートショックという。

5 非常時の対応 ★

POINT

住宅用火災警報器は、新築、既存住宅にかかわらず、すべての住戸に設置することが義務づけられている。

近年一人暮らしの高齢者や障害者が増えていますが、住宅内の安全・安心を確保するには周囲が配慮することも重要です。最近は定期的な乳飲料の配達時や、郵便局員による巡回見守りサービスなどがみられるようになりました。

同居する家族が在宅している場合は、**インターホン**や**コールスイッチ**などを使用して知らせる方法が考えられます。通報装置には、緊急を音で知らせるものや、会話ができるものがあります。また、**配線式**のものと**ワイヤレス**式のものがありますが、ワイヤレス式は工事が不要で簡単に設置できます。ただし、いざというときに電池切れにならないように、定期的に電池の交換を行うようにします。

一人暮らしの場合や、同居する家族がいても留守がちな場合は、外部に連絡する手段を確保する必要があります。その場合、家族の携帯電話に連絡する、親戚や知人宅に連絡する、契約している警備会社に通報するなどの方法が考えられます。親戚や知人に連絡する場合は、緊急時に連絡が行くことを事前に伝えておき、その際にどのような対応をしてもらうかを相談しておくようにします。

火災が起きたときへの備えとしては、新築、既存住宅にかかわらず、すべての住戸に**住宅用火災警報器**を設置することが義務づけられています。初期消火のために、消火器の設置も検討します。万が一、火災が発生した場合は、高齢者や障害者が安全かつ迅速に避難できるように、二方向避難など、避難経路を検討しておくこともちろん重要です。

警備会社と契約する場合は、設備を設置する費用のほかに、月々支払う経費が必要となる。

二方向避難
火災発生時にいる位置から2つの方向へ避難できるよう経路を確保すること。

 キーワードで CHECK! **イニシャルコスト／ランニングコスト ⇒**

6 住環境整備の経費と維持管理 ★

POINT
ホームエレベーター、階段昇降機、段差解消機などを設置した場合は、定期点検が必要となる。

　福祉住環境整備はある程度の出費をともないますが、その出費を、高齢者や障害者にとって大きな負担にならない程度に抑えなければなりません。そのためには、住環境整備に必要な金額を明らかにするとともに、本人や家族がどの程度の費用を負担できるのかを確認することが必要です。

　住宅改修を行う場合は、小規模な工事であっても、どうしてもある程度まとまった金額の費用を支出することになります。工事を始めてから新たな問題が見つかり、予想以上の経費がかかることもあるので、多少の余裕を見て予算を立てておくようにします。介護保険のほか、地方自治体が行っている住宅改造費助成事業などの制度を利用できるかどうかも確認します。

　住宅改修を行わなくても、**福祉用具**を導入するだけで当面の問題が解決できることもあります。その場合は、費用は比較的少額で済むことがあります。

　ホームエレベーターや階段昇降機、段差解消機などの設備機器を導入する場合は、設備を設置するための**イニシャルコスト**のほかに、月々の電気代やメンテナンス費用などの**ランニングコスト**がかかることも把握しておかなければなりません。これらの機器は、安全に使用するために定期的な点検を行います。

　住宅そのものの性能も、年月を経るにしたがって低下し、修理が必要になることもあります。なるべく大規模な修理の必要が生じないように、日頃から掃除や手入れをこまめに行っておくことが重要です。

CHECK
　地方自治体が行う事業は、世帯の収入により助成額が異なることが多い。

プラスα
　介護保険制度による住宅改修については、p.254 ～ 255参照。

設備の設置などに要する**初期費用**をイニシャルコストといい、**導入後**にかかる月々の電気代や修理代、メンテナンス費用などの経費をランニングコストという。

一問一答で確認しよう！

□□□**問1** 立ち座りのしやすさは、椅子の形状や、座面の高さ、座面の硬さ、肘かけの有無、安定性などに影響される。

□□□**問2** 収納の奥行きが600mm以上の場合は、中に足を踏み入れなくても出し入れができるので、戸の下枠段差をなくす必要はない。

□□□**問3** 同じ部屋の中でも、床の一部分を明るい色に変えると、部屋全体の雰囲気が明るくなり、心理的にも好ましい効果が得られる。

□□□**問4** 洗面器や便器の色は白が主流であるが、使用者の好みに合わせてカラフルなものに変えてみるのもよい。

□□□**問5** 冬場の夜間などに室間の温度差が大きくなると、部屋を移動したときに血圧が急激に上下し、心筋梗塞や脳血管障害のリスクが高くなる。

□□□**問6** 対流暖房は、暖めた空気で直接室内を暖房する方式で、立ち上がりに時間がかかるが、室内の上下温度差が小さいのが利点である。

□□□**問7** 住宅用火災警報器は、新築のすべての住戸に設置することが義務づけられ、既存住宅にも設置することが推奨されている。

□□□**問8** ホームエレベーターを設置した場合、安全に使用するためには、定期的な点検が必要である。

- -

正解 1○ 2× 3× 4× 5○ 6× 7× 8○

2：収納の奥行きが600mm以上ある場合は、中に足を踏み入れられるように、戸の**下枠段差**を設けないようにする。

3：同じ部屋の中に床面の色が異なる部分があると、床に**段差**があるように見間違えてしまうことがあるので、そのような床仕上げは避ける。

4：洗面器や便器の色は、痰、大便、尿の色を確認できるように**白色**を基本とする。

6：対流暖房は、比較的**短時間**で室内を暖めることができるが、足もとの床面付近が暖まりにくく、室内の上下温度差が**大きく**なる。

7：住宅用火災警報器は、**新築、既存住宅にかかわらず**、すべての住戸に設置することが義務づけられている。

実力問題にチャレンジ！

次の記述の内容が適切なものは〇を、不適切なものは×を選びなさい。

第1問 住宅内で使用する家具の寸法や形状、配置などは、生活動作の利便性や安全性に大きく影響する。新築や増改築の場合は、設計図面（平面図）に、現在所有している家具や、新たに購入することを予定している家具を描き込んでレイアウトを検討するのもよい方法である。

第2問 机・テーブルは、天板の高さや厚さ、椅子との組み合わせなどを考慮して選択する。車椅子を使用する場合は、車椅子のアームサポート（肘かけ）が天板に当たらないかどうか、机の脚が車椅子を入れる際にじゃまにならないかどうかも確認する。

第3問 収納の使いやすさは、収納の奥行きや高さ、扉の形状などに影響される。収納の高さは、腰の高さよりも低い位置が使いやすいので、頻繁に出し入れする物はその範囲の高さに収納するように習慣づけるとよい。

第4問 収納の扉は、開閉動作の際に身体の動きが少ない引き戸が最も適している。開き戸を使用する場合は、開閉時に身体が前後に大きく動くので、身体があおられないか確認する。折れ戸は、開き戸ほど身体の動きは大きくないが、折れた戸の部分に指をはさむことがある。

第5問 ホームエレベーターや階段昇降機は、設置する際にかかるランニングコストや、設置したあとのメンテナンスなどにかかるイニシャルコストを念頭に置いて購入を検討する。

第1問 ○　実際に何度も家具を並べ替えてみるのは大変だが、**図面上**なら何度でも自由に家具の配置を変えてレイアウトを検討することができる。

第2問 ○　車椅子の使用者が机やテーブルを選択する場合は、車椅子の**アームサポート**（肘かけ）が天板に当たらないかどうか、机の脚が車椅子を入れる際にじゃまにならないかどうかを確認する。

第3問 ×　収納の高さは、**腰**から**肩**の高さあたりまでが使いやすいので、頻繁に出し入れする物はその範囲の高さに収納する。

第4問 ○　**折れ戸**は、開き戸ほど身体の動きは大きくないが、折れた戸の部分に指をはさむことがあるので、無理なく使えるかどうか、ショールームなどで実物を確認してから選ぶ。

第5問 ×　設置するときにかかるのが**イニシャルコスト**、設置後の電気代などの維持費が**ランニングコスト**である。

家具や収納は毎日使うものですから、使い勝手がよく、身体に無理がかからないようにすることが大切です。

Lesson

19 屋外移動・外出

学習日
／

高齢者や障害者が充実した生活をおくるためには、外出の手段が確保されていることが重要です。

1 道路から玄関までの移動 ★★★

POINT

道路から玄関までのアプローチの部分には高低差があることが多く、階段やスロープなどを設けて、その高低差を解消する必要がある。

Lesson 16 でもすでに述べたように、「建築基準法」により、住宅の1階居室の木造床面は、原則として直下の地面より450mm 以上高くするよう定められています。そのため、道路から玄関までの**アプローチ**の部分に階段やスロープなどを設けて、その高低差を解消する必要があります。住宅の敷地が周囲の道路より高くなっている場合は、合計の高低差はさらに大きくなります。

車椅子を使用する場合は、スロープを設ける方法が一般的です。車椅子で無理なく通行するためには、スロープは1/12〜1/15 程度の緩やかな勾配にしなければなりません。しかし、スロープが緩やかであるほど、設置するために必要なスペースは**大きく**なるので、道路と玄関の間の敷地がせまいと、スロープを設置できないこともあります。その場合、車椅子の使用者は居室の掃き出し窓から出入りすることにして、そちらにスロープを設ける方法もあります。

スロープを設置する場合、出入り口（玄関または掃き出し窓）の前には、車椅子の方向転換などの操作が行えるよ

 用 語

掃き出し窓

　居室の窓で、下端が床面と同じ高さになっているものをいう。ほこりを外に掃き出すことができるのでこう呼ばれるが、屋外への出入り口としても使用できる。

うに、内法寸法で **1,500**mm × **1,500**mm 以上の**平坦部**を確保します。平坦部には、雨水などが流れ落ちるように、若干の<u>水勾配</u>を設けることがありますが、車椅子の操作に支障が生じないように、**1/100** 程度の勾配に留めるようにします。

スロープの両端には、車椅子の脱輪防止のために、縁石に 50mm 程度の**立ち上がり**を設けます。

アプローチに階段を設置する場合も、高齢者や障害者が利用することを考慮すると、なるべく勾配を緩やかにすることが必要です。階段の寸法は、<u>踏面</u> **300 ～ 330**mm 程度、<u>蹴上げ</u> **110 ～ 160**mm 程度が望ましく、必ず手すりを設置します。手すりは、できれば両側に設置することが望ましいのですが、片側にしか設置できない場合は、階段を**下りる**ときに、手すりが利き手側にくるようにします。階段部分の手すりの高さは、<u>段鼻</u>から手すりの上端までが **750 ～ 800**mm 程度になるようにします。手すりの材質は、表面が金属のものは温度変化による影響を受けやすいので、冬季にも握りやすい樹脂被覆製のものにします。

用 語

水勾配
　排水のために設ける傾斜。

用 語

踏面・蹴上げ
　踏面は階段の足を乗せる平らな面、蹴上げは階段 1 段分の高さ。「建築基準法」の規定では、住宅の階段は踏面 150mm 以上、蹴上げ 230mm 以下とされているが、高齢者や障害者への配慮としては十分でない。
段鼻
　階段の踏面の先端の角の部分。

◆**屋外階段と手すりの設置例**

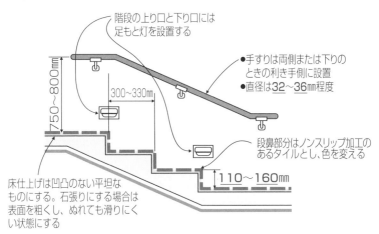

階段の上り口と下り口には
足もと灯を設置する

● 手すりは両側または下りの
　ときの利き手側に設置
● 直径は**32 ～ 36**㎜程度

300～330㎜

750～800㎜

段鼻部分はノンスリップ加工の
あるタイルとし、色を変える

110～160㎜

床仕上げは凹凸のない平坦な
ものにする。石張りにする場合は
表面を粗くし、ぬれても滑りにく
い状態にする

キーワードで CHECK!　踏面／蹴上げ ⇒

階段の段鼻の部分は**ノンスリップ（滑り止め）加工**をしてあるタイルにし、つまずかないように色を変えて注意を促します。

アプローチの通路面に 5mm 以上の段差があるとつまずくおそれがあるので、通路面は**凹凸のない平坦**なものとし、コンクリートの平板などを敷く場合は、目地幅をできるだけ**小さく**します。通路の表面の仕上げは、雨に濡れたときの滑りにくさを考慮して選択します。通路面を石張りにする場合は、表面の粗い仕上げにすると滑りにくくなります。

道路から玄関までのアプローチの距離が長い場合は、**屋外灯**を設けます。階段の上り口や下り口の付近には、段差に注意を促すために**足もと灯**を設置します。

夜間でも段差を確認しやすいように、照明には十分配慮し、建物の影などで見えにくい部分が生じないようにします。

The CHECK box

CHECK

足もと灯はあくまで補助照明とし、屋外灯とは別に設置する。

4章

2 玄関の出入り　★★★

POINT

POINT

玄関土間に必要なスペースは、歩行により出入りするか、車椅子を使用するかで異なる。

日本の住宅では、玄関で履き物を脱ぎ履きする習慣があるため、通常、玄関土間と室内の床面の間には、**上がりがまち**の段差が設けられています。比較的古い戸建て住宅では、上がりがまちの段差が 300mm 以上あることもあります。最近の木造住宅では **180**mm 以下、集合住宅では 60mm 以下のものが多くなっています。上がりがまちの段

高齢者や障害者に配慮した階段は、踏面 300 〜 330mm 程度、蹴上げ 110 〜 160mm 程度の緩やかな勾配にする。

4章 2節 19 屋外移動・外出

差が大きいと、高齢者や障害者が玄関に上がるときや、履き物を着脱するときの動作に支障をきたすことがあります。

　上がりがまちの段差を解消するには、**踏台**を設置する方法があります。玄関土間に置くことで、上がりがまちの段差を小さい段差に分割して昇降しやすくするものです。踏台は階段1段分よりも広くし、進行方向から見て幅**500mm**以上、奥行き**400**mm以上になるようにします。上がりがまちの段差が大きいときや、車椅子を使用する場合は、玄関に段差解消機を設置する方法も検討します。

　上がりがまちのかまちぎわの壁面に**縦手すり**を設置すると、上がりがまちを昇降するときの動作が安定します。手すりの位置は、下端が玄関土間の床面から750～800mm程度、上端は対象者が玄関ホールの床面に立ったときの肩の高さより100mm程度上方にくるようにします。

　上がりがまちの塗装色は、屋内の床面と色使いを合わせるのが普通ですが、視力が低下している高齢者に配慮して、段差の位置を認識しやすくするために、かまちと床の色を変えるのも一つの方法です。

　玄関での履き物の着脱の動作が安定しないときは、玄関土間にベンチを置いて座った状態で着脱を行うとよい。

◆玄関の住環境整備の例

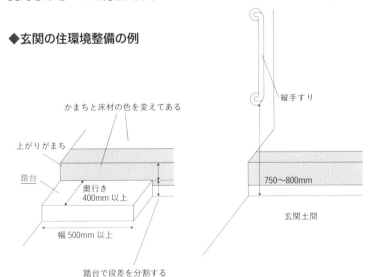

かまちと床材の色を変えてある

上がりがまち

踏台

奥行き400mm以上

幅500mm以上

踏台で段差を分割する

縦手すり

750～800mm

玄関土間

キーワードで
CHECK!　**上がりがまち／踏台**　⇒

玄関土間に必要なスペースは、歩行により出入りするか、車椅子を使用するかで変わってきます。自立歩行ができ、玄関に手すりを取り付ける程度の配慮で済む場合は、玄関間口の有効寸法が 1,200mm 程度あれば十分です。玄関土間に踏台やベンチなどを置く場合や、歩行に介助を必要とする場合は、玄関間口の有効寸法が 1,650mm 程度必要になります。

　外出時に車椅子を使用する場合は、少なくとも、車椅子が入るように玄関土間の奥行きを 1,200mm 以上確保しなければなりません。車椅子への移乗に介助が必要な場合は、玄関間口の有効寸法にもある程度の余裕が必要です。

CHECK

　標準的な車椅子の全長は 1,100mm 程度（介助用車椅子は 890 〜 960mm 程度）なので、100mm 程度の余裕を見て 1,200mm 程度の奥行きを確保する。

◆玄関に必要なスペース

玄関土間の寸法	車椅子を使用しない場合	手すりが設置されていれば出入りできる場合	間口の有効寸法 1,200mm 程度
		ベンチや踏台の設置、介助スペースなどが必要な場合	間口の有効寸法 1,650mm 程度
	車椅子を使用する場合		奥行きの有効寸法 1,200mm 以上

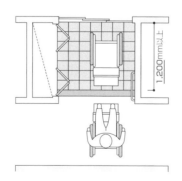

車椅子を使用する場合の玄関スペース

玄関土間に踏台を設置して上がりがまちの段差を解消する場合、踏台は階段 1 段分よりも広くし、進行方向から見て幅 500mm 以上、奥行き 400mm 以上とする。

3 庭・テラスへの移動　★★

POINT

スロープに曲線状の部分を設けると、車椅子での昇降時に操作が困難になることがある。

高齢者には、庭やテラスで園芸を楽しむ人も多く、そのような場合は、居室から庭やテラスに気軽に出入りできるようにしなければなりません。火災や地震などの災害が起きた際に、寝室や居室から屋外に出られるように、玄関以外の出口を確保しておくことも重要です。

車椅子を使用する場合、玄関からの出入りでは、**上がりがまち**の段差などが支障になることがあります。庭にスロープを設置する余裕があれば、居室の**掃き出し窓**からテラスやスロープを通して出入りするほうが、外出時の移動が容易になることもあります。掃き出し窓のサッシは下レールの凹凸が小さいものを使用すると、車椅子での出入りがしやすくなります。

テラスから庭へ下りるスロープを設置する場合は、スロープに曲線状の部分を設けると、車椅子での昇降時に操作が困難になることがあるので、スロープの傾斜部分は**直線形状**になるようにします。

屋外移動・外出に関する問題では、車椅子を使用する場合についても考慮しなければならないことが多いので注意します。

一問一答で確認しよう！

□□□**問1** 道路から玄関までのアプローチにスロープを設置する場合、出入り口の前には、車椅子の方向転換などの操作が行えるように、1,500mm × 1,500mm 以上の平坦部を確保する。

□□□**問2** アプローチに階段を設置する場合、階段の踏面を110 ～ 160mm 程度、蹴上げを300 ～ 330mm 程度とする。

□□□**問3** 手すりを階段の片側にしか設置できない場合は、階段を上るときに、手すりが利き手側にくるようにする。

□□□**問4** アプローチの通路面に5mm 以上の段差があるとつまずくおそれがあるので、通路面は凹凸のない平坦なものとする。

□□□**問5** 木造住宅の玄関の上がりがまちの段差は180mm 以上とするよう、「建築基準法」に定められている。

□□□**問6** 玄関土間に踏台を置いて上がりがまちの段差を解消する場合、踏台の寸法は、進行方向から見て幅400mm 以上、奥行き300mm 以上とする。

□□□**問7** 上がりがまちのかまちぎわの壁面に縦手すりを設置する場合、手すりの上端は対象者が玄関ホールの床面に立ったときの肩の高さより100mm 程度上方にくるようにする。

□□□**問8** テラスから庭へ下りるスロープを設置する場合は、スロープの傾斜部分を曲線状にして勾配を小さくする。

正解 1 ○ 2 × 3 × 4 ○ 5 × 6 × 7 ○ 8 ×

2：踏面を300 ～ 330mm 程度、蹴上げを110 ～ 160mm 程度とする。

3：階段を**下りる**ときに、手すりが利き手側にくるようにする。

5：建築基準法にそのような規定は**なく**、上がりがまちの段差は、最近の木造住宅では180mm 以下、集合住宅では60mm 以下のものが多くなっている。

6：踏台の寸法は、進行方向から見て幅**500mm** 以上、奥行き**400mm** 以上とする。

8：スロープに曲線状の部分を設けると、車椅子での昇降時に操作が困難になることがあるので、スロープの傾斜部分は**直線形状**にする。

次の記述の内容が適切なものは〇を、不適切なものは×を選びなさい。

第1問 「建築基準法」により、住宅の1階居室の木造床面は、原則として直下の地面より450mm以上高くするよう定められているため、道路から玄関までのアプローチの部分に階段やスロープなどを設けて、その高低差を解消する必要がある。

第2問 アプローチの通路面に5mm以上の段差があるとつまずくおそれがあるので、通路面は凹凸のない平坦なものとし、コンクリートの平板などを敷く場合は、目地幅をできるだけ大きくする。

第3問 アプローチにスロープを設置する場合、出入り口（玄関または掃き出し窓）の前には、車椅子の方向転換などの操作が行えるように、1,500mm×1,500mm以上の平坦部を確保する。平坦部には、雨水などが流れ落ちるように、水勾配を設けることがある。

第4問 玄関の上がりがまちの塗装色は、屋内の床面と色使いを合わせるのが普通であるが、視力が低下している高齢者に配慮して、段差の位置を認識しやすくするために、かまちと床の色を変えてもよい。

第5問 玄関から道路までの高低差は、利用者の身体状況にかかわらず、スロープを設置することで解消する。

第1問 ○　住宅の敷地が周囲の道路より高くなっている場合は、さらに大きな**高低差**が生じている。

第2問 ×　アプローチの通路面は凹凸のない平坦なものとし、コンクリートの平板などを敷く場合は、目地幅をできるだけ**小さく**する。

第3問 ○　スロープの平坦面に**水勾配**を設ける場合は、車椅子の操作に支障が生じないように、**1/100**程度の勾配に留める。

第4問 ○　上がりがまちの段差の位置を認識しやすくするために、かまちと床の**色**を変えるのも一つの方法である。

第5問 ×　利用者の身体状況によってはスロープより**階段**が適している場合がある。車椅子の場合はスロープを中心に考えるとよい。

ゴロ合わせ

蹴上げと踏面の寸法

蹴り上げて　　いいわよ　　イロ男
（蹴上げ）　　　（110〜　　　160mm）

その前に　300個耳輪を　踏むづら
　　　　　（300〜330mm）　（踏面）

高齢者や障害者の場合は、蹴上げは 110 〜 160mm 程度、踏面は 300 〜 330mm 程度とする。

詳しくは▶ p.222

Lesson
20 屋内移動

学習日 ／

一般的な住宅は、健常な人が使用するうえでは問題ないように造られていますが、身体機能が低下した高齢者や障害者は移動が困難になることがあります。

1 廊下の移動　★★★

POINT

通常、住宅の廊下幅は、有効寸法が 750〜780mm 程度であるが、自走用車椅子を使用する場合、この幅では移動が困難になることがある。

　住宅内の各室は廊下で結ばれていることが多く、その場合、廊下を通って移動できること、廊下から各室に出入りできることが、生活するための必須条件となります。

　住宅の廊下幅は、通常は有効寸法が 750〜780mm 程度ですが、健常な高齢者が自立歩行する場合は、それだけの幅があればまったく問題ありません。しかし、自走用車椅子で屋内を移動する場合は、**ハンドリム**を操作する際に肘が左右に突出するため、廊下を曲がって室内に入る際に、通常の廊下の幅や出入り口の開口部の幅では、通行が困難になります。介助用車椅子を使用する場合は、通常の幅でもどうにか通行することはできますが、廊下に面した出入り口の開口部の有効寸法は **750**mm 以上必要です（p.203の図参照）。介助歩行を行う場合も、通常の廊下の幅では十分とはいえません。

　自走用車椅子を使用する場合、廊下の有効寸法が 780mm とすると、廊下に面した出入り口の開口部の有効寸法は **950**mm 以上必要になります。

CHECK

　3尺モジュールで設計された住宅では、105mm 角の柱を用いた大壁（壁の仕上げ材が柱の外側に張られるため、柱が見えない壁）とした場合の廊下の有効寸法は、最大で 780mm となる（p.205の図参照）。

キーワードで CHECK! ３尺モジュール／大壁／廊下の有効寸法　⇒

廊下の手すりの設置位置は、床面から **750 ～ 800**mm
程度の高さを目安とします。出入り口付近に縦手すりを設
置すると、出入りの際に手すりに身体を預けたり、扉の開
閉時に手すりを握って姿勢を安定させたりできます。

　出入り口に生じる敷居段差などの小さな段差は、ミニス
ロープを設置することにより解消できます（p.191 参照）。
ミニスロープは、小さなスロープですから、車椅子での移
動には適していますが、歩行移動する人が足を滑らせない
ように、滑りにくい仕上げにします。

　関節リウマチのある人は、ミニスロープの傾斜した部分
に足を乗せると、足首の関節に負担がかかることがありま
す。その場合、ミニスロープをまたいで移動するか、ミニ
スロープを撤去して段差があるままの状態にするか、状況
に応じて選択します。

　廊下の床面は、**車椅子**に付着した汚れなどで傷付きやす
いので、傷が付きにくい仕上げ、傷が付いても目立ちにく
い塗装色にします。廊下の壁面も、車椅子のフットサポー
トなどがぶつかって傷付くことがあるので、幅木を数枚張
り上げて、通常より高くするなどの工夫をします。

用　語

幅木
　床材と壁材が接す
る部分を隠してすっ
きり仕上げるために
壁の下部に取り付け
る、横に長い板状の
部材。

◆車椅子あたりとしての幅木の設置

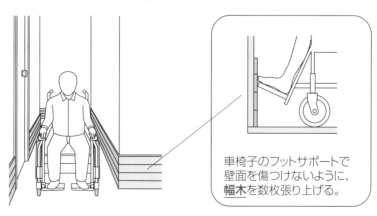

車椅子のフットサポートで
壁面を傷つけないように、
幅木を数枚張り上げる。

３尺モジュールで設計された住宅で、105mm 角の柱を用いた大壁で仕上げた場
合の廊下の有効寸法は、最大で **780**mm となる。

高齢になると視力が低下し、暗がりに目が慣れるのにも時間がかかるようになるため、小さな段差に気づかずに転倒してしまうこともあります。夜間にトイレに行く回数も増えるので、廊下の照明には十分配慮し、**適度な明るさを確保**できる照明器具（全点灯、中点灯、消灯の3段階のスイッチが付いているものなど）を設置するようにします。

　照明器具のスイッチは、暗がりで手探りしなくて済むように、**明かり付きスイッチ**にします。寝室の出入り口からトイレまでの動線の要所要所や、上がりがまちなどの段差がある場所には、**足もと灯**を設置することを検討します。

2 階段の昇降 ★★

POINT
階段での転倒や転落は大きな事故につながるので、安全面の配慮が特に重要である。

　下肢機能が低下した高齢者は、身体のバランスをくずしやすく、階段の昇降にしだいに困難をともなうようになってきます。加齢により視力も低下しているので、階段の踏面を見間違えて踏み外してしまうこともあります。階段での転倒や転落は大きな事故につながるので、できれば生活動作のすべてを**同一階**で行えることが一番望ましいのですが、階段の昇降がどうしても必要となる場合は、安全面に十分配慮しなければなりません。

　寝室が2階以上にある場合、夜間にトイレに起きたときに誤って階段から転落することがないように、寝室とトイレと階段の位置関係に注意し、寝室とトイレを結ぶ動線の途中に**階段があるような配置にしない**ようにします。少なくとも、トイレの出入り口と階段の下り口を隣接させることは絶対に避けるべきです。

 階段／手すり／下り　⇒

232

「建築基準法」の規定により、住宅の階段には必ず手すりを設置しなければなりません。本来は、階段の両側に手すりを設置することが望ましいのですが、一般的な住宅では、階段の幅員を十分に確保するために、片側にしか手すりを設置できないことが多いのが実情です。階段での転落事故は、上るときよりも下りるときに多く発生するため、手すりを片側に設置する場合は、**階段を下りるときに手すりが利き手側にくる**ようにするのが原則です。

　階段の手すりは、踊り場の部分も含めて、できる限り連続するように設置します。どうしても手すりが途切れる部分が生じる場合でも、手すりの端部間の距離が**400mm**以下になるようにします。手すりの端部間の距離がそれ以上になると、手すりから手を放した状態で身体を移動することになるので危険が増します。同じ位置に、同じ姿勢で立ったままの状態で手すりを握り替えられるようにしなければなりません。

　手すりの端部は、**壁側**に曲げ込んで収めるようにします。手すりの端部を**エンドキャップ**で覆うだけでは、衣服の袖口を引っかけたり、身体をぶつけたりするおそれがあります。袖口が広い衣類を着用している場合は、特に危険です。

プラス α

手すりの端部処理の方法は、階段だけでなく、廊下などに設置する手すりの場合も同様である。

◆**横手すり端部の処理**

端部を**壁側**に曲げ込む。

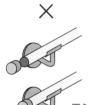

エンドキャップをかぶせるだけでは、衣類の袖口などが引っかかりやすい。

階段の手すりは、本来は両側に設置することが望ましいが、片側にしか設置できないときは、階段を下りるときに手すりが**利き手**側にくるようにする。

階段からの転落を防ぐために、階段の段鼻の部分には、主にゴム製の**ノンスリップ**を堅固に取り付けます。ノンスリップが踏面から突出しているとつまずくおそれがあるので注意します。段鼻の部分をノンスリップの厚さ分だけ切り欠いてノンスリップを収める方法もあります。

覚えよう！｜屋内の階段の注意点

・寝室が2階以上にある場合、寝室とトイレを結ぶ動線の途中に階段があるような配置は避ける。
・階段の手すりはできれば両側に。片側にしか設置できない場合は、階段を下りるときに手すりが利き手側にくるようにする。
・手すりが途切れる部分が生じる場合、手すりの端部間の距離は400mm以下とする。
・手すりの端部は、壁側に曲げ込んで収める。
・転落防止のため、段鼻部分にゴム製のノンスリップを取りつける。

階段は、住宅の中でも危険な事故が生じやすい場所なので、安全への配慮が特に重要です。

一問一答で確認しよう！

□□□**問1** 住宅の廊下幅は、通常は 750 〜 780mm 程度であるが、健常な高齢者が自立歩行する場合は、それだけの幅があれば問題ない。

□□□**問2** 自走用車椅子で屋内を移動する場合は、廊下を曲がって室内に入る際に、通常の廊下の幅や出入り口の開口部の幅では通行が困難になる。

□□□**問3** 介助用車椅子を使用する場合は、廊下が通常の幅でもどうにか通行できるが、廊下に面した出入り口の開口部の有効寸法は 650mm 以上必要である。

□□□**問4** 廊下の壁面は、車椅子のフットサポートなどがぶつかって傷付くことがあるので、幅木を数枚張り上げて、通常より高くするとよい。

□□□**問5** 寝室が 2 階以上にある場合、寝室とトイレを結ぶ動線の途中に階段の下り口を配置するとよい。

□□□**問6** 階段の片側に手すりを設置する場合は、階段を上るときに手すりが利き手側にくるようにする。

□□□**問7** やむを得ず、階段の手すりが途切れる部分が生じる場合でも、手すりの端部間の距離が 600mm 以下になるようにする。

□□□**問8** 階段に設置する手すりの端部は、エンドキャップで被覆して、衣服の袖口が引っかからないようにする。

正解　1○　2○　3×　4○　5×　6×　7×　8×

3：介助用車椅子で通常の幅の廊下を通行する場合、廊下に面した出入り口の開口部の有効寸法は **750**mm 以上必要である。

5：夜間にトイレに起きたときに誤って階段から転落しないように、寝室とトイレを結ぶ動線の途中に階段があるような配置は **避ける**。

6：階段を **下りる** ときに手すりが利き手側にくるようにする。

7：手すりが途切れる部分でも、手すりの端部間の距離が **400**mm 以下になるようにする。

8：手すりの端部は、**壁側** に曲げ込んで収める。端部をエンドキャップで覆うだけでは、衣服の袖口を引っかけたり、身体をぶつけたりするおそれがある。

実力問題にチャレンジ！

次の記述の内容が適切なものは○を、不適切なものは×を選びなさい。

第1問　高齢になると、夜間にトイレに行く回数が増えるので、トイレは寝室の近くに設ける。また、寝室が2階以上にある場合、階下の居間などと行き来しやすいように、階段の下り口と寝室もできるだけ近くしたい。したがって、住宅を新築するときは、2階の寝室とトイレと階段の下り口が隣接するように設計することが望ましい。

第2問　「建築基準法」には規定されていないが、高齢者や障害者に配慮するうえでは、住宅の階段には必ず手すりを設置するべきである。本来は、階段の両側に手すりを設置することが望ましいが、片側にしか設置できない場合は、階段を下りるときに手すりが利き手側にくるようにする。

第3問　階段に設置する手すりの端部は、壁側に曲げ込んで収めるようにする。手すりの端部をエンドキャップで覆うだけでは、衣服の袖口を引っかけたり、身体をぶつけたりするおそれがあるためである。

第4問　階段の段鼻の部分には、主にゴム製のノンスリップを堅固に取り付ける。ノンスリップが踏面から突出しているとつまずくおそれがあるが、段鼻の部分を切り欠いてノンスリップを収める方法もある。

第5問　床面の小さな段差を越えるために設置するミニスロープは、歩行移動には適しているが、車椅子移動には適さない。

第1問　✕　寝室が2階以上にある場合、夜間にトイレに起きたときに誤って階段から転落することがないように、寝室とトイレを結ぶ動線の途中に階段があるような配置は避ける。少なくとも、トイレの出入り口と階段の下り口を**隣接**させることは避けるべきである。

第2問　✕　「建築基準法」により、住宅の階段には必ず手すりを設置するよう義務づけられている。

第3問　○　手すりの端部を**エンドキャップ**で覆うだけでは、衣服の袖口を引っかけたり、身体をぶつけたりするおそれがある。コートや寝間着類など、袖口が広い衣類を着用している場合は、特に危険である。

第4問　○　階段からの転落を防ぐために、階段の段鼻の部分には、主にゴム製の**ノンスリップ**を堅固に取り付ける。つまずき防止のために、段鼻の部分をノンスリップの厚さ分だけ切り欠いてノンスリップを収める方法もある。

第5問　✕　ミニスロープは、**車椅子移動**には適しているが、歩行移動の人はミニスロープで足を滑らせる危険性がある。関節リウマチの人はミニスロープに足を乗せるときに足首の関節に負担がかかることもある。

寝室とトイレの間には階段を設けないようにしましょう。

Lesson
21 排泄・整容・入浴

学習日
／

排泄・整容・入浴は、さまざまな生活動作を組み合わせて行わなければならないので、生活行為の中でも困難をともなう場面が多く、特に配慮が必要です。

1 排泄　

POINT

排泄時に介助を必要とする場合は、便器の側方および前方に、500mm以上の介助スペースを確保する必要がある。

　高齢になると、夜間にトイレに行く頻度が高くなりやすいので、トイレと寝室の距離はなるべく**短く**し、トイレまでの移動を容易にすることが、排泄の自立を促すうえでも重要です。本人専用のトイレを寝室に隣接させることが最も望ましいといえますが、寝室とトイレを隣接させる場合は、排泄時の音やにおいが寝室側に漏れてこないように配慮することが必要です。

　トイレのスペースは、通常は内法寸法で間口**750mm**×奥行き**1,200mm**程度ですが、排泄動作がすべて自立している場合は、この広さで問題ありません。奥行きが内法寸法で**1,650mm**程度あればなおよく、立ち座りの動作をゆったりと行うことができます。

　排泄時に介助を必要とする場合は、便器の側方および前方に、**500mm**以上の介助スペースを確保することが必要です。その場合、介助者がどちら側に立つのかを検討して、便器の位置を決めます。

　寝室とトイレを隣接させる場合の配慮として、家族が排水音で目を覚まさないように消音型便器を用いる、トイレに換気扇を設置するか、換気機能や消臭機能の付いた便器を用いるなどして臭気が寝室に漏れないようにするなどの方法がある。

キーワードでCHECK! トイレ／洗面・脱衣室／ワンルーム化　⇒

◆トイレに必要な介助スペース

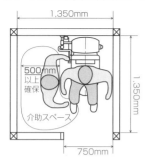

介助する場合には、前傾姿勢をとることが多く、介助者の臀部が突出するので、便器側方および前方に介助スペースを有効寸法で**500**mm以上確保する。

最近は、便器の背後に洗浄タンクがない「**タンクレストイレ**」も市販されています。手洗い機能は備えていないものの、全長が650mm程度と、従来の便器より100mmほど短く、便器の前方に介助スペースを確保しやすくなっています。

将来への備えとして、トイレの間口を内法寸法で**1,350**mmと広めにとっておき、自立歩行や伝い歩きができる段階では、洗面カウンターや手洗いカウンターを設けておく方法もあります。介助が必要になったときは、洗面カウンターを取り外してスペースを確保できます。

トイレと洗面・脱衣室を仕切らずに**ワンルーム化**しておくと、車椅子での出入りや介助スペースの確保がしやすくなりますが、同居する家族が多い場合は、だれかが入浴または脱衣中にトイレを使用しにくいなどの問題も生じるので、家族でよく話し合って検討します。

> プラス*α*
>
> トイレと洗面・脱衣室の間の壁を撤去してスペースを確保する方法もある（p.205参照）。戸の枚数が減るので、開閉動作を減らすことができる。トイレと洗面・脱衣室をあらかじめワンルーム化しておき、可動壁で仕切っておくのもよい。

排泄や入浴に関する住環境整備では、プライバシーへの配慮も重要になります。

トイレと洗面・脱衣室を仕切らずにワンルーム化しておくと、**車椅子**での出入りや**介助スペース**の確保がしやすくなる。可動壁で仕切っておいてもよい。

トイレに設置する手すりには、**立ち座り用**の縦手すりと、**座位保持**用の横手すり、その両方を組み合わせたＬ型手すり、車椅子使用者に対応した可動式手すりなどがあります。手すりは、直径 28 〜 32mm 程度の握りやすい太さのものにします。樹脂被覆製や木製のものは手ざわりもよく、快適に使用できます。

立ち座り用の縦手すりは、通常は、便器の先端より 250 〜 300mm 前方の側面（壁がある場合は壁面）に設置します。しかし、身体機能が低下してくると、縦手すりが便器から**遠く**、**低い**位置にあるほうが使いやすくなります。あらかじめ壁面に広範囲に下地補強を施しておくと、手すりの位置を比較的簡単に変更することができます。

座位保持用の横手すりは、便器の中心線から左右に 350mm ずつ振り分けた位置（手すりの芯―芯距離 700mm）に、左右対称に設置するのが基本です。横手すりの取り付け高さは、便器の座面から 220 〜 250mm 程度上方とします。車椅子から便器に移乗する場合は、横手すりを車椅子の**アームサポート**と同じ高さに揃えます。

トイレの出入り口の戸は、開閉動作がしやすい引き戸にすることが望ましいのですが、引き戸が設置できず、やむを得ず開き戸にする場合は、必ずトイレの外側に開く**外開き**になるようにします。内開きの開き戸では、高齢者や障害者が万一トイレの中で倒れたときに、外から戸が開けられず、助け出すことが困難になる場合があります。

排泄が自立するかどうかは、本人の尊厳にかかわります。介助が必要な場合も、介助の負担を軽減することが重要です。

キーワードでCHECK! トイレ／縦手すり／横手すり　⇒

◆トイレの手すりの設置位置の例

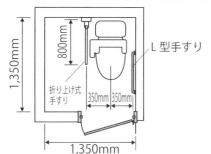

壁のない側は、水平可動式手すりや
折り上げ式手すりなどの可動式手すりにする。

1,350mm
800mm
L型手すり
折り上げ式手すり
350mm 350mm
1,350mm

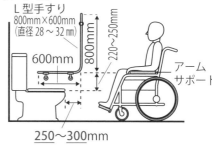

L型手すり
800mm×600mm
(直径 28〜32 mm)
600mm
800mm
220〜250mm
アームサポート
250〜300mm

身体機能が低下すると前傾姿勢
での立ち座りになりやすいので、
縦手すりが便器から遠いほうが
使いやすくなる。

2 整容・更衣

POINT
**洗面・脱衣室は、椅子などに腰かけた状態で洗面や着脱衣
などの動作ができるスペースを確保することが望ましい。**

　整容・更衣の動作には両手を使うことが多く、手を肩よ
りも高く上げる動作や、洗顔のように目をつぶって行う動
作もあり、バランスをくずして周囲に手をつくこともある
ので、しっかりした支えになるものが必要です。洗面器と
カウンターが一体になった**洗面カウンター**を設置すると、
片麻痺の人でも寄りかかりながら片手で整容動作を行うこ
とができ、物を置くスペースも確保できます。水栓金具は、
湯と水を混合して温度を調整できる混合水栓（水と湯が混
ざって同じ蛇口から出るもの）を使用します。
　車椅子対応の洗面カウンターは、**薄型**で、洗面器の下部
の排水管も、車椅子のフットサポートや車椅子使用者の膝
が当たらないように配慮されています。

トイレに設置する手すりには、**立ち座り**用の縦手すり、**座位保持**用の横手すり、そ
の両方を組み合わせたL型手すり、可動式手すりなどがある。

洗面カウンターに設置する鏡は、立位でも椅子に座った状態でも胸から上の部分が全部映るように、床面からの高さ800〜1,750mmの範囲をカバーするものにします。

洗面・脱衣室のスペースは、間口、奥行きとも内法寸法で1,650mm程度とれると、腰かけた状態で洗面や着脱衣などの動作ができ、介助スペースも確保できます。

CHECK

　車椅子対応の洗面カウンターは、椅子座で使用することもできるが、深く腰かけられない場合もあるので、使い勝手を確認する。

洗面・脱衣室は床面が濡れやすいので、滑りにくいシート状の床仕上げ材を使用するようにします。

3 入浴 ★★★

POINT
浴室の出入り口の段差を解消するには、すのこを設置する方法や、洗い場の床面をかさ上げする方法がある。

　一般に、浴室の出入り口は、浴室の床面よりも高くなっていることが多いのですが、この段差が大きいと、高齢者や障害者にとっては、浴室への出入りに支障をきたすことがあります。国が定める基準では、浴室の出入り口の段差は20mm以下にするとされていますが、シャワー用車椅子で浴室に乗り入れる場合なども考慮すると、この段差は5mm以下に抑えることが望ましいでしょう。

　古い住宅では、浴室の出入り口に100mm程度の大きな段差が生じていることがあります。この段差を解消する最も簡易な方法は、浴室の洗い場に**すのこ**を敷くことです。

キーワードで
CHECK!　洗い場／かさ上げ／排水溝　⇒

すのこは、脚部にゴムを貼り付けるなどして、がたつきがないようにします。清掃・日干しなどのメンテナンスが必要なので、小割りにして取り外せるものが便利です。

浴室の洗い場の床面をコンクリートで**かさ上げ**して、洗面・脱衣室と同じ高さにする方法もあります。この場合、洗い場で使用する湯水が洗面・脱衣室に流れ出ないように、洗い場の床面の水勾配は、出入り口と反対側に水が流れるようにし、出入り口の洗い場側、または開口部の下枠の下部に排水溝を設け、その上にグレーチングを敷設します。

洗い場の床面を高くした場合は、浴槽縁の洗い場側の高さが低くなり、浴槽の底面との高低差が大きくなるので、またぎ越しが支障なく行えるかどうか確認します。洗い場の水栓金具の位置が低くなることにも注意します。

用 語

グレーチング
　排水溝などに設置する蓋で、排水が流れ落ちるように格子状などの形状になっている。金属製のものが多い。

◆浴室の出入り口側に設ける排水溝の設置例

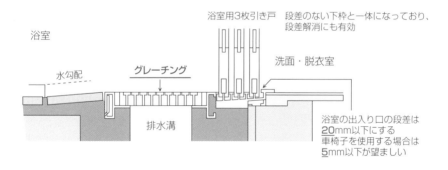

浴室用3枚引き戸　段差のない下枠と一体になっており、段差解消にも有効

浴室

洗面・脱衣室

水勾配

グレーチング

排水溝

浴室の出入り口の段差は**20**mm以下にする　車椅子を使用する場合は**5**mm以下が望ましい

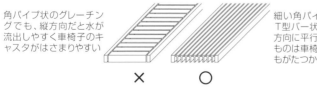

角パイプ状のグレーチングでも、縦方向だと水が流出しやすく車椅子のキャスタがはさまりやすい

細い角パイプ状、あるいはＴ型バー状を排水溝の長い方向に平行に組み合わせたものは車椅子や人の歩行にもがたつかない

×　○

浴室の洗い場の床面をコンクリートでかさ上げして洗面・脱衣室との段差を解消する場合は、出入り口付近に排水溝を設け、その上に**グレーチング**を敷設する。

浴室のスペースは、介助者が浴室に入って介助を行うことを考慮して、内法寸法で間口 1,600mm × 奥行き 1,600mm もしくは 1,800mm × 1,400mm 程度を確保します。

　浴槽の形状には、和式浴槽、洋式浴槽、和洋折衷式浴槽がありますが、高齢者や障害者には**和洋折衷式浴槽**が適しています。和式浴槽は浴槽縁が高すぎて、高齢者や障害者は困難になりがちです。高齢者や障害者に適した浴槽の形状は、外形寸法が、長さ 1,100 ～ 1,300mm、幅 700 ～ 800mm、深さ 500mm 程度です。

　浴槽の長さは、入浴時につま先が浴槽壁に届く大きさにすると座位が安定し楽な姿勢をとりやすくなります。

　浴槽縁の高さは、洗い場の床面から **400 ～ 450**mm 程度になるようにします。浴室内で使用する入浴用椅子やシャワー用車椅子、介助用車椅子の**座面**と浴槽縁の高さを同じにすると、浴槽への出入りがしやすくなります。浴槽の縁部分の幅が厚すぎると、またぎ越しがしにくくなり、バランスをくずしやすいので注意します。

◆浴槽の形状と寸法（和洋折衷式浴槽）

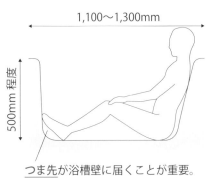

1,100～1,300mm

500mm 程度

つま先が浴槽壁に届くことが重要。

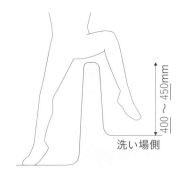

400 ～ 450mm

洗い場側

キーワードで **CHECK!**　和式浴槽／洋式浴槽／和洋折衷式浴槽　⇒

浴室に設置する手すりには、浴室への出入り用の縦手すり、洗い場での立ち座り用の縦手すり、洗い場移動用の横手すり、浴槽への出入り用の縦手すり（または横手すり）、浴槽内での立ち座り・座位保持用のL型手すりなどがあります。

◆浴室の手すり設置位置の例

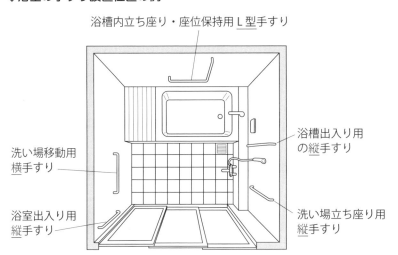

浴槽内立ち座り・座位保持用L型手すり

洗い場移動用横手すり

浴室出入り用縦手すり

浴槽出入り用の縦手すり

洗い場立ち座り用縦手すり

浴室内の手すりは、樹脂被覆製で、直径28〜32mm程度のものが適しています。

和式浴槽は長辺方向が短く、深さがある。洋式浴槽は縦長で浅く、寝そべった姿勢で入浴する。和洋折衷式浴槽はその中間のタイプで、高齢者や障害者に最も適している。

一問一答で確認しよう！

□□□**問1** トイレと寝室の距離はなるべく短くしたほうがよいが、寝室とトイレを隣接させると、排泄時の音やにおいが寝室側に漏れるおそれがあるので、そのような配置は避ける。

□□□**問2** 排泄時に介助を必要とする場合は、便器の側方および前方に、350mm以上の介助スペースを確保することが必要である。

□□□**問3** 便器の背後に洗浄タンクがない「タンクレストイレ」は、便器の側方に介助スペースを確保しやすい。

□□□**問4** トイレに設置する手すりのうち、縦手すりは主に座位保持のために用いる。

□□□**問5** 車椅子対応の洗面カウンターは、シンクが薄型で、車椅子使用者の膝が当たらないように配慮されたもので、椅子座でも使用できる。

□□□**問6** 国の基準では、浴室の出入り口の段差は50mm以下にするとされている。

□□□**問7** 浴槽の形状には、和式浴槽、洋式浴槽、和洋折衷式浴槽があるが、高齢者や障害者には和洋折衷式浴槽が適している。

□□□**問8** 浴槽の長さは、湯につかったときにつま先が浴槽壁に届くことが重要である。

- -

正解 1× 2× 3× 4× 5○ 6× 7○ 8○

1：高齢者が使用するトイレは、寝室に**隣接させる**ことが望ましいが、排泄時の音やにおいが寝室側に漏れてこないように配慮する必要がある。

2：排泄時に介助を必要とする場合は、便器の側方および前方に、**500mm以上**の介助スペースを確保することが必要である。

3：「タンクレストイレ」は、全長が650mm程度と、通常のものより100mmほど短いので、便器の**前方**に介助スペースを確保しやすい。

4：トイレに設置する縦手すりは、**立ち座り**の際に用いる。

6：国の基準では、浴室の出入り口の段差は**20mm**以下にするとされている。

実力問題にチャレンジ！

次の記述の内容が適切なものは〇を、不適切なものは×を選びなさい。

第1問 トイレに設置する立ち座り用の縦手すりは、通常は、便器の先端より 250 〜 300mm 前方の側面に設置するが、身体機能が低下してくると、縦手すりをより便器に近い位置に設置したほうが使いやすくなる。

第2問 トイレの出入り口の戸は、開閉動作がしやすい引き戸にすることが望ましいが、やむを得ず開き戸にする場合は、必ず外開きになるようにする。内開きの開き戸では、高齢者や障害者が万一トイレの中で倒れたときに、外から戸が開けられず、助け出すことが困難になるおそれがある。

第3問 浴室の出入り口に生じる段差を解消するために、浴室の洗い場の床面をコンクリートでかさ上げする方法がある。その場合、洗い場の床面の水勾配は、出入り口側に水が流れるようにし、出入り口の洗い場側、または開口部の下枠の下部に排水溝を設け、その上にグレーチングを敷設する。

第4問 浴槽縁の高さは、浴室内で使用する入浴用椅子やシャワー用車椅子、介助用車椅子の座面と同じ高さにすると、浴槽への出入りがしやすくなる。

第5問 浴室の手すりには、浴室出入り用縦手すり、浴槽出入り用縦手すり、洗い場移動用横手すりなどがある。

第1問 × トイレに設置する立ち座り用の縦手すりは、身体機能が低下して くるにつれて、便器から**遠く、低い**位置に設置するほうが使いやす くなる。

第2問 ○ 浴室の出入り口の戸についても同様である。

第3問 × 浴室の洗い場の床面をコンクリートでかさ上げした場合、洗い場 の床面の水勾配は、**出入り口と反対側**に水が流れるようにする。

第4問 ○ 浴槽縁の高さは、洗い場の床面から400 ～ 500㎜程度になるよ うにするとよい。

第5問 ○ 浴室の手すりはその他、**浴槽内立ち座り・座位保持用L型手すり、 洗い場立ち座り用縦手すり**などがある。

国の基準で、浴室の出入り口の 段差は20㎜以下とされています が、車椅子の使用などを考えると 5㎜以下に抑えることが望ましい でしょう。

Lesson

22 清掃・洗濯／調理／その他

学習日
／

清掃・洗濯、調理などの家事は、手慣れた作業であっても、身体機能が低下した高齢者や障害者にとっては大きな負担になります。

1 清掃・洗濯 ★

POINT
清掃・洗濯は、家事の中でも身体的負担が大きい作業となるため、負担を軽減する工夫が必要である。

　清掃・洗濯は、清潔な生活環境を維持するために欠かせない、重要な生活行為です。一方、掃除機を操作しながら住宅内を移動したり、身体を屈めて拭き掃除をしたり、高い位置に洗濯物を干したりする動作は、高齢者や障害者にとっては身体的負担が大きく、心理的にも、これらの家事を行う意欲は低下しがちです。そのため、清掃や洗濯の負担をなるべく軽減する工夫が必要になります。

　雑巾などを使っての拭き掃除は、無理な姿勢を強いられる動作が多く、身体的負担のきつい作業ですが、長い柄の付いた**ペーパーシート**を使用すると、立ったままで拭き掃除ができ、身体への負担はだいぶ軽くなります。また、清掃道具の出し入れがしやすいように、収納方法にひと工夫するだけでも、負担が軽減される場合があります。

　上階に物干しがある場合などは、大きな洗濯かごを持って階段を昇降することになり、体力的に負担を強いられるばかりでなく、誤って転落するおそれもあります。**乾燥機**を導入したり、洗濯機の設置場所を同じ階で洗濯物を干せ

CHECK
　洗濯機や乾燥機を新たに購入する場合は、実際の使用状況を考慮して、洗濯物の出し入れのしやすさなどを確かめる。

るようにすることを検討します。

　物干し動作を行う場合は、**肩の高さよりも低い物干し**を設置すると、作業がかなり楽になります。車椅子使用者の場合は、物干しの高さは 1,000mm 程度が適当です。シーツや布団など大きなものを干すときは、地面に付かないように注意します。

2 調理

POINT

キッチンと食堂は、壁や建具などで完全に仕切らずに、ハッチやカウンターなどで適度に視線をさえぎる程度にすると、家族とのコミュニケーションがとりやすい。

　調理作業は、時間も手間もかかり、高齢者や障害者にとっては大変な仕事です。刃物や火を使用するなどの危険因子も潜んでいます。火気に対しては、住宅用火災警報器の台所への設置が義務づけられている地域もあります。

　高齢者や障害者が使用するキッチンは、できる限り無駄な動作が少なくなるように、流し台、調理台、コンロなどを使いやすくコンパクトにまとめ、長時間の立ち仕事をしなくて済むように配慮します。キッチンと食堂の**作業動線**も短くし、壁や建具などで完全に仕切らずに、ハッチや**カウンター**などで適度に視線をさえぎる程度にしておくと、家族とのコミュニケーションもとりやすくなります。

　現在市販されているキッチンカウンターは、高さ800mm、850mm、および 900mm の３種類のものが標準的です。多くのキッチンは、下部の台輪（下枠）の部分で高さが調節できるようになっているので、使用者の身長などに合わせて、最も作業しやすい高さにします。

　立位姿勢での調理作業がつらくなると、調理台に寄りか

用　語

ハッチ
　キッチンと食堂の間で物の受け渡しなどができるように設けられた開口部。

キーワードで CHECK!　電気調理器／電磁調理器　⇒

250

かって作業することがあるので、そのような場合は、**サポートバー**付きのキッチンを検討します。椅子座での調理を行う場合は、シンク（流し）下部に膝入れスペースを設けた調理台を検討します。将来、椅子座で作業することを想定して、シンク下部の収納を撤去して簡単に膝入れスペースを確保できるようにしておく方法もあります。

　車椅子で調理作業を行う場合は、キッチンカウンターの高さは 740 ～ 800mm 程度が適しています。車椅子に対応したキッチンは、シンクの深さが 120 ～ 150mm 程度と浅く、シンクの下に膝を入れやすくしてあります。水はねを防止するために、水栓金具は**泡沫水栓**にします。

　調理機器は、使い慣れたものを使用するのが基本です。新しいものに買い換える場合は、ショールームなどで使い勝手をよく確認します。

　現在市販されている家庭用ガスコンロ（1 口の卓上コンロを除く）は、すべてのバーナーに「**調理油過熱防止装置**」「**立ち消え安全装置**」の装着が義務づけられています。コンロの「消し忘れ消火機能」や、鍋が載った状態でなければ点火しない「鍋なし検知機能」を備えたものもあります。

　電気コンロには、**電気調理器**と**電磁調理器（IH ヒーター）**があります。**電気**調理器は、天板の加熱部分が熱せられるので、鍋を下ろした後も余熱が残り、誤って触れるとやけどをするおそれがあります。**電磁**調理器は、鍋自体を発熱させるので、天板には余熱が残らず、より安全です。

　キッチンの収納の高さは、高齢者や障害者が使用する場合と、それ以外の家族が使用する場合をよく考慮して決めます。頻繁に使用するものは腰をかがめずに出し入れできるように、**目線の高さ**にオープンな収納を設けるとよいでしょう。

通常のシンクの深さは、180～200mm程度。

　電磁調理器でも、鍋を下ろした直後は鍋からの熱が天板に伝わって熱くなっている。また、電磁調理器は使用できる鍋が限定されていることがあるので注意する。

電気調理器は、天板の加熱部分が熱せられるので、鍋を下ろした後も**余熱**が残る。
電磁調理器は、鍋自体を発熱させるので、天板には余熱が残らない。

POINT

ベッドを設置する場合、寝室のスペースは１人用で６〜８畳、車椅子を使用する場合は８畳必要である。

　下肢機能が低下すると、床からの立ち座りや布団の上げ下ろしなどの動作が困難になることが多いので、一般に、高齢者には**ベッド**での就寝が適しています。ベッドを設置する場合、寝室のスペースは１人用で**６〜８畳**（車椅子を使用する場合は８畳）、夫婦用なら**８〜12畳**確保することが望ましく、ベッドの位置や介助者の立つ位置なども考慮し、車椅子からベッドへの移乗動作を無理なく行えるかどうかなども詳細に検討します。

　高齢者や障害者は、寝室で過ごす時間が長くなりがちですが、寝室と居間を隣接させると、家族とのコミュニケーションがとりやすくなります。寝室と居間の間の建具は**引き分け戸**にして、広い開口部が得られるようにすると、ワンルームのような感覚で使用できます。その場合、建具は襖ではなく、遮音性能の高い引き分け戸にするとよいでしょう。

　上階の物音で安眠が妨げられないように、戸建住宅の場合は、高齢者の寝室は**上階に部屋がない場所**を選び、新築や増改築の場合は上階に部屋を設けないようにします。やむを得ず寝室の真上に部屋を設けるときは、使用頻度の少ない**納戸**などにするか、**遮音性能の高い床仕上げ**にします。

　寝室の床仕上げは、洋室の場合、フローリングが一般的ですが、質感に暖かみがあり弾力性もある**コルク材**も、高齢者や障害者に適しています。カーペットを敷く場合は、部分的に張り替えできる**タイルカーペット**にし、予備を確保しておくと、汚れたときに張り替えて洗浄できます。

プラスα

　高齢者が寝室を和室にすることを希望するときは、畳の面と廊下や他の部屋との間に段差が生じないようにする。また寝室や居間の一角の２〜３畳程度のスペースをベッドのように腰かけて使用できる高さの小上がりにすることもできる。

 用　語

引き分け戸
　戸を左右両方に引き分けるタイプの引き戸。開口部を大きくとれる。

 用　語

タイルカーペット
　カーペット材を、450mm角や500mm角のタイル状にカットしたもので、部屋のスペースに合わせて必要な枚数だけ敷き詰める。長さが半端になる部分はカットして使用する。

キーワードで CHECK!　寝室の床仕上げ　⇒

寝室の窓を掃き出し窓にすると、ベッドから庭などの景色を楽しめます。車椅子での出入りもできるように、サッシの有効寸法を十分に確保しておきます。最近は、**バリアフリー**対応のサッシも市販されています。車椅子で出入りするためには、サッシの外側に**デッキ**を設置するなどして、屋内の床面と同じ高さに揃えておくことも必要です。

寝室の照明は、ベッドに寝ているときに光源が目に入らないように、**設置位置を考慮**するか、**間接照明**や、**シェードの付いたタイプ**の照明器具を用いるようにします。

なお、消防法の規定により、すべての住宅の寝室と、寝室がある階（避難階を除く）の階段には、必ず**住宅用火災警報器**を設置しなければなりません（その他の設置位置は、総務省令や市町村条例で定められています）。

プラスα

寝室の動線上に電気製品のコードがあると足を引っかけることがあるので、コンセントやコードの位置にも配慮する。

4 妊婦・子どもへの配慮　★

POINT

妊婦への配慮としては、住宅内の段差を解消し、生活動作を無理のない姿勢で行えるようにする。

ここまでは、主に高齢者や障害者に配慮した住環境整備について述べてきましたが、家族に妊婦や子どもがいる場合は、妊婦、子どもへの配慮も必要になります。

妊婦の場合、**足もと**が見にくくなり、**前屈み**になる動作がしにくくなります。子どもの場合は、住宅内を走り回ったり、高い場所に上ったり、危険をかえりみずに、大人が予想もしないような行動をとることがあります。

妊婦への配慮としては、住宅内の**段差**をできる限り解消すること、生活動作を無理のない姿勢で行えるようにすること、子どもへの配慮としては、住宅内から危険な要因を

CHECK

1〜4歳の子どもの死亡原因では、転倒・転落、溺水などの家庭内事故が上位を占めている。

寝室の床仕上げは、洋室の場合、**フローリング**が一般的であるが、質感がよく弾力性もある**コルク材**もよい。カーペットを敷く場合は、**タイルカーペット**にする。

できる限り取り除くことなどが求められます。

5 介護保険制度による住宅改修 ★★

POINT
介護保険による住宅改修費の支給対象となる支給限度基準額は20万円である。

　介護保険制度では、要介護・要支援の認定を受けた人が、自宅の住宅に手すりの取り付け、段差の解消などの住宅改修を行った際に、改修に要した費用の一部が支給されます。その場合、利用者がまず改修の費用の全額を支払い、その費用の9割（一定以上の所得がある第1号被保険者は8割、現役並みの所得がある第1号被保険者は7割）が、市町村から**償還払い**で支給されます。つまり、費用のうち1割、2割または3割が、利用者の自己負担となります。

　住宅改修費の支給対象となる支給限度基準額は20万円で、実際に給付される金額は、その9割の18万円（8割の場合は16万円、7割の場合は14万円）までです。この金額は、要介護・要支援の区分にかかわらず定額です。

　ただし、要介護度が一定以上重くなった場合、または転居した場合は、再び20万円までの支給限度基準額が設定されます。

　なお、介護保険を利用して行うことができる住宅改修の内容は、次ページの表に示すものに限られます。

プラスα
　支給限度基準額の枠を2回以上に分けて使用してもよい。

工事を伴なわないスロープの設置、浴室内すのこの設置などは、介護保険による住宅改修の対象になりません。

キーワードで CHECK!　　介護保険／住宅改修費／償還払い　⇒

◆介護保険による住宅改修費支給の対象となる住宅改修の種類

手すりの取り付け	廊下・トイレ・浴室・玄関・玄関から道路までのアプローチなどに、転倒予防、移動または移動動作の補助を目的として設置する手すり（設置工事を伴わないものを除く）。
段差の解消	居室・廊下・トイレ・浴室・玄関等の各室間の床の段差や、玄関から道路までのアプローチの段差または傾斜を解消するための住宅改修（敷居を低くする工事、スロープを設置する工事、浴室の床のかさ上げなど）。工事を伴わないスロープの設置、浴室内すのこの設置、昇降機、リフト、段差解消機など動力を用いる機器を設置する工事は除く。
滑りの防止及び移動の円滑化等のための床又は通路面の材料の変更	居室の床面の畳から板材、ビニル系床材等への変更、浴室の床材の滑りにくいものへの変更、通路面の滑りにくい舗装材への変更など。
引き戸等への扉の取替え	開き戸の、引き戸、折れ戸、アコーディオンカーテン等への変更や、扉の撤去、ドアノブの変更、戸車の設置など。自動ドアの動力部分の設置費用は除く。引き戸の新設は、扉位置の変更等よりも費用が安く抑えられるときは対象となる。
洋式便器等への便器の取替え	和式便器の洋式便器への取り替え、既存の便器の位置や向きの変更など。腰かけ便座の設置を除く。和式便器から暖房便座・洗浄機能等を備えた洋式便器への変更は対象となるが、洋式便器にこれらの機能を付加する工事は対象とならない。非水洗和式便器の水洗化に係る費用は対象から除かれる。
その他各住宅改修に付帯して必要となる住宅改修	スロープの設置に伴う転落・脱輪防止のための柵などの設置、手すりの取り付けのための壁の下地補強、浴室の床の段差解消に伴う給排水設備工事、扉の取り替えに伴う壁または柱の改修工事、など。

介護保険を利用して住宅改修を行った場合、改修に要した費用の9割（所得により8割または7割となる場合もある）が、**市町村**から償還払いで支給される。

一問一答で確認しよう！

□□□**問 1** 長柄付きのペーパーシートを使用すると、立ったままで拭き掃除ができ、身体への負担が軽減される。

□□□**問 2** 車椅子使用者の場合、物干しの高さは 1,000mm 程度が適当である。

□□□**問 3** 現在市販されているキッチンカウンターは、高さ 800mm、850mm、900mm の 3 種類のものが標準的で、高さの調節はできないものが多い。

□□□**問 4** 車椅子に対応したキッチンは、シンクの深さが 120 〜 150mm 程度と、通常よりも浅い。

□□□**問 5** 電磁調理器は、天板の加熱部分が熱せられるので、鍋を下ろした後も余熱が残り、誤って触れるとやけどをするおそれがある。

□□□**問 6** 電気調理器は、使用できる鍋が限定されていることがある。

□□□**問 7** ベッドを設置する場合、寝室のスペースは 1 人用で 4.5 〜 6 畳確保することが望ましい。

□□□**問 8** 電動で昇降する段差解消機の設置は、介護保険による住宅改修費支給の対象となっている。

- -

正解 1 ○ 2 ○ 3 × 4 ○ 5 × 6 × 7 × 8 ×

3：下部の**台輪**（**下枠**）の部分で高さが調節できるようになっているものが多い。

5：電磁調理器は、鍋自体を発熱させるので、天板には**余熱**が残らない。ただし、鍋を下ろした直後は鍋からの熱が天板に伝わって熱くなっている。

6：**電磁調理器**は、使用できる鍋が限定されていることがある。

7：ベッドを設置する場合、寝室のスペースは 1 人用で **6 〜 8 畳**（車椅子を使用する場合は 8 畳）確保することが望ましい。

8：昇降機、リフト、段差解消機など**動力**を用いる機器を設置する工事は、介護保険による住宅改修費支給の対象になっていない。

実力問題にチャレンジ！

次の記述の内容が適切なものは〇を、不適切なものは×を選びなさい。

第1問 下肢機能が低下すると、床からの立ち座りや布団の上げ下ろしなどの動作が困難になることが多いので、一般に、高齢者にはベッドでの就寝が適している。

第2問 高齢者や障害者は、寝室と居間を隣接させると、家族とのコミュニケーションがとりやすくなる。寝室と居間の間の建具は引き分け戸にして、広い開口部が得られるようにすると、ワンルームのような感覚で使用できる。その場合、建具は襖ではなく、遮音性能の高い引き分け戸にするとよい。

第3問 高齢者の寝室は、戸建住宅の場合は、できる限り上階に部屋がない場所を選び、新築や増改築の場合は上階に部屋を設けないようにする。やむを得ず寝室の真上に部屋を設けるときは、使用頻度の少ない納戸などにするか、遮音性能の高い床仕上げにする。

第4問 一般の住宅では、住宅用火災警報器の設置は義務づけられていないが、高齢者や障害者が暮らす住宅の場合は、緊急時への備えとして設置しておくことが望ましい。高齢者や障害者が使用する寝室や階段などを中心に設置するとよい。

第5問 車椅子で調理作業を行う場合は、キッチンカウンターの高さは 800 〜 900mm、シンクの深さは 120 〜 150mm 程度が適している。

第1問 ○ 寝室のスペースを検討する際は、ベッドの位置や**介助者**の立つ位置なども考慮し、車椅子使用者の場合は、車椅子からベッドへの移乗動作を無理なく行えるかどうかも確認する。

第2問 ○ 引き分け戸は遮音性能が高く、左右両方の壁に引き分けるので**開口部**を大きくとれる。

第3問 ○ **上階の物音**で安眠が妨げられないように、高齢者の寝室はできる限り上階に部屋がない場所を選ぶ。

第4問 × 消防法により、**すべての住宅**に住宅用火災警報器を設置することが義務づけられている。寝室と、寝室がある階（避難階を除く）の階段には、必ず設置しなければならない（その他の設置位置は、総務省令や市町村条例で定められている）。

第5問 × 車椅子で調理作業を行う場合は、キッチンカウンターの高さは**740～800**mm 程度が適している。

本試験では、起居・就寝に関する問題か、清掃・調理に関する問題のどちらかが出題される傾向があります。

第5章

安心できる住生活と
まちづくり

1節：ライフスタイルの多様化と住まい

2節：安心できる住生活

3節：安心して暮らせるまちづくり

ライフスタイルの多様化と
高齢者の暮らし

学習日
／

家族形態やライフスタイルの変化により、高齢者の暮らしは多様化しています。高齢者のみの世帯では、介護が必要になったときにどうするかが問題です。

1 家族形態の変化と高齢者の生活 ★★

POINT

かつての日本に多くみられた多世代同居は減少し、高齢者のみの核家族や独居（単身）世帯が増えている。

かつての日本では、農林水産業を営む家庭を中心に、二世代、三世代の家族が同じ住居で暮らす、**多世代同居**が多くみられました。そのような家庭では、日常生活の中に世代間の交流があり、伝統や文化が受け継がれやすい環境が整っていました。

しかし、高度経済成長期に産業構造が大きく変化し、第一次産業（農林水産業）に従事する就業者は著しく減少しました。就業者の比率は 2020（令和 2）年は 3.2％となっています（総務省「労働力調査」2020 年）。代わって、第二次産業（製造業など）や第三次産業（サービス産業）に従事する人が圧倒的多数を占めるようになり、人口の都市部への流出が進んだことなどにより、家族のライフスタイルも多様化し、大家族の一体感はしだいに薄らいできました。

高度経済成長期に増加したのが、夫婦のみ、または親と子どもだけで構成される**核家族**です。親もとを離れて都市部に移ってきた若い世代の多くが核家族となり、昭和 30 年代に登場した**住宅団地**で暮らすようになりました。住宅団地にはダイニングキッチンが取り入れられ、寝食分離や

用 語

高度経済成長期
　1950 年代半ば頃から 1970 年代前半にかけて、日本が著しい経済成長をとげた時期をさす。

用 語

寝食分離
　寝る場所と食事をする場所を分けること。昭和 30 年代頃までの庶民の生活は、和室に卓袱台を置いてそこで食事し、夜は卓袱台を片付けて布団を敷いて寝るというもので、食事も睡眠も同じ部屋で行われていた。

キーワードで
CHECK!　多世代同居／核家族／独居世帯　⇒

椅子座での食事など、それまでの庶民の生活とは異なる新しいライフスタイルが定着していきます。

核家族の家庭の多くは、年月を経て子どもたちが独立し、高齢者の夫婦のみの世帯になりました。そして、現在は、高齢者の一人暮らし（独居高齢者）の世帯が増えています。また、親子ともに高齢者の二世代の世帯も少なくありません。このような高齢者のみの世帯では、家族のだれかが要介護となったときにどうするかが、深刻な問題になります。

高齢者が住み慣れた地域で安心して暮らしていくためには、解決しなければならない多くの課題がありますが、住環境の問題もその一つです。

自己所有の住宅を持たない高齢者にとっては、まず、住宅を確保することが大きな問題になります。高齢者や障害者は、災害時のリスクの高さなどを理由に、民間賃貸住宅への入居を拒否されることも少なくありません。

公営住宅では、1980（昭和55）年以降、高齢者、身体障害者の**単身入居**が認められていましたが、2006（平成18）年からは、知的障害者、精神障害者の単身入居も認められました。

2001（平成13）年に制定・施行された「**高齢者住まい法**」は、高齢者が安心して暮らせる住環境を、持ち家、賃貸住宅の両面から推進することを目的とした法律で、同法に基づいて「**サービス付き高齢者向け住宅**」の登録制度が設けられました（p.271 参照）。

最近は、都市部の狭い住宅から郊外の広い住宅に移りたい、賃貸住宅は住宅改修が困難なため自己所有の住宅を得たいなど、さまざまな理由による**住み替え**のニーズも高まっています。所有する土地や建物を担保にして融資を受けるリバースモーゲージというしくみもあり、借り入れた資金は、住宅改修の費用やサービス付き高齢者向け住宅の

プラスα

初期に建設された住宅団地は、4〜5階建てでエレベーターのないものが多く、住民も高齢化しているために公共交通や利便施設も含め、高齢期の住環境の問題が生じている。

 用 語

リバースモーゲージ
死亡時一括償還型融資。土地や住宅などの資産を担保として民間金融機関の融資を受け、本人の生存中は利息のみを返済するしくみ。

かつての日本では、二世代、三世代の家族が同じ住居で暮らす、多世代同居が多くみられたが、**高度経済成長期**に核家族が増え、現在は独居世帯が増えている。

家賃前払い金などに充てることができます。

2 高齢期の多様な住まい方 ★★

POINT

家族との同居、隣居、近居、家族以外との同居、田舎暮らしなど、高齢者の住まい方は多様化している。

都市近郊の住宅地では、経済的な理由などから、同一敷地内に二家族が暮らす**二世帯住宅**も増えてきました。二世帯住宅には、土地や建物のどの部分を共有し、どの部分を分離するかによっていくつかのパターンがあります。

隣居と呼ばれる居住形態には、同一敷地内に2棟の住宅を建てて、二世代が別々に生活するもの（敷地共有型）、建物としては1棟だが、生活空間は完全に分かれているもの（躯体共有型）、隣接する敷地を取得して、それぞれ住宅を建てるものなどがあります。

近居とは、二世帯住宅ではありませんが、親世代と子世代が近くに住んでいることをいいます。近居といえる範囲については、厳密な定義はありませんが、同じ集合住宅に住んでいる場合や、同じ町内、市内など、簡単に行き来できる程度の距離に住んでいる場合が含まれるでしょう。

独居とは、一人暮らしのことで、隣居や近居の形をとる独居もあります。近年は、近くに身よりのない**独居高齢者**の増加が社会問題となっています。

最近は、血縁関係にない者どうしが同じ住居で生活する**非家族同居**も注目されています。賃貸契約においては、ルームシェアリング、ハウスシェアリングなどと呼ばれ、若い世代を中心に新しいライフスタイルとして定着しつつありますが、高齢者にも、友人どうしで助け合って暮らすなどの例がみられるようになっています。

プラスα

同一敷地内の1棟の住宅に親世代と子世代が住む二世帯住宅には、玄関のみを共有するもの、玄関と浴室を共有するもの、キッチンや居間も共有するものなど、さまざまなスタイルがある。

キーワードで CHECK! 集合住宅／賃貸／自己所有 ⇒

血縁関係にない者どうしが協力し合って生活する居住形態を、**グループリビング**といいます。また、より独立性が高い集合住宅で、個人の住宅部分とは別に、ダイニングやキッチン、リビングなどの共有空間を備えたものは、**コレクティブハウジング**と呼ばれます。

　高齢者の住まいとして、**戸建住宅**と**集合住宅**のどちらが適しているのかも、意見が分かれるところです。

　戸建住宅は、庭付きであればガーデニングや家庭菜園などの趣味を楽しむことができ、ペットを飼うことも可能です。その半面、外壁や屋根のメンテナンスや、防災、防犯への対策も自分の責任で行わなければなりません。最近は、一般定期借地権付きの土地に住宅を建設する例も増えており、住宅の所有形態も多様化しています。

　集合住宅は、交通機関や商業施設へのアクセスがよい便利な場所に立地していることが多く、そうした利便性を求めて、高齢者でも都心部の集合住宅に住み替える**都心回帰**も増えてきました。賃貸の集合住宅の場合は、維持管理は所有者の責任となり、転居も比較的容易です。一方、マンションを区分所有するなど自己所有の集合住宅の場合は、所有者になると同時に**管理組合**のメンバーになり、共有部分の管理や修繕積立金の管理、長期修繕計画の立案などを、住民どうしで協力して行うことになります。

　便利な都会での生活を望む高齢者がいる一方、田舎暮らしを志向する人も増えています。以前から多くの地方自治体が、過疎対策としてＵターンやＪターンを奨励していましたが、近年は、都会育ちの人が豊かな自然環境を求めて田舎暮らしを始めるＩターンも増え、都市部に住みながら週末だけ田舎で過ごす人も多くなっています。

 用 語

一般定期借地権
　土地利用に関する権利形態の一つで、50年以上という長い期間にわたり、継続して土地を使用する権利を借り受けるもの。契約期間が終了したときは、土地を更地にして返却しなければならない。建物を借地権とともに相続したり、売却したりすることもできる。

 用 語

Ｕターン
　地方で生まれ育ち、いったん都会に出て生活した人が、故郷に戻って暮らすこと。
Ｊターン
　地方で生まれ育ち、いったん都会に出て生活した人が、故郷とは別の地方に移住して暮らすこと。
Ｉターン
　主に都会で生まれ育った人が、故郷ではない地方に移住して暮らすこと。

賃貸の集合住宅では、維持管理は所有者の責任となる。自己所有の場合は、所有者が**管理組合**のメンバーになり、共有部分の管理等を協力して行う。

一問一答で確認しよう！

□□□**問1** 核家族とは、夫婦のみで子どものいない世帯をいう。

□□□**問2** 公営住宅では、身体障害者の単身入居が認められているが、知的障害者、精神障害者の単身入居は認められていない。

□□□**問3** 初期に建設された住宅団地は、4～5階建てでエレベーターのないものが多い。

□□□**問4** リバースモーゲージは、死亡時一括償還型融資ともいい、土地や住宅などの資産を担保として民間金融機関の融資を受けられるしくみである。

□□□**問5** 隣居とは、親世代と子世代が同じ集合住宅に住んでいる場合や、同じ町内、市内など、簡単に行き来できる程度の距離に住んでいる場合をさす。

□□□**問6** 血縁関係にない者どうしが協力し合って生活する居住形態を、グループホームという。

□□□**問7** 自己所有の集合住宅の所有者は、自動的に自治会のメンバーになる。

□□□**問8** Iターンとは、地方で生まれ育ち、いったん都会に出て生活した人が、故郷に戻って暮らすことをいう。

- -

正解 1× 2× 3○ 4○ 5× 6× 7× 8×

1：核家族とは、夫婦のみ、または**親と子どもだけ**で構成される世帯をいう。
2：2006（平成18）年以降は、知的障害者、精神障害者の単身入居も認められている。
5：問題文のような住まい方は、**近居**と呼ばれる。
6：血縁関係にない者どうしが協力し合って生活する居住形態を、**グループリビング**という。
7：自己所有の集合住宅の所有者は、自動的に**管理組合**のメンバーになる。
8：Iターンとは、主に**都会**で生まれ育った人が、**故郷ではない**地方に移住して暮らすことをいう。

実力問題にチャレンジ！

次の記述の内容が適切なものは○を、不適切なものは×を選びなさい。

第1問 隣居と呼ばれる居住形態には、同一敷地内に2棟の住宅を建てて、二世代が別々に生活するもの（敷地共有型）、建物としては1棟だが、生活空間は完全に分かれているもの（躯体共有型）、隣接する敷地を取得して、それぞれ住宅を建てるものなどがある。

第2問 戸建住宅は、庭付きであればガーデニングなどの趣味を楽しむことができ、ペットも飼えるが、外壁や屋根のメンテナンスや、防災、防犯への対策も自分の責任で行わなければならない。集合住宅は、便利な場所に立地していることが多く、利便性を求めて、都心部の集合住宅に住み替える高齢者も増えている。

第3問 便利な都会での生活を望む高齢者がいる一方、田舎暮らしを志向する人も増えている。以前から多くの地方自治体が、過疎対策としてUターンやJターンを奨励していたが、近年は、都会育ちの人が豊かな自然環境を求めて田舎暮らしを始めるIターンも増えている。

第4問 最近は、一般定期借地権付きの土地に住宅を建設する例も増えており、住宅の所有形態も多様化している。一般定期借地権の契約期間が終了したときは、その土地に建てられている建物は土地の所有者のものになる。

第５問 区分所有のマンションは、所有者の管理組合への参加は任意であり、参加しなければ管理費等を支払うのみで、住宅の共有部分の維持管理に責任を負うことはない。

第１問 ○ 隣居と呼ばれる居住形態には、**同居**に近いものから**独立性**の高いものまで、さまざまなパターンがある。

第２問 ○ 戸建住宅と集合住宅にはそれぞれのよさがあり、高齢者の住まいとしてどちらが適しているのかは、意見が分かれるところである。利便性を求めて、**都心部**の集合住宅に住み替える高齢者も多い。

第３問 ○ **Ｕターン**は、地方で生まれ育ち、いったん都会に出て生活した人が、故郷に戻って暮らすこと、**Ｊターン**は、地方で生まれ育ち、いったん都会に出て生活した人が、故郷とは別の地方に移住して暮らすこと、**Ｉターン**は、主に都会で生まれ育った人が、故郷ではない地方に移住して暮らすことをさす。

第４問 × 一般定期借地権の契約期間が終了したときは、土地を**更地**にして返却しなければならない。

第５問 × マンションの所有者になれば**自動的**に管理組合の一員となり、住宅の共有部分の維持管理を協力して行わなければならない。

一般定期借地権に関する出題例は多いので、しくみをよく理解しておきましょう。

Lesson 24 高齢者や障害者のための住宅施策

高齢者や障害者のための住宅施策には、持ち家を所有する人のための住宅改修等の支援や、賃貸住宅への入居支援などが含まれます。

1 住宅のバリアフリー化への取り組み ★★

POINT

高齢者や障害者に配慮した住環境整備のために「住宅品確法」に基づく住宅性能表示制度、介護保険制度による住宅改修費の支給など、多くの施策が行われてきた。

高齢者や障害者に配慮した住環境整備においては、住宅の**バリアフリー化**が重要な課題となります。バリアフリー化の指針としては、1995（平成7）年に、当時の建設省（現・国土交通省）により、**長寿社会対応住宅設計指針**が策定されました。床段差の解消や手すりの設置など住宅各部の設計指針を示したもので、義務ではありませんでしたが、この指針に基づいて、住宅金融公庫（現・住宅金融支援機構）による融資制度などが整備されました。

2001（平成13）年には、「**高齢者住まい法**（高齢者の居住の安定確保に関する法律）」が制定・施行され、同法に基づき「**高齢者が居住する住宅の設計に係る指針**」が新たに策定されました（「長寿社会対応住宅設計指針」は廃止）。

また、1999（平成11）年に制定された「**住宅品確法**（住宅の品質確保の促進等に関する法律）」が翌年施行され、同法に基づく「**住宅性能表示制度**」がスタートしました。この制度は、住宅の基本性能を第三者機関が評価することにより、住宅の品質を確保し、消費者が安心して住宅を取得

CHECK

住宅金融支援機構では、一定のバリアフリー化を行った住宅の取得や、バリアフリー化を目的とした住宅改修に要する資金を低金利で融資するとともに、高齢者向け返済特例制度を設けている。

◆**住宅性能表示制度のしくみ**

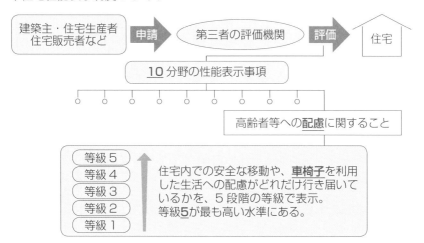

できるようにすることを目的としたものです。性能表示事項の一つとして「**高齢者等への配慮に関すること**」が設けられ、住宅内の移動の安全性や介助のしやすさなどが、5段階の等級で表示されることになっています。

2000（平成12）年から始まった**介護保険制度**では、在宅の要介護・要支援者が所定の住宅改修を行った場合に、一定の住宅改修費が支給されるようになりました（p.254〜255参照）。

「**高齢者住宅改造費助成事業**」は、おおむね65歳以上の要介護・要支援等の高齢者に対し、浴室、トイレ、洗面所、台所、居室などの住宅改修で、介護保険制度による給付対象となるもの**以外**の工事について、市町村が利用者の所得に応じて一定の費用を助成する事業です。

「**在宅重度障害者住宅改造費助成事業**」は、身体障害者手帳や療育手帳の交付を受けている在宅の障害者で一定の要件を満たす者に対し、**市町村**が一定の住宅改修費を助成す

介護保険制度以外にも、地方公共団体によって、要介護（支援）認定で「非該当」となった人も含めて、住環境整備が必要な高齢者や障害者を支援する制度が設けられていることがある。

在宅重度障害者住宅改造費助成事業の名称や詳細は、地方公共団体によって異なる。

キーワードで
CHECK! **住宅品確法／住宅性能表示制度** ⇒

るものです。

「**高齢者住宅整備資金貸付制度**」は、60歳以上の高齢者世帯、高齢者がいる世帯を対象に、高齢者の専用居室、浴室、階段等の増改築や、日常生活の安全を確保するために必要な改修工事の資金を、都道府県または市町村が低金利で貸し付ける制度です。「**障害者住宅整備資金貸付制度**」は、障害者または障害者と同居する世帯に対し、障害者の専用居室等の増改築や改修に必要な資金を、都道府県または市町村が低金利で貸し付ける制度です。これらの制度も、実施状況や内容は、地方公共団体によって異なります。

都道府県の**社会福祉協議会**が実施主体となり、市町村社会福祉協議会が窓口となっている「**生活福祉資金貸付制度**」は、住宅の増改築や補修の費用を貸し付けています。65歳以上の高齢者がいる世帯や障害者世帯などが対象です。

高齢者や障害者の住環境整備に関する制度等の情報がほしい場合は、地方公共団体の住宅課・福祉課や**地域包括支援センター**、在宅介護支援センター、居宅介護支援事業所、介護実習・普及センターなどに問い合わせれば、建築士、介護支援専門員（ケアマネジャー）、市町村の**住宅改良ヘルパー**（リフォームヘルパー）、増改築相談員、マンションリフォームマネジャーなどが対応してくれます。

２ バリアフリー対応の賃貸住宅の供給 ★★

POINT
公的賃貸住宅のバリアフリー化や、高齢者や障害者が入居できる民間賃貸住宅の確保が進められてきた。

公的賃貸住宅のバリアフリー化の取り組みは、1990年代から本格的に行われるようになりました。1991（平成3）年度からは、新設するすべての**公営住宅**（都道府県や

用語

住宅改良ヘルパー

おおむね65歳以上の要介護高齢者の世帯に派遣され、住宅改修に関する相談に応じ、助言や指導を行う。市町村が所管する制度で、介護福祉士、社会福祉士、理学療法士、作業療法士、保健師、建築士、施工業者などの専門家によるチームで構成される。リフォームヘルパーともいう。

増改築相談員

住宅の新築工事または改修工事に関する10年以上の実務経験を有し、公益財団法人住宅リフォーム・紛争処理支援センターが行う研修を受講し、考査に合格した者が、同財団に増改築相談員として登録される。専門的な知識に基づいて、増改築に関する相談に応じ、具体的な計画や見積もりも行う。2021（令和3）年現在、全国で約12,000人が登録されている。

住宅品確法に基づく住宅性能表示制度では、「高齢者等への配慮に関すること」として、住宅内の移動の安全性や介助のしやすさなどが**5段階の等級**で表示される。

市町村が運営する賃貸住宅）において、床段差の解消、共用階段への手すりの設置などの**高齢化対応仕様**が標準化され、その後も段階的に新たな仕様が追加されています。既設の公営住宅についても、改修が進められています。

住宅・都市整備公団（現・**都市再生機構**、（UR 都市機構））の賃貸住宅でも 1991 年度から、地方住宅供給公社の賃貸住宅では 1995 年度から、新設のすべての住宅で高齢化対応仕様が標準化されています。

公営住宅では、以前は原則として**同居親族**がいることが入居の要件とされ、単身入居は高齢者、身体障害者にしか認められていませんでしたが、2006（平成 18）年度から知的障害者、精神障害者の単身入居も認められ、2012（平成 24）年の「公営住宅法」改正により、同居親族要件そのものが法律上は廃止されました（実際に廃止するかどうかは、各地方公共団体の判断に任されています）。

地方公共団体の裁量により、高齢者世帯や障害者世帯の公営住宅への**入居収入基準**を緩和する（一定額まで引き上げ）とともに、当選倍率の優遇や別枠選考を行っている場合もあります。

UR 賃貸住宅でも、新規募集時の当選倍率の優遇や家賃改訂の際の減額措置がとられています。また、現に入居している高齢者や障害者の 1 階または**エレベーター停止階**への住宅変更のあっせん等を行っています。

民間賃貸住宅では、「**高齢者住まい法**」に基づいて、高齢者円滑入居賃貸住宅（高円賃）、高齢者専用賃貸住宅（高専賃）、高齢者向け優良賃貸住宅（高優賃）という 3 つの高齢者向け賃貸住宅が制度化されていましたが、2011（平成 23）年の法改正により、これらの 3 制度は廃止され、「**サービス付き高齢者向け住宅**」が新たに設置されました。

サービス付き高齢者向け住宅は、バリアフリー構造で一

プラスα

2012（平成 24）年の「公営住宅法」改正により、従来、公営住宅の入居者資格の一つとされていた同居親族要件は法律上は廃止されたが、各地方公共団体において条例を定めることにより同居親族要件を維持することも認められた。これは、地域の実情に応じて入居者資格を柔軟に定められるようにすることをねらいとしたものである。同居親族要件を維持した自治体においても、以前から単身入居が認められていた高齢者、障害者等については、引き続き単身入居が可能となっている。

プラスα

シルバーハウジングは、1987（昭和 62）年に制度化された「シルバーハウジング・プロジェクト」により建設される高齢者向けの公的賃貸住宅で、地方公共団体の住宅部局と福祉部局が連携して提供する。住宅は、高齢者に配慮した一定のバリアフリー仕様で、安否の確認、緊急時の対応、一時的な家事援助などを行う生活援助員（LSA：ライフサポートアドバイザー）が配置される。

キーワードで CHECK! 公的賃貸住宅／高齢者対応仕様 ⇒

定の住戸面積と設備を有し、高齢者への配慮がなされているほか、サービス面では少なくとも**安否確認**、**生活相談サービス**が付いている賃貸住宅で、高齢者（60歳以上または介護保険制度による要介護・要支援の認定を受けている人）の単身または夫婦などの世帯が入居できます。元気な高齢者も入居でき、介護が必要になっても、訪問介護や訪問看護、通所介護などの介護保険のサービスを利用しながら住み続けることができます。

サービス付き高齢者向け住宅は、国土交通省と厚生労働省が共管する登録制度により管理されています。事業者は、要件を満たす住宅を、都道府県・政令市・中核市または都道府県から業務を移譲された**市町村**に登録します。

サービス付き高齢者向け住宅として登録された住宅や提供されるサービスに関する情報は、インターネット上の「**サービス付き高齢者向け住宅情報提供システム**」で、誰でも自由に閲覧することができます。

2007（平成19）年には、「**住宅セーフティネット法**（住宅確保要配慮者に対する賃貸住宅の供給の促進に関する法律）」が制定・施行されました。この法律は、**住宅確保要配慮者**に対する公的賃貸住宅の供給、民間賃貸住宅への円滑な入居に関する情報提供や相談援助の実施等を推進することを目的として定められました。

2017（平成29）年に同法の改正「住宅セーフティネット法」が施行され、**住宅確保要配慮者向け賃貸住宅**の登録制度が設けられました。

また、「住宅セーフティネット法」に基づいて、住宅確保要配慮者が円滑に民間賃貸住宅に入居できるように、地方公共団体、不動産関係団体、居住支援団体などが、**住宅確保要配慮者居住支援協議会**を組織し、情報提供や相談対応などを行っています。

プラスα

住宅確保要配慮者向け賃貸住宅の登録制度は、住宅確保要配慮者の入居を拒まない住宅を賃貸する事業者が、一定の要件を満たす住宅を都道府県・政令市・中核市に登録するもので、登録された住宅の情報は、インターネット上の「セーフティネット住宅情報提供システム」で閲覧することができる。

プラスα

2006（平成18）年に制定された「住生活基本法」は、新しい住宅政策の憲法ともいえる法律である。この法律により、日本の住宅政策は、住宅の量を増やす政策から、豊かな住生活の実現を目指す政策へと大きく転換された。同法に基づき、国と都道府県は「住生活基本計画」を策定し、5年ごとにその見直しを行うこととされている。

公的賃貸住宅では、公営住宅、公団（現・都市再生機構）では1991年度から、地方住宅供給公社では1995年度から、高齢化対応仕様が**標準化**された。

3 多様化するライフスタイル対応する支援策 ★★

POINT
さまざまなライフスタイルを支援する取り組みが行われ
ています。

経済的な利点などから三世代同居や三世代近居をしよう
とする世帯に対して低利融資、増改築工事費の支援を行う
地方公共団体もあります。また、高齢者の住み替えを支援
するしくみとしては、**リバースモーゲージ型**住宅ローンや
マイホーム借上げ制度があります。

CHECK

住宅金融支援機構
は、親子で債務を継
承して返済する親子
リレー返済（承継償
還制度）を実施して
います。

4 新しい住生活基本計画 ★★

POINT
「住生活基本計画」では、2021 年度から 10 年間の住
宅政策や基本的な施策が掲げられています。

①高齢者や障害者向けの施策の目標の主なもの
・高齢期に備えた適切な住まい選びの相談体制の推進
・良好な温熱環境を備えた住宅の整備やリフォームの促進
・遠隔地からの見守りのための IoT 技術の活用
・サービス付き高齢者向け住宅などの整備と情報開示の推
　進
・身体・生活状況に応じた円滑な住み替えの促進と**多世代**
　がつながり交流できるコミュニティの形成
②子育て世帯向けの施策の目標の主なもの
・時間のない子育て世帯の**都心居住ニーズ**もかなえる住宅
　取得の推進
・子育てしやすく家事負担も軽減するリフォームの促進
・家族の人数などに応じた**柔軟な住み替え**の推進
・職住近接、職育近接を実現する環境の整備

一問一答で確認しよう！

□□□**問1** 「高齢者住まい法」に基づく「住宅性能表示制度」は、住宅の基本性能を第三者機関が評価するもので、評価は5段階の等級で表示される。

□□□**問2** 住宅金融支援機構では、一定のバリアフリー化を行った住宅の取得や、バリアフリー化を目的とした住宅改修に要する資金を低金利で融資している。

□□□**問3** 「在宅重度障害者住宅改造費助成事業」は、すべての市町村で実施されている。

□□□**問4** 「生活福祉資金貸付制度」の実施主体は、市町村である。

□□□**問5** 住宅改良ヘルパーの派遣事業は、市町村が所管する。

□□□**問6** 公営住宅の同居親族要件は廃止されたため、同居親族がいることを公営住宅への入居の要件としている自治体はなくなった。

□□□**問7** サービス付き高齢者向け住宅は、バリアフリー構造で一定の住戸面積と設備を有し、サービス面では少なくとも安否確認、生活相談サービスが付いている。

□□□**問8** シルバーハウジングは、高齢者に配慮したバリアフリー仕様で、安否の確認、緊急時の対応、一時的な家事援助などを行う生活支援コーディネーター（地域助け合い推進員）が配置される。

正解 1× 2○ 3× 4× 5○ 6× 7○ 8×

1：「住宅性能表示制度」は、**住宅品確法**（住宅の品質確保の促進等に関する法律）」に基づく制度である。

3：「在宅重度障害者住宅改造費助成事業」を**実施していない**市町村もある。

4：「生活福祉資金貸付制度」の実施主体は、都道府県の**社会福祉協議会**である。市町村社会福祉協議会が窓口となっている。

6：同居親族要件を実際に廃止するかどうかは、**各地方公共団体の判断**に任されており、従来どおり同居親族がいることを入居の要件としている自治体もある。

8：シルバーハウジングには、安否の確認、緊急時の対応、一時的な家事援助などを行う**生活援助員**（LSA：ライフサポートアドバイザー）が配置される。

次の記述の内容が適切なものは〇を、不適切なものは×を選びなさい。

第1問　1995（平成7）年に、当時の建設省（現・国土交通省）により、「長寿社会対応住宅設計指針」が策定された。床段差の解消や手すりの設置など、住宅の各部の設計について、具体的な指針を示したもので、法的な強制力をもつものであったため、この指針に基づいて、住宅金融公庫（現・住宅金融支援機構）による融資制度などが整備された。

第2問　1999（平成11）年に制定された「住宅品確法」に基づく「住宅性能表示制度」は、住宅の基本性能を第三者機関が評価することにより、住宅の品質の確保と信頼性を高め、消費者が安心して住宅を取得できるようにすることを目的としている。性能表示事項の一つとして「高齢者等への配慮に関すること」が設けられた。

第3問　「高齢者住宅改造費助成事業」は、おおむね65歳以上の高齢者で、介護保険制度による要介護認定において「非該当」と判定された人に対して、浴室、トイレ、洗面所、台所、居室などの住宅改修で、介護保険制度による給付対象となる工事について、介護保険による給付に代えて、市町村が一定の費用を助成する事業である。

第4問 1991（平成3）年度から、新設するすべての公営住宅において、床段差の解消、共用階段への手すりの設置などの高齢化対応仕様が標準化され、その後も段階的に新たな仕様が追加されている。しかし、既設の公営住宅のバリアフリー化はまったく進んでいないのが実情であり、今後の課題となっている。

第5問 2017（平成29）年に改正「住宅セーフティネット法」が施行され、住宅確保要配慮者向けの賃貸住宅の登録制度が始まった。

- -

第1問 × 「長寿社会対応住宅設計指針」は、**法的な強制力をもつものではなかった**が、この指針に基づいて、住宅金融公庫（現・住宅金融支援機構）による融資制度などが整備された。現在は、「高齢者住まい法」に基づいて策定された「高齢者が居住する住宅の設計に係る指針」によりバリアフリー化が進められている。

第2問 ○ 「住宅性能表示制度」の性能表示事項の一つとして「**高齢者等への配慮に関すること**」が設けられ、住宅内の移動に伴う転倒・転落などを防ぎ、安全性を確保するための対策が住宅内でどの程度講じられているかを、5段階の等級で表示することになっている。

第3問 × 「高齢者住宅改造費助成事業」は、おおむね65歳以上の**要介護・要支援等**の高齢者に対し、浴室、トイレ、洗面所、台所、居室などの住宅改修で、**介護保険制度による給付対象となるもの以外**の工事について、市町村が一定の費用を助成する事業である。

第4問 × 既設の公営住宅についても、床段差の解消、浴室等への手すりの設置、エレベーターの設置など、バリアフリー化のための**改善工事が進められている**。

第5問 ○ 登録された住宅は、インターネット上の「セーフティネット住宅情報提供システム」で詳細な情報が公開され、**誰でも閲覧できる**。

Lesson
25 人にやさしいまちづくり

学習日
／

まちづくりにおいては、地域の住民の意見を反映させることが重視され、都市計画では、計画段階から市民が参加するようになっています。

1 まちづくりの計画 ★★

POINT
よいまちづくりを行うためには、地域住民と行政、事業者等が、連携、協力して取り組むことが必要である。

　まちづくりとは、防災、交通、自然・環境、福祉、公園・緑化、景観、商店街の活性化など、地域が抱えるさまざまな課題や市民のニーズを視野に入れながら、不便・不自由な点を改善し、よいところは伸ばすことによって、今よりももっと暮らしやすい地域にしていくための活動をいいます。よいまちづくりを行うためには、**地域住民**と**行政**、**事業者等**が、連携、協力して取り組むことが必要です。

　まちづくりには、個人や、商店街、ボランティア、NPO団体等のグループが中心となって進めるコミュニティレベルのものから、都市の将来を見据えた建築物や公共施設の建設計画まで、幅広い活動が含まれます。

　「都市計画法」に定められた都市計画は、**都市計画マスタープラン**を指針として策定されます。都市計画マスタープランとは、市町村が定める都市計画に関する基本的な方針のことです。市町村は、その方針を定めるときは、あらかじめ、公聴会を開催するなど、住民の意見を反映させるために必要な措置を講ずるものとされています。

　都市計画の一つである「**地区計画**」は、各地区の特性に

📖 **用 語**

都市計画
　都市計画法において、都市計画は「都市の健全な発展と秩序ある整備を図るための土地利用、都市施設の整備及び市街地開発事業に関する計画」と定義されている。

キーワードで
CHECK! 都市計画マスタープラン ⇒

応じて、道路や公園等の施設の配置や建築物の建て方など
のルールをきめ細かく定めるもので、住民に最も近い立場
にある市町村が策定します。以前は、市町村が計画を策定
してから住民に告知し、意見や感想を求める形式がよくみ
られましたが、最近は、多くの自治体で、都市計画マスター
プランを策定する段階から住民が参加し、自治体とともに
問題点や課題を整理・検討しながら計画を立案するように
なっています。

　そのような検討の場では、まちづくりに関心をもつ人た
ちが集まり、アンケートや懇親会、**ワークショップ**などを
企画しながら課題を整理し、まちづくりの構想を練ってい
ます。地域住民や事業者の意見は、「建築基準法」に基づい
て都道府県や市町村が認可する建築協定の策定にも反映さ
れます。

 用 語

建築協定
　「建築基準法」が定
める建築物に関する
一般的制限のほかに、
条例で定める一定区
域内で、関係者全員
の合意の下に締結さ
れる、建築物の敷地、
位置、構造、用途、
形態、意匠または建
築設備に関する基準
についての協定。

◆市町村が定める都市計画の決定に至る流れ

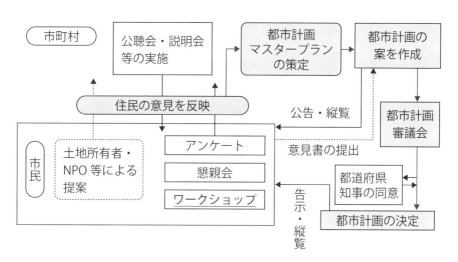

都市計画マスタープランは、市町村が定める都市計画の基本方針で、その方針を定
めるときは、**住民の意見**を反映させるために必要な措置を講じることとされている。

2 福祉のまちづくりと法制度 ★★

POINT

まちづくりには、「都市計画法」「建築基準法」をはじめとする、多くの法律がかかわっている。

福祉のまちづくりとは、高齢者や障害者、子どもを含むすべての人にやさしく、だれもが安全で快適な日常生活を営むことができ、積極的に社会参加できるようなまちづくりをいいます。福祉のまちづくりの取り組みには、「どこでも、だれでも、自由に、使いやすく」という**ユニバーサルデザイン**の考え方が生かされています。

たとえば、現在、全国の多くの地域で、路面や床面に視覚障害者誘導用ブロック（通称「点字ブロック」）が設置されていますが、残念なことに、ブロックの上に物が置かれていて、視覚障害者がぶつかってしまうことも少なくありません。このように、無関心な人の行動によって、せっかくの配慮が台無しになってしまうこともあります。ですから、福祉のまちづくりでは、設備の充実を図るハード面だけでなく、適切な情報提供や、まちづくりにかかわる人材の育成や住民参加、障害のある当事者の参加といったソフト面の取り組みも重要になります。

まちづくりには、「都市計画法」「建築基準法」をはじめとして、多くの法律がかかわっています。「大規模小売店舗立地法」「中心市街地活性化法」は、「都市計画法」とあわせて「まちづくり3法」とも呼ばれています。

「バリアフリー法」は、従来の「ハートビル法」と「交通バリアフリー法」を統合・拡充して、2006（平成18）年に制定・施行されたものです。従来は、商業施設などの建築物と、道路、駅などの交通施設のバリアフリー化の取り組みが別々に行われていたため、多くの課題が生じてい

 用 語

視覚障害者誘導用ブロック

視覚障害者の歩行を誘導するために、駅や歩道、公園などの公共施設に設置されているブロック。進行方向を示す線状のブロックと、注意を促す点状のブロックがある。

 用 語

大規模小売店舗立地法

大規模小売店の出店によって生じる交通渋滞、騒音、廃棄物などの周辺地域の生活環境への影響を抑えるために、大型店の設置者に適切な対応を求めることを定めた法律。

中心市街地活性化法

郊外への大型店舗の進出により、地方都市で生じている中心市街地の衰退や空洞化への対策として、中心市街地の活性化に取り組む自治体等を支援することを目的とした法律。

キーワードでCHECK! 視覚障害者誘導用ブロック／線状／点状 ⇒

ましたが、「バリアフリー法」により、それらの施設が集まる地区において、総合的、一体的なバリアフリー化が進められるようになりました。

「**福祉のまちづくり条例**」は、「地方自治法」の規定に基づいて、市町村や都道府県が定める条例で、公共建築物、民間建築物、交通機関、道路、公園など、日常生活のほぼすべてにかかわる施設の**バリアフリー化**を図るものです。条例は、対象施設と整備の項目により構成されます。「地方自治法」では、条例に定める内容までは規定されておらず、対象施設の種別などは、地域の実情に応じて、各自治体の条例において独自に定めることができます。

「福祉のまちづくり条例」は、各自治体の独自性を示すことができ、制定の過程で市民の意見を反映することもできる半面、手続きや罰則の規定を設けている例はほとんどなく、法的な強制力が弱い点が課題となっています。

プラスα

「バリアフリー法」では、旅客施設の周辺や、高齢者や障害者が利用する施設が集まる重点整備地区について、市町村が基本構想の作成に努めることとされ、その際は、地域住民が意見を提案できる協議会を設置することが求められている。

「バリアフリー法」はユニバーサル社会実現推進法の施行などを契機として、2020（令和2）年に心のバリアフリー対策に向けて改正が行われた。

◆**まちづくりに関する法制度**

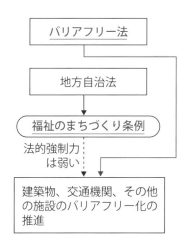

視覚障害者の歩行を誘導する視覚障害者誘導用ブロックには、**進行方向**を示す線状のブロックと、**注意**を促す点状のブロックがある。

一問一答で確認しよう！

□□□**問1** 都市計画の指針とされる都市計画マスタープランは、都道府県が定める。

□□□**問2** 最近は、多くの自治体で、都市計画マスタープランを策定する段階から住民が参加するようになっている。

□□□**問3** 地域住民や事業者の意見は、「建築基準法」に基づいて都道府県や市町村が認可する建築協定の策定にも反映される。

□□□**問4** 福祉のまちづくりの取り組みには、「どこでも、だれでも、自由に、使いやすく」というトータルコーディネートの考え方が生かされている。

□□□**問5** 視覚障害者誘導用ブロックには、進行方向を示す点状のブロックと、注意を促す線状のブロックがある。

□□□**問6** 「大規模小売店舗立地法」は、郊外への大型店舗の進出などにより衰退した、地方都市の中心市街地の活性化に取り組む自治体等を支援することを目的とした法律である。

□□□**問7** 「ハートビル法」により、商業施設などの建築物や、道路、駅などの交通施設が集まる地区において、総合的、一体的なバリアフリー化が進められるようになった。

□□□**問8** 「福祉のまちづくり条例」は、各自治体の独自性を示すことができ、制定の過程で市民の意見を反映できる半面、法的な強制力が弱い点が課題となっている。

正解 1× 2○ 3○ 4× 5× 6× 7× 8○

1：都市計画マスタープランは、**市町村**が定める。

4：福祉のまちづくりの取り組みには、「どこでも、だれでも、自由に、使いやすく」という**ユニバーサルデザイン**の考え方が生かされている。

5：視覚障害者誘導用ブロックには、進行方向を示す**線状**のブロックと、注意を促す**点状**のブロックがある。

6：「大規模小売店舗立地法」は、大規模小売店の出店によって生じる**交通渋滞**、**騒音**、**廃棄物**などの周辺地域の生活環境への影響を抑えるために、大型店の設置者に適切な対応を求めることを定めた法律である。

7：「**バリアフリー法**」により、商業施設などの建築物や、道路、駅などの交通施設が集まる地区において、総合的、一体的なバリアフリー化が進められるようになった。

実力問題にチャレンジ！

次の記述の内容が適切なものは〇を、不適切なものは×を選びなさい。

第1問 都市計画マスタープランとは、市町村が定める都市計画に関する基本方針である。市町村は、都市計画マスタープランを定めるときは、あらかじめ、公聴会を開催するなど、住民の意見を反映させるために必要な措置を講ずるものとされている。

第2問 建築確認とは、「建築基準法」が定める建築物に関する一般的制限のほかに、条例で定める一定区域内で、関係者全員の合意の下に締結される、建築物の敷地、位置、構造、用途、形態、意匠または建築設備に関する基準についての協定である。建築確認の策定においても、地域住民や事業者の意見が反映される。

第3問 「バリアフリー法」では、旅客施設の周辺や、高齢者や障害者が利用する施設が集まる重点整備地区について、市町村が基本構想の作成に努めることとされている。基本構想を作成する際は、地域住民が意見を提案できる協議会を設置することが求められている。

第4問 「福祉のまちづくり条例」は、市町村や都道府県が定める条例で、公共建築物、民間建築物、交通機関、道路、公園など、日常生活のほぼすべてにかかわる施設のバリアフリー化を図るものである。条例は、対象施設と整備の項目により構成され、対象施設の種別などは、「地方自治法」により規定されている。

第5問 2020（令和2）年の改正バリアフリー法では、「心のバリアフリー」に関する教育啓発の実施が含まれている。

- -

第1問 ○　最近は、多くの自治体で、都市計画マスタープランを策定する段階から**住民**が参加し、自治体とともに問題点や課題を整理・検討しながら**計画**を立案するようになっている。

第2問 ×　文中の「建築確認」は、「**建築協定**」の誤りである。

第3問 ○　基本構想は、多くの施設が集まる地区において、**面的、一体的なバリアフリー化**を推進するためのものである。

第4問 ×　「地方自治法」では、条例に定める内容までは規定されておらず、対象施設の種別などは、地域の実情に応じて、**各自治体の条例**において独自に定められている。

第5問 ○　**ソフト対策**強化の必要性から、「心のバリアフリー」に係る施策が位置づけられた。

都市計画マスタープランは、都市計画の基本方針となる計画で、将来のまちづくりの方向をみんなで決めていこうというものです。

さくいん

英数字

3 尺モジュール …………… 204、206、230
ADA ……………………………………126
ADL ……………………………89、90、116
Barrier Free Design ………………………124
C 字型つえ ………………………………147
IADL ……………………………89、90、92
ISO ……………………………… 140、144
I ターン …………………………………263
JIS ………………………………………140
J ターン …………………………………263
L 型手すり …………………240、241、245
NPO ……………………………55、71、276
QOL ……………………………88、136、145
T 字型つえ ………………………………148
U ターン …………………………………263
V 溝レール ………………………192、193
WAIS 尺度得点 …………………………87
WHO ……………………………… 89、102

あ行

あ

アームサポート（肘当て）…… 153、211、240
上がりがまち …………41、155、223、224
明るさ感知スイッチ ……………………213
アクセシブルデザイン …………………136
アダプタブル ……………………………129
アルツハイマー型認知症 ………………105

い

意思伝達装置 ……………………………112
一般介護予防事業 ………………… 58、59
一般定期借地権 …………………………263
移動用リフト ………………………159、161
イニシャルコスト ………………………217
医療ソーシャルワーカー ………………120

う

ウェル・ビーイング ………………………88
うつ病性仮性認知症 ……………………106

え

エイジレス社会 ……………………… 22、34
エイジング・イン・プレイス …………… 33
塩化ビニルシート ………………………194

か行

か

介護給付（介護保険） ………………… 58、61
介護給付（障害福祉サービス） …… 77、79
介護支援専門員………… →ケアマネジャー
介護福祉士 ………………………………119
介護保険制度
………21、54、57、66、181、254、268
介護予防サービス計画 ………………… 58
介護予防・生活支援サービス事業 … 58、59
介護予防・日常生活支援総合事業 … 59
介護ロボット ……………………………180
介助用標準形車椅子 ……………… 151、154
階段（アプローチ） …………………………222
階段（屋内） ………………232、249、253
階段昇降機（階段昇降装置）
………………… 158、159、192、217
ガイドヘルパー …………………………112
核家族 ……………………… 19、54、260
拡大読書器 ………………………………177
片麻痺… 111、116、147、148、150、170、171
家庭内事故 ……………………………… 43
可搬型（自走式）階段昇降機 …… 158、159
簡易形電動車椅子 ……………… 152、154
管理組合 …………………………………263

き

義肢装具士 ………………………………119
キッチンカウンター …………………250
共生社会 …………………………………34
共用品 ……………… 136、138、139、140
虚弱 ……………………………………… 91
居宅介護支援事業者（事業所） ……56、269
居宅サービス …………………… 57、60
居宅サービス計画 ……………………… 58
近居 ……………………………………262
基本チェックリスト …………………… 59

く

クモ膜下出血 …………………………………116
グラブバー ……………………………… 198、199
グループリビング ……………………………263
訓練等給付 ………………………… 78、79、80

け

蹴上げ……………………………………………222
ケアプラン ………………………………58、116
ケアマネジメント ………………………… 58、71
ケアマネジャー …………………………58、119
携帯用会話補助装置 …………………………178
健康寿命……………………………………70、87
言語性能力 ……………………………………… 87
言語聴覚士（ST） …………………… 112、119
建築基準法 ……190、221、233、277、278
建築協定……………………………………………277

こ

公営住宅……………………………… 261、270
後期高齢者 ……………………… 16、18、40
合計特殊出生率 ……………… 17、24、25
交互型歩行器………………………………149
高次脳機能障害 ……………………………114
交通バリアフリー法 …………………………127
高齢化率……………………………… 16、18
高齢社会対策大綱 ………………………… 22
高齢者住宅改造費助成事業 ………………268
高齢者住宅整備資金貸付制度 …………269
高齢者住まい法……………261、267、270
誤嚥性肺炎……………………………………98
呼吸器機能障害 ……………………………112
国際標準化機構 ………………………… → ISO
固定型階段昇降機 ………………… 158、159
固定型歩行器………………………………149
固定式（設置式）リフト …………… 160、161
固定式爪切り …………………………………179
コミュニケーション支援用具 ……………177

さ行

さ

サービス担当者会議 ………………………… 78
サービス付き高齢者向け住宅 …… 261、271
サービス等利用計画 ………………………… 78
在宅重度障害者住宅改造費助成事業 ……268

サイドレール ……………………………………166
座位変換形車椅子 ……………………………152
作業療法士（OT） ……………… 116、119
座面（車椅子）…………… 152、153、244
酸素吸入装置 …………………………………112

し

視覚障害者 ……………………………………111
視覚障害者誘導用ブロック ………………278
四肢麻痺 ………………………………………111
自助具 ………………………………… 178、179
施設サービス …………………………………… 60
自走用（自操用）標準形車椅子 … 151、153
肢体不自由者 ………………………………111
下枠（建具）……………… 192、202、212
失語症……………………………………………112
社会福祉協議会 ……………………………269
社会福祉士 …………………………………119
社会保障給付費 ……………………………… 32
社会保障制度 ………………………………… 32
尺貫法 …………………………………………… 41
シャワー用車椅子 ………………… 171、172
住生活基本法 ………………………………271
住宅改修（介護保険）……116、254、255
住宅改造費助成事業 …………… 217、268
住宅改良ヘルパー（リフォームヘルパー）
………………………………………………269
住宅確保要配慮者向け賃貸住宅 …………271
住宅性能表示制度 ………………… 267、268
住宅セーフティネット法 …………………271
住宅団地………………………………………260
住宅品確法……………………………………267
住宅用火災警報器 ……… 44、216、253
収納……………………………… 211、212、251
終末低下 ……………………………… 87、88
就労定着支援 ………………………………… 80
手段的自立 …………………………………… 91
ジョイスティックレバー ……………………152
生涯学習……………………………………104
障害支援区分 ………………………………… 77
障害者基本法 ……………………… 81、110
障害者住宅整備資金貸付制度 …………269
障害者総合支援法 ……………… 76、115
障害者白書 …………………………………125
生涯体育 ……………………………………103
障害福祉サービス ……………… 77、79
障害をもつアメリカ人法 ……………… → ADA
償還払い ……………………………………182

小規模多機能型居宅介護 ………………… 61
少子化社会対策大綱 ……………………… 25
少子高齢化 …………… 16、30、32、33、35
小腸・直腸・膀胱機能障害 ……………… 112
褥瘡 …………………………… 118、167
自立支援給付 ………………………… 77、79
自立生活援助 ……………………………… 80
シルバーカー ……………………………… 150
シルバーハウジング ……………………… 270
人口減少 ……………… 16、30、33、35
人工肛門・人工膀胱 ……………………… 112
人工透析 …………………………………… 112
心臓機能障害 ……………………………… 112
腎臓機能障害 ……………………………… 112
身体障害者 …………………… 80、261、270
身体的自立 ………………………………… 90

す

据置式便座 ……………………… 169、170
据置式リフト ……………………… 160、161
筋かい ……………………………………… 204
ストッキングエイド ……………………… 179
スパイラルアップ ………………………… 130
スライディングシーツ …………… 167、168
スライディングボード …………… 167、168
スライディングマット …………… 167、168
スロープ（設置工事を伴うもの）
…………………………… 188、221、226
スロープ（福祉用具） …………… 155、156

せ

生活機能 …………………… 89、91、92、95
精神障害者 ……………… 80、114、261、270
世界保健機関 ……………………… → WHO
赤筋（遅筋線維） ………………………… 103
脊髄損傷 …………………………………… 117
前期高齢者 ………………………………… 40
先天性障害 ………………………………… 110
洗面カウンター …………………………… 241

そ

増改築相談員 ……………………………… 269
ソーシャルワーカー ……………………… 119
措置制度 ……………………………… 54、76

た行

た

第1号被保険者（介護保険）
……………… 55、56、59、72、182、254
大規模小売店舗立地法 …………………… 278
第2号被保険者（介護保険） … 56、70、72
対流暖房 …………………………………… 214
タイルカーペット ………………………… 252
多脚つえ（多点つえ） …………………… 148
立ち上がり補助便座 ……………… 169、170
縦手すり ………… 198、224、231、240、245
団塊の世代 …………………………… 16、24
短期入所生活介護（ショートステイ）
……………………………… 62、117
端座位 ……………………………………… 165
段差解消機 ………… 156、157、189、217
単身入居（公営住宅） …………… 261、270
単独世帯（単身世帯） …… 19、20、54、260
段鼻 ………………………………………… 222

ち

地域支援事業 ………………… 58、59、68
地域生活支援事業 ………………… 77、79
地域包括ケアシステム …………… 70、71
地域包括支援センター ………… 58、70、269
地域密着型サービス ……… 58、60、66、68
知的障害者 ……………… 80、113、261、270
地方自治法 ………………………………… 279
中心市街地活性化法 ……………………… 278
中途障害 …………………………………… 110
聴覚言語障害者 …………………………… 112
長座位 ……………………………………… 165
直角型の老化 ……………………… 87、88

つ

対麻痺 ……………………………… 111、148
通所介護（デイサービス） ………… 62、117
通所リハビリテーション（デイケア） …… 62

さくいん

か行・さ行・た行

285

て

低栄養······························96、98、102
ティッピングレバー ······················ 151、153
ティルト機構 ································· 152
電気調理器 ··································· 251
点字器 ······································ 177
天井走行式リフト ·················· 160、161

と

トイレ用手すり（福祉用具）········· 169、201
動作性能力······························· 87
動物性たんぱく質 ·····················96、102
特殊寝台（介護用ベッド） ····· 165、166
特定疾病··································· 56
特定福祉用具 ·····················182、183
特別養護老人ホーム ·········· 61、62
床ずれ防止用具·························167
都市計画··························276、277
都市計画法··························276、278
都市計画マスタープラン ········· 276、277

な行

な

内部障害者 ································· 112
長柄ブラシ ································· 179
難病·······························76、115

に

日常生活自立度 ····························· 31
日常生活動作 ····························· → ADL
日本工業規格 ····························· → JIS
日本産業規格 ····························· → JIS
入浴台（ベンチ型シャワー椅子）
································ 171、172
入浴用椅子··························171、172
入浴用介助ベルト ·····················173
認知症·····················31、71、105
認知障害·································105
認知症高齢者·····················31、147
認知症対応型共同生活介護 （グループホーム）
····································· 62

の

脳血管障害········· 111、116、148、177、214
脳血管性認知症·····························105
脳梗塞·····································116
脳出血·····································116
脳性麻痺···································111
ノーマライゼーション ······················· 81
ノンスリップ ·····················223、234

は行

は

ハートビル法 ·······························127
廃用症候群（生活不活発病） ··············146
掃き出し窓··············221、226、253
白筋（速筋線維） ·······················103
バスボード ·····················170、171、172
発達障害（者） ·····················76、115
発達障害者支援法·························115
幅木·······································231
バリアフリー ······124、126、131、267、270
バリアフリー法 ·····················127、278
ハンドリム ·················151、153、230
ハンドル形電動車椅子 ·············· 152、154
ハンドレール ·····················198、199

ひ

ヒートショック ·······························214
非家族同居································262
引き戸··············192、202、211、240、252
標準形電動車椅子 ················ 152、154
開き戸·····················202、211、240

ふ

福祉住環境コーディネーター ········· 49、50
福祉のまちづくり ·················126、278
福祉のまちづくり条例 ·········127、131、279
輻射暖房···································214
福祉用具
····· 137、144、146、165、177、181、183
福祉用具専門相談員 ·············119、182
フットサポート ·················153、231
踏面·····························222、232、234
フラットレール ·····················192、193
フレイル··································· 92
フローリング材 ·····························194

へ

ペースメーカー ································· 112
べた基礎·································· 190
ベッド用グリップ ·························· 166
ヘルスプロモーション ······················ 102

ほ

防湿土間コンクリート ······················· 190
ポータブルトイレ ····················· 169、170
ホームエレベーター ··················· 192、217
訪問介護（ホームヘルプ） ···················· 62
訪問看護································· 62
訪問入浴介護····························· 62
訪問リハビリテーション ···················· 62
保健師·································· 119
保険料（介護保険） ····················· 32、55
歩行器·································· 149
歩行車·································· 150
補高便座 ···························· 169、170
補装具······················· 79、111、112、144
ボタンエイド ····························· 179
補聴器···························· 112、145、178

ま行

ま

まち・ひと・しごと創生法 ···················· 35
間柱····································· 200

み

水勾配·····························222、243
ミスター・アベレージ ················· 124、130

む

無酸素運動······························ 103

も

モジュール ·························· 204、206

や行

ゆ

有効寸法·················· 41、202、225、230

有酸素運動···························99、103
床走行式リフト ····················· 159、161
ユニバーサル社会 ························· 34
ユニバーサルデザイン
 ·················· 128、130、131、278
ユニバーサルデザイン政策大綱 ··········· 132

よ

要介護認定······························ 58
要支援認定······························ 67
浴槽内椅子 ·························· 172、173
浴槽内昇降機（浴槽設置式リフト）········· 173
浴槽用手すり（福祉用具） ··· 171、172、201
横手すり ·················· 198、233、240、245
予防給付································ 58、61

ら行

ら

ライフスタイル ··········· 19、21、260、262
ランニングコスト ······················· 217

り

リーチャー ····························· 179
理学療法士（PT） ·················· 116、119
リバースモーゲージ ······················ 261
隣居·································· 262

れ

レール走行式リフト ······················ 160

ろ

老年学······························ 86、91
ロートン ······························· 90
ロフストランド・クラッチ ················· 148

わ行

ワークショップ ························· 277
和式浴槽·····························42、244
和洋折衷式浴槽······························· 244

本書に関する正誤等の最新情報は、下記のアドレスでご確認ください。
http://www.s-henshu.info/fj3tm2205/

上記掲載以外の箇所で正誤についてお気づきの場合は、**書名・発行日・質問事項（該当ページ・行数・問題番号**などと**誤りだと思う理由）・氏名・連絡先**を明記の上、お問い合わせください。
・webからのお問い合わせ：上記アドレス内【正誤情報】へ
・郵便またはFAXでのお問い合わせ：下記住所またはFAX番号へ
※電話でのお問い合わせはお受けできません。

[宛先]コンデックス情報研究所
「福祉住環境コーディネーター検定試験® 3級テキスト&問題集」係
住　　所　〒359-0042　所沢市並木3-1-9
FAX 番号　04-2995-4362（10:00～17:00　土日祝日を除く）

※**本書の正誤以外に関するご質問にはお答えいたしかねます**。また、受験指導などは行っておりません。
※ご質問の受付期限は、各試験日の10日前必着といたします。
※回答日時の指定はできません。また、ご質問の内容によっては回答まで10日前後お時間をいただく場合があります。
あらかじめご了承ください。

監修：成田すみれ（なりたすみれ）
『福祉住環境コーディネーター検定試験®公式テキスト』元テキスト作成委員、執筆者。
NPO法人神奈川県介護支援専門員協会元理事長。社会福祉士、精神保健福祉士、介護支援専門員。一般社団法人横浜市南区医師会居宅介護支援センター介護支援専門員。

マンガ・イラスト：ひらのんさ

編著：コンデックス情報研究所
1990年6月設立。法律・福祉・技術・教育分野において、書籍の企画・執筆・編集、大学および通信教育機関との共同教材開発を行っている研究者・実務家・編集者のグループ。

福祉住環境コーディネーター検定試験® は、東京商工会議所の登録商標です。

福祉住環境コーディネーター検定試験®
3級 テキスト&問題集

2022年7月20日発行

監　修　成田すみれ
編　著　コンデックス情報研究所
発行者　深見公子
発行所　成美堂出版
　　　　〒162-8445　東京都新宿区新小川町1-7
　　　　電話(03)5206-8151　FAX(03)5206-8159
印　刷　株式会社フクイン

別冊

福祉住環境コーディネーター検定試験® 3級 テキスト&問題集

成美堂出版

ここが試験に出る!
重要ポイント309

矢印の方向に引くと
別冊が取り外せます。

ここが試験に出る！ 重要ポイント309

第1章 暮らしやすい生活環境をめざして ……………………………… 1
　　［図表］
　　　◆日本の人口ピラミッド／2
　　　◆介護保険のサービス利用の流れ／5
　　　◆地域包括ケアシステムのイメージ／8

第2章 健康と自立をめざして …………………………………………… 10
　　［図表］
　　　◆最近の研究に基づく老化のとらえ方／10
　　　◆高齢者の生活機能による分布のモデル／12

第3章 バリアフリーとユニバーサルデザイン ……………………… 16
　　［図表］
　　　◆つえの種類／18
　　　◆整容・更衣・食事動作に関係する自助具／22

第4章 安全・安心・快適な住まい …………………………………… 23
　　［図表］
　　　◆介助用車椅子が通行可能な有効寸法／24
　　　◆玄関の住環境整備の例／27
　　　◆横手すり端部の処理／28

第5章 安心できる住生活とまちづくり ……………………………… 31
　　［図表］
　　　◆まちづくりに関する法制度／33

第1章　暮らしやすい生活環境をめざして

□□□ 日本の総人口は減少に向かっているが、65歳以上の高齢者人口は増え続けており、最近の統計では、高齢者人口が全人口に占める割合（高齢化率）は3割近くに及んでいる。

□□□ 高齢者人口が増加する一方、15歳未満の年少人口、15〜64歳の生産年齢人口は減少し、少子高齢化が進んでいる。

□□□ 65歳以上の高齢者がいる世帯は全世帯の半数近くに及び、一人暮らしの単独世帯と夫婦のみの世帯がそのうちの約6割を占めている。

□□□ 60歳以上の高齢者のうちの6割近くが、健康・スポーツ、趣味、地域行事等の地域の活動に参加している。

□□□ 65歳以上の労働力人口は、労働力人口総数の1割以上を占めており、高齢者が定年後すぐに隠居生活をおくるライフスタイルが定着しているとはいえない。

□□□ 65〜69歳になっても仕事をしたいと考えている人が半数を超えており、約4割の人が70歳以降も仕事をしたいと考えている。

□□□ 高齢者に子どもや孫とのつきあい方について質問したアンケート結果によると、最近の調査では、「いつも一緒に生活できるのがよい」と回答した人よりも、「ときどき会って食事や会話をするのがよい」と回答した人が多かった。

□□□ 一人の女性が一生の間に生む子どもの数を示す合計特殊出生率は、1975（昭和50）年以降、2.00を下回っている。

□□□ 母親の年齢別の出生数に注目すると、30〜34歳の出生数が最も多く、以下、25〜29歳、35〜39歳の順になっている。経年変化を見ると、20歳代での出産が減少し、30歳代が増える晩産化の傾向が表れている。

□□□ 政府は、総合的かつ長期的に少子化に対処するための指針として、少子化社会対策基本法に基づき、少子化社会対策大綱を定めている。

□□□ 2010（平成22）年の時点で、日常生活自立度II以上の認知症の高齢者は280万人と推計されている。そのうち、約半数は在宅で生活している。

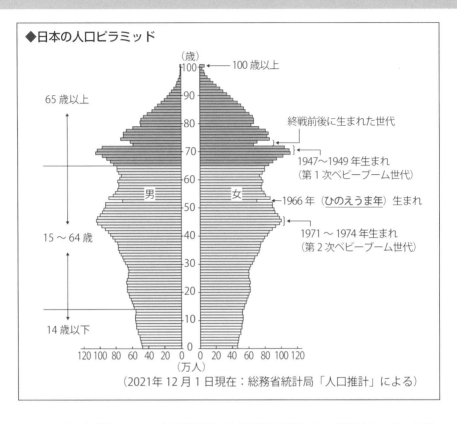

◆日本の人口ピラミッド

100 歳以上

終戦前後に生まれた世代

1947〜1949 年生まれ
（第 1 次ベビーブーム世代）

1966 年（ひのえうま年）生まれ

1971 〜 1974 年生まれ
（第 2 次ベビーブーム世代）

65 歳以上

15 〜 64 歳

14 歳以下

男　女

（歳）

（万人）

（2021 年 12 月 1 日現在：総務省統計局「人口推計」による）

□□□ 少子高齢化により、高齢者関係の社会保障給付費の支出が増大し、その負担が、生産年齢人口に重くのしかかっている。

□□□ エイジング・イン・プレイスとは、経済協力開発機構（OECD）の会議で提唱された理念で、高齢者一人ひとりが自分にとって最もふさわしい場所で安全で安心な老後の生活を過ごせるようにしようという考え方を表す。

□□□ エイジレス社会とは、年齢や世代にとらわれることなく、だれもが能力や経験を生かして経済社会や地域社会に貢献し、充実した暮らしができる社会である。

□□□ 共生社会とは、社会のさまざまな面で人々がより自由に活動し、ともに新たな結び付きを形成しながら生きる社会という意味である。

□□□ ユニバーサル社会とは、障害の有無や年齢にかかわらず、一人ひとりが社会の構成員として自立し、たがいに尊重し合いながら、各個人がもっている能力を最大限に発揮できる社会をいう。

□□□ 2014（平成26）年に制定・施行された「まち・ひと・しごと創生法」は、人口の減少に歯止めをかけること、東京圏への人口の過度の集中を是正し、それぞれの地域で住みよい環境を確保することなどを目的としている。

□□□ 日本では、現時点で75歳以上の後期高齢者の人口が65〜74歳の前期高齢者を上回っており、その傾向は今後さらに拡大していくと予測される。

□□□ 日本の伝統的な住宅は、玄関の上がりがまち、廊下と居室、洋室と和室、洗面・脱衣室と浴室の間など、住宅内に段差が多く、そのことが高齢者の生活動作を著しく不便・不自由にし、転倒・転落事故の原因にもなっている。

□□□ 従来の日本の住宅の設計には、尺貫法の影響が強く残っているために、廊下、階段、開口部などの幅員が狭くなりがちで、介護を必要とする高齢者や、車椅子などの福祉用具を使用する高齢者の室内移動の妨げになることがある。

□□□ 日本の住宅はもともと居室の面積が狭いうえに、生活の洋式化が進んだために家具の使用が多くなった結果、室内がますます狭くなり、介護を必要とする高齢者や、福祉用具を使用する高齢者の室内移動を困難にしている。

□□□ 畳などの床面に座る、和式トイレでしゃがむ、浴槽縁の高い和式浴槽をまたいで入浴するなどの動作が必要とされる和式の生活様式は、身体機能の低下した高齢者には適していない。

□□□ 伝統的な日本の木造住宅は、湿気の多い夏に過ごしやすいように造られており、冬の寒さには向いていない。冬季は、屋内に大きな温度差が生じ、特に、心筋梗塞などの循環器系の疾患をもつ高齢者には不適切な環境となる。

□□□ 家庭内事故による死亡例は高齢者に圧倒的に多く、最も多い死亡原因は入浴中の溺死である。

□□□ 家庭内事故の原因の一端は住環境の問題にある。本人の身体能力や不注意のせいだけでなく、住宅の造りや住宅内の環境が高齢者に適していないために家庭内事故が起きているともいえる。

□□□ 高齢になると、健康で若いときには気にならなかった住宅内のわずかな段差や、廊下や階段の足もとの暗がり、浴室やトイレ、水回り等の設備機器の高さや設置具合などが不都合に感じられることがある。

□□□ 高齢者に配慮された住宅であれば、身体機能が低下した場合も、若干の改修や福祉用具の使用により対応でき、介護が必要になったときも、福祉用具を活用することなどにより、人的介護を最小限にとどめることができる。

- □□□ 福祉住環境コーディネーターは、高齢者や障害者の住環境整備に際して、対象者の身体機能や生活状況を考慮し、住宅の構造や福祉用具の使用の検討と調整、情報提供、対象者と家族、各分野の専門職との連絡調整を行う。

- □□□ 福祉住環境コーディネーターは、医療・保健・福祉・建築・福祉用具の活用・サービスや制度の利用等に関する知識を持ち、住宅に関する問題点やニーズを発見し、各専門職と連携をとりながら具体的な事例に対処できる人材である。

- □□□ 福祉住環境コーディネーターは、対象者やその家族とよく向き合い、現在の状況を改善するためにはどのような方法をとるべきなのか、常に生活者の視点に立って検討し、対象者のニーズを明らかにする役割を担う。

- □□□ 従来の高齢者福祉においては、市町村が必要なサービスを判断して提供する、措置制度がとられていた。介護保険制度ではこの点が大きく見直され、利用者が自らサービスの種類や事業者を選択できるようになった。

- □□□ 介護保険法の運営主体である保険者は、市町村（及び東京都の特別区）である。市町村は、要介護・要支援の認定や、保険料の徴収などを行う。

- □□□ 介護保険の被保険者は 40 歳以上の人で、65 歳以上の人が第 1 号被保険者、40 歳以上 65 歳未満の医療保険加入者が第 2 号被保険者となる。

- □□□ 第 1 号被保険者は、市町村が実施する要介護認定において、要介護もしくは要支援と認定された場合に、保険給付による介護サービスを受けることができる。

- □□□ 第 2 号被保険者は、要介護・要支援となった原因が 16 種類の特定疾病である場合に限り、介護保険のサービスを受けることができる。

- □□□ 要介護認定の申請は、住まいのある市町村の窓口で行う。本人や家族が申請することもできるが、地域包括支援センター、居宅介護支援事業者、介護保険施設などに代行してもらうこともできる。

- □□□ 要介護認定の申請を受けた市町村は、かかりつけ医に心身の状況に関する主治医意見書の作成を依頼する。また、調査員が訪問し、認定調査票の項目に基づいて、本人や家族から心身の状態などの聞き取り調査を行う。

- □□□ 認定調査票の内容などがコンピューターに入力され、要介護度の判定（一次判定）が行われる。

□□□ 一次判定の結果に、認定調査票に記入された特記事項、主治医意見書の内容などを加味して、介護認定審査会による審査（二次判定）が行われる。

□□□ 一次判定、二次判定を経て、「要介護 1 ～ 5」「要支援 1・2」の計 7 段階と「非該当（自立）」のうちいずれかの結果が、原則として申請から 30 日以内に通知される。

□□□ 要介護認定において「要介護 1 ～ 5」と認定された人は、介護保険による居宅サービス、施設サービス、地域密着型サービスなどの「介護給付」のサービスを利用できる。

□□□ 要介護認定において「要支援 1・2」と認定された人は、介護予防サービス、地域密着型介護予防サービスなどの「予防給付」のサービスと、市町村が行っている地域支援事業によるサービスを利用できる。

□□□ 要介護認定において「非該当（自立）」と判定された人も、地域支援事業のサービスを利用できる。

◆介護保険のサービス利用の流れ

※1 要介護・要支援となるおそれがあるにもかかわらず認定を受けていない 65 歳以上の高齢者に対して実施するために厚生労働省が作成した調査票。
※2 要介護認定において要支援と認定された人や、基本チェックリストの記入内容が、当該事業対象者と判断された人が、地域支援事業（総合事業）を利用する際に提供されるケアマネジメント。
（厚生労働省の資料による）

□□□ 介護保険のサービスを利用するためには、いつ、どのようなサービスを、どれくらい利用するかを検討し、その計画を定めたケアプランを作成する必要がある。

□□□ ケアプランは、介護保険制度では「介護サービス計画」といい、サービスの提供はその計画に基づいて行われる。

□□□ 要支援者が介護予防サービス等の予防給付のサービスを利用する場合は、介護予防ケアプランを作成する。利用者が自ら作成することもできるが、地域包括支援センターに作成を依頼することもできる。

□□□ 施設サービスを利用する場合は、施設サービス計画というプランを作成する。

□□□ 介護保険のサービスは、介護給付、予防給付、地域支援事業の３つに区分される。

□□□ 介護給付のサービスは要介護１〜５に認定された人を、予防給付のサービスは要支援１・２に認定された人を対象とする。

□□□ 地域支援事業は、地域の実情に合わせて介護予防を推進するために市町村が実施するもので①介護予防・日常生活支援総合事業（総合事業）、②包括的支援事業、③任意事業の３つで構成されている。

□□□ 地域支援事業の総合事業は、さらに、介護予防・生活支援サービス事業、一般介護予防事業に分かれる。

□□□ 要支援１・２と認定された人は、介護予防・生活支援サービス事業のサービスと予防給付のサービスを組み合わせて利用することができる。

□□□ 第１号被保険者で要介護認定を受けていない人も、基本チェックリストで当該事業対象者と判断された場合は、介護予防・生活支援サービス事業を利用できる（第２号被保険者は、要介護認定の申請が必要）。

□□□ 基本チェックリストは、要介護・要支援となるおそれがあるが、要介護認定を受けていない65歳以上の高齢者に対して実施するために厚生労働省が作成した調査票である。

□□□ 一般介護予防事業は、すべての高齢者が利用できる。

□□□ 訪問介護（ホームヘルプ）は、介護福祉士や訪問介護員が居宅を訪問し、入浴、排泄、食事等の介護や、その他の日常生活をおくるうえで必要なサービスを提供するものである。

□□□ 訪問入浴介護は、入浴が困難な対象者の自宅に専用の簡易浴槽を持ち込み、入浴の介護を行うものである。

□□□ 訪問看護は、看護師、准看護師等が居宅を訪問し、療養にかかわる世話や必要な診療補助を行うものである。

□□□ 訪問リハビリテーションは、理学療法士、作業療法士、言語聴覚士等が居宅を訪問し、心身の機能の維持・回復、日常生活の自立等を促進することを目的としたリハビリテーションを提供するものである。

□□□ 通所介護（デイサービス）は、老人デイサービスセンターなどで、入浴、排泄、食事等の介護や、そのほかの日常生活をおくる上で必要となるサービスと機能訓練を提供するものである。

□□□ 通所リハビリテーションは、介護老人保健施設、病院、診療所などでリハビリテーションを提供するものである。

□□□ 短期入所生活介護は、介護老人福祉施設（特別養護老人ホーム）などの施設で短期間生活してもらい、入浴、排泄、食事などの介護、そのほかの日常生活をおくる上で必要となるサービスおよび機能訓練を提供するものである。

□□□ 小規模多機能型居宅介護は、居宅訪問、サービス拠点への通所もしくは短期宿泊にて、入浴、排泄、食事等の介護や、その他の日常生活をおくる上で必要なサービスや機能訓練を行うものである。

□□□ 介護保険によるサービスを利用した場合、その費用の一部は、利用者の自己負担になる。自己負担割合は、現在は、所得に応じて1割、2割、3割の3段階に設定されている。

□□□ 介護保険制度の財源は、被保険者が納める保険料が50％、税金などの公費が50％となっている。

□□□ 第1号被保険者の保険料は市町村が徴収し、第2号被保険者の保険料は、被保険者が加入している医療保険の保険者が、医療保険料とあわせて徴収する。

□□□ 第1号被保険者と第2号被保険者の保険料負担の割合は、人口比に基づいて3年ごとに見直される。

□□□ 地域包括ケアシステムとは、高齢者が住み慣れた地域で安心して暮らし続けられるように、医療・介護・予防・住まい・生活支援等を切れ目なく提供する体制をいう。

□□□ 地域包括ケアシステムの単位としては、おおむね 30 分以内に必要なサービスが提供される日常生活圏域、具体的には中学校区程度の範囲が想定されている。

□□□ 地域包括ケアシステムの中核機関として位置づけられている地域包括支援センターは、地域に制度横断的な連携ネットワークを構築し、利用者をたらい回しすることなく、ワンストップで必要なサービスにつなぐ役割を担う。

□□□ 医療と介護の両方を必要とする人を対象とし、看取り・ターミナルケアへの対応が可能な施設として、介護医療院が創設された。

□□□ PDCA サイクルによる介護サービスの質の向上をめざし、2021（令和 3）年 4 月から、科学的介護情報システム（LIFE）の運用が開始された。

□□□ 介護保険制度の持続可能性を確保することなどを目的に利用者負担が見直され、一定以上の所得がある第 1 号被保険者の自己負担割合が 2 割に、現役並みの所得がある第 1 号被保険者の自己負担割合が 3 割に引上げられた。

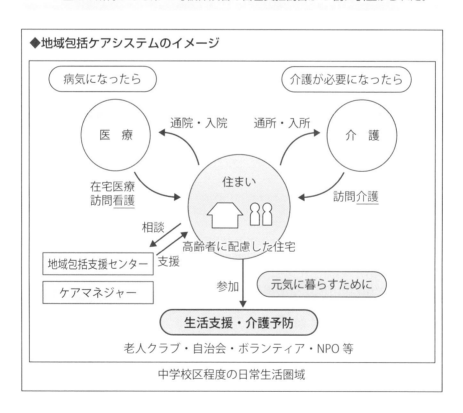

◆地域包括ケアシステムのイメージ

病気になったら　　介護が必要になったら

医　療　　通院・入院　通所・入所　　介　護

在宅医療　訪問看護　　住まい　　訪問介護

相談　　高齢者に配慮した住宅

地域包括支援センター　支援

ケアマネジャー

参加　　元気に暮らすために

生活支援・介護予防

老人クラブ・自治会・ボランティア・NPO 等

中学校区程度の日常生活圏域

□□□ 2017（平成29）年の介護保険制度改正（翌年施行）では、新たな介護保険施設として「介護医療院」が創設された。

□□□ 障害者総合支援法では、「制度の谷間」を残さないために、支援の対象を身体障害者、知的障害者、精神障害者（発達障害者を含む）に限定せず、一定の難病により障害が生じている人も対象とした。

□□□ 障害者総合支援法に基づく障害者支援のためのサービスには、自立支援給付と地域生活支援事業がある。

□□□ 自立支援給付には、障害福祉サービス、相談支援、自立支援医療、補装具が含まれる。障害福祉サービスは、介護給付と訓練等給付からなる。

□□□ 障害者福祉サービスの利用を希望する場合は、市町村の窓口に申請し、障害支援区分の認定を受けることが必要である。

□□□ 障害福祉サービスの利用が申請されると、申請を受けた市町村の認定調査員が自宅等を訪問し、心身の状況に関する全国共通の80項目の基本調査と、本人や家族の状況、サービス利用状況等の概況調査を行う。

□□□ 障害支援区分の判定は、一次判定と二次判定の2段階で行われる。一次判定では、主に基本調査に基づいて、コンピューターで判定が行われる。二次判定は、一次判定の結果と医師の意見書に基づいて、市町村の審査会で行われる。

□□□ 障害支援区分の判定結果は、「区分1〜6」の6段階および「非該当」で示される。必要とされる支援の度合いが最も高いとされるのが「区分6」である。

□□□ サービス等利用計画は、障害者総合支援法に基づく指定特定相談支援事業者に依頼して作成する。

□□□ 2016（平成28）年に障害者総合支援法が改正され、障害福祉サービスの訓練等給付に自立生活援助、就労定着支援が新たに創設された（改正法が施行された2018（平成30）年4月からサービス開始）。

□□□ 自立生活援助は、障害者支援施設やグループホームから一人暮らしへの移行を希望する知的障害者、精神障害者などを一定期間にわたり支援するものである。

□□□ 就労定着支援は、就労移行支援から一般就労に移行し、環境の変化による生活面の課題が生じている障害者を支援するものである。

□□□ 最近の研究によると、元気な高齢者が保っているさまざまな能力は、かなりよい状態を保ち続けて、死の直前に急激に低下すると考えられている。心理学では、そのような傾向を「終末低下」と呼んでいる。

□□□ 動作性能力は加齢とともに下降するものの、物事を判断したり、概念を操作したりする言語性能力は80歳代になっても下降することなく、むしろ上昇するという調査結果がある。

□□□ 動作性能力と言語性能力を総合した知能検査（WAIS尺度得点）では、加齢による下降は見られなかった。

□□□ 人間の人格や能力は生涯発達し続けるという考え方「生涯発達理論」という。

□□□ 高齢者が最後まで満足のいく人生をおくることを、「ウェル・ビーイング」という。それを実現するためには、①天寿を全うすること、②生活の質（QOL）が維持されること、③社会貢献ができることが重要となる。

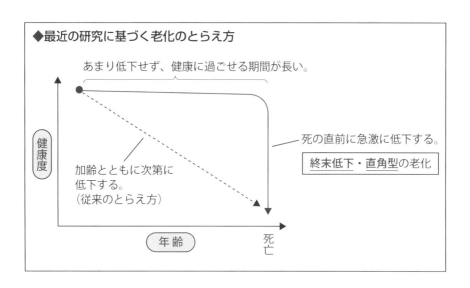

◆最近の研究に基づく老化のとらえ方

あまり低下せず、健康に過ごせる期間が長い。

健康度

死の直前に急激に低下する。

終末低下・直角型の老化

加齢とともに次第に低下する。
（従来のとらえ方）

年齢

死亡

□□□ 世界保健機関（WHO）は、高齢者の健康に関する提言の中で、3つの健康指標として、①死亡率、②罹病率、③生活機能を挙げた。その中でも、高齢者の健康にとって最も重要な指標は「生活機能」だとしている。

□□□ 高齢者の場合は、病気にかかっているかどうかよりも、自立した日常生活をおくれるかどうかを健康の基準としてとらえるべきである。

□□□ 食事、排泄、着脱衣、入浴、洗面など、自立して生活するために必要な、基本的な動作を日常生活動作（ADL）という。

□□□ ADLよりも複雑な動作が要求される、バスや電車を利用しての外出、買い物、食事の用意、調理、掃除、洗濯、金銭の管理などは、**手段的日常生活動作（IADL）**という。

□□□ 老年学者のロートンが提唱した高齢者の生活機能のレベルを表す7段階のモデルのうち、「身体的自立」は、ADLが支障なくできるレベル、「手段的自立」は、IADLが行えるレベルである。

□□□ 多くの高齢者が大家族の中で暮らしていた時代は、身体的自立ができていれば問題なく生活できたが、夫婦のみの世帯や単独世帯が多くなった現在では、自立して生活していくためには**手段的自立**が必要とされる。

□□□ 老年学の研究によると、少なくとも一人で買い物や食事の用意などができるレベル以上の自立をしている高齢者は、すべての高齢者の8割を占めると考えられている。

□□□ 元気な高齢者に求められることは、有償労働であるか、ボランティア活動であるかにかかわらず、何らかの形で社会貢献ができることである。

□□□ 手段的自立が不十分なために部分的なサポートを必要とする高齢者を、老年学では虚弱（もしくは要支援）と呼んでいる。

□□□ フレイルとは、虚弱とほぼ同じ意味で、加齢にともない心身の機能が低下しADLは自立しているが、IADLにおいてはサポートが必要な状態をいう。

□□□ 身体を健康な状態に保つために必要な栄養素が不足することを低栄養という。

□□□ 高齢者が低栄養になる原因としては、口腔機能の低下による摂食、嚥下障害、歯の劣化、認知機能障害、うつ状態などが考えられる。

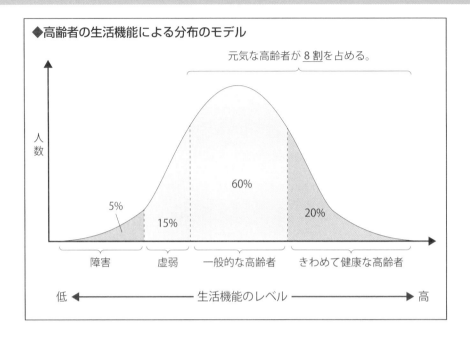

◆高齢者の生活機能による分布のモデル

元気な高齢者が 8 割を占める。

人数

5%

15%

60%

20%

障害　虚弱　一般的な高齢者　きわめて健康な高齢者

低 ← 生活機能のレベル → 高

□□□ 食事をするときにおいしいと感じることは、食欲を増進させるだけでなく、脳の生理活性物質を増加させ、また、認知能力も向上させる。

□□□ 高齢者は、一般に身体が小さく、活動量も少ないので、若い人よりもエネルギーの必要量は低いものの、ビタミン・ミネラルやたんぱく質などは、若いときと変わらない量を必要としている。

□□□ 高齢者の食生活においては、肉、魚、牛乳、卵などに含まれる動物性たんぱく質は、米、めん類、パン、大豆などに含まれる植物性たんぱく質よりやや多めにとることを心がける。

□□□ 野菜は、ブロッコリー、ニンジンなどの緑黄色野菜と、白菜などの淡色野菜を組み合わせて、1 日 350g を摂取するようにする。

□□□ 高齢者は、胃に食べ物が入ったときに便意をもよおす「胃・大腸反射」が鈍くなるため便秘になりやすい。やわらかく煮た野菜をよく噛んで食べると食物線維が効果的にとれ、便秘の解消に有効である。

□□□ 一般に、高齢者は若い人よりも食事量が少ないので、極端に塩分を制限する必要はなく、食欲を低下させるほど塩分を制限することは好ましくない。減塩が必要な場合は、香草やスパイスなどをうまく使うように工夫する。

□□□ 日本の伝統的な食習慣は、油脂類をあまり用いないものだったために、そのような食事を好む高齢者は、油脂の摂取量が不足する傾向がある。

□□□ 食べ物をよく噛むことにより、消化がよくなり、身体に必要な栄養素が吸収しやすくなるほか、脳の血流が促進され、記憶力が後退しにくくなるといわれる。

□□□ よく噛むことで多く分泌される唾液は、消化を助けるだけでなく、殺菌作用や口腔内の浄化作用もあり、歯周病の予防にもなる。唾液には老化防止に役立つホルモンも含まれている。高齢者に多い誤嚥性肺炎の予防にもつながる。

□□□ 食欲がなく、食事を全部食べきれないときは、おかずを先に食べて、ごはんを残すようにする。

□□□ 高齢者は、年をとったら油っこい食事や生ものを避けたほうがよいという思い込みから低栄養に至るリスクがある。

□□□ 高齢者にとって、運動やスポーツをすることの第一の目的は、生活機能を維持し、向上させることである。

□□□ 適度な運動をすることは、筋肉、骨、関節などの機能低下を予防し、バランス感覚を鍛えるだけでなく、認知症やうつの予防にもつながる。

□□□ 身体機能の低下を防ぐためには、有酸素運動（ウオーキング、ダンス、水泳など）に加えて、適度の筋力トレーニングなども取り入れるほうがよい。

□□□ 高齢者が歩行能力を維持するために必要な歩行数は、最低でも1日5,000歩程度といわれる。屋内で生活しているだけでは、この歩行数に達することはできない。

□□□ ウオーキングは、いつでも、どこでも、だれでもできる運動で、心肺機能を高め、基礎体力を向上させる効果があるが、長い間運動していなかった人が急に速足で行うと、足などを痛めやすいので注意する。

□□□ 高齢者は、暑さ、寒さに対する体温の調節力が低下していることが多いので、極端に寒い日、暑い日の運動は避ける。

□□□ 食後は、胃腸や肝臓の血流量が増加する。このときに運動を行うと、消化・吸収によくないので、食後2時間は運動を避けるようにする。

□□□ 高齢者は、汗をかくと脱水を起こしやすいので、運動中もこまめに水分補給することを常に心がける。

□□□ 高齢者には、転倒を恐れるあまり外出を控えようとする人もいるが、それではかえって筋力の低下を招き、転倒しやすくなる。転倒のリスクは、実は外出時より在宅時に多いことにも注意する。

□□□ ヘルスプロモーションとは、WHOが提唱した概念で、「人々が自らの健康をコントロールし、改善することができるようにするプロセス」と定義された。

□□□ ヘルスプロモーションの実践のためのポイントとして、①食生活と栄養、②生涯体育、③生涯学習、④口腔機能の改善、⑤生活環境の5つが挙げられる。

□□□ 低栄養の予防には、動物性たんぱく質を十分にとる、魚と肉は1対1の割合で摂取し、肉はさまざまな種類のものを食べる、油脂類を十分摂取する、牛乳を毎日飲む、多くの種類の野菜を食べることなどが重要である。

□□□ 自立高齢者を対象とした生涯体育では、生活機能の維持のために主に必要な赤筋（遅筋線維）だけでなく、加齢により衰えやすい白筋（速筋線維）も鍛えるプログラムが必要である。

□□□ 要介護となるおそれの高い高齢者の場合は、生涯学習は必須のものではなく、生涯学習を取り入れる場合も、自立高齢者と同じプログラムでよいとは限らない。対象者のニーズに応じたプログラムを用意する必要がある。

□□□ アルツハイマー型認知症は、脳細胞の老化による脳の萎縮により生じる認知症で、原因が十分に解明されておらず、予防法も確立されていない。

□□□ 脳血管性認知症は、脳血管の動脈硬化や脳血管疾患により生じる認知症で、高血圧の予防・治療、栄養状態の改善など、脳血管疾患の予防法が、そのまま脳血管性認知症の予防法となる。

□□□ 障害は、障害を受ける時期によって、先天性障害と中途障害に分けられる。中途障害とは、人生の中途で生じた病気や事故などが原因となり、心身のある部位に完全には治癒することのない後遺症が残ることをいう。

□□□ 肢体不自由とは、手足や体幹に運動機能障害があることをいう。運動機能障害とは、神経系、筋肉・骨・関節系などの運動にかかわる器官の機能が低下したり、機能が失われたりした結果、運動に支障をきたしている状態である。

□□□ 肢体不自由には、外傷や疾患にともなう脊髄損傷による四肢麻痺や対麻痺、脳血管障害による片麻痺、四肢の一部もしくは全部を切断、欠損した状態、脳性麻痺による四肢の一部もしくは全部の麻痺などが含まれる。

□□□ ガイドヘルパーとは、視覚障害者など、一人で外出することが困難な障害者の外出時に同行し、歩行や車椅子の介助、コミュニケーション支援などを行う人をいう。

□□□ 言語障害とは、言葉を理解することや、言葉を使って表現することに支障をきたしている状態（失語症）や、発声がうまくできない状態をいう。

□□□ 聴覚障害とは、外耳、中耳、内耳、聴神経を経て大脳の聴覚中枢に至る音を伝える器官のどこかに障害が生じたことにより、聞こえに支障をきたしている状態をいう。

□□□ 内部障害者には、心臓機能障害のためペースメーカーをつけている人、呼吸器機能障害のため酸素吸入装置を使用している人、腎臓機能障害のため人工透析が必要な人などがいる。

□□□ 一般に、治療が困難で慢性の経過をたどる疾病を難病という。難病は、完治することはないものの、適切な治療や自己管理を継続することにより、自立した生活をおくることができる場合も多くなっている。

□□□ 脳血管障害には、脳の血管が破れる脳出血、脳の表面の血管が切れるクモ膜下出血、脳の血管が詰まる脳梗塞がある。

□□□ 理学療法士（PT）は、身体に障害のある人に対して、主に基本的動作能力の回復を図るために、運動療法、物理療法などを行う専門職である。

□□□ 作業療法士（OT）は、身体または精神に障害のある人に対して、主に応用的動作能力や社会的適応能力の回復を図るために、作業療法や生活動作訓練を行う専門職である。

□□□ 言語聴覚士（ST）は、言語障害、聴覚障害、嚥下障害などがある人に対して、言語訓練その他の訓練や指導を行う専門職である。

□□□ バリアフリーという概念は、1974 年に出版された国連障害者生活環境専門家会議による報告書「Barrier Free Design」に用いられたことにより、世界的に広く知られるようになった。

□□□ 公共の建築物などは、標準的な体格の人間（ミスター・アベレージ）を想定してつくられているために、想定から外れた人が利用できないような環境が生まれていると、「Barrier Free Design」は指摘した。

□□□ 1995（平成 7）年版の「障害者白書」（副題：バリアフリー社会をめざして）において、物理的、制度的、文化・情報面、意識上の 4 つの障壁の存在が指摘され、それらをなくす社会環境の必要性が示された。

□□□ 多くの人が利用する建築物のバリアフリー化を推進する「ハートビル法」と、公共交通機関の旅客施設・車両等のバリアフリー化を推進する「交通バリアフリー法」が統合・拡充され、「バリアフリー法」が制定された。

□□□ ユニバーサルデザインとは、年齢、性別、障害の有無、人種、国籍、言語、文化などの違いにかかわらず、すべての人にとって使いやすい製品や施設、生活空間などをデザインすることをいう。

□□□ アダプタブルとは、わずかな手間だけで調整ができたり、何かを付け加えたり、何かを取り除いたりできることをいう。

□□□ これまでの経験を踏まえて、さらによいものをつくるために検討を重ねながら、段階的・継続的な発展を図っていく過程を、スパイラルアップという。

□□□ バリアフリーとは、バリアがある環境をどうにかして解決しようという考え方であるのに対し、ユニバーサルデザインとは、初めからバリアが生じないようにしようという考え方である。

□□□ 静岡県浜松市では、2003（平成 15）年 4 月に全国初となる「浜松市ユニバーサルデザイン条例」が施行された。

□□□ 共用品は、「身体的な特性や障害にかかわりなく、より多くの人々が共に利用しやすい製品・施設・サービス」と定義されている。英語ではアクセシブルデザインという。

□□□ よく知られている共用品の例に、シャンプーの容器がある。シャンプーの容器の側面にギザギザを付けることで、洗髪時に目をつぶっている人も、視覚に障害のある人も、シャンプーとリンスを間違えずに使えるようになった。

□□□ 共用品には、福祉用具をもとにしてつくられたもの、一般製品をもとにつくられたもの、最初から共用品としてつくられたものがある。

□□□ 福祉用具をもとにしてつくられた共用品の例には、温水洗浄便座、電動歯ブラシなどがある。

□□□ スマートフォンで文字が大きく表示されるタイプの機種は、当初は高齢者向けに開発されたが、高齢者だけでなく、多くの人が使用するようになった。

□□□ エレベーターの奥に鏡があるのは、車椅子使用者が後ろ向きに出るときに後方を確認できるように配慮したものである。

□□□ 1996（平成 8）年に、プリペイドカードの切り欠きが、高齢者・障害者配慮設計指針として、初めて日本工業規格（JIS：現・日本産業規格）に制定された。

□□□ 日本工業標準調査会（JISC：現・日本産業標準調査会）は、国際標準化機構（ISO）の消費者政策委員会（COPOLCO）に、高齢者や障害のある人に配慮するためのガイドの作成を提案し、満場一致で承認された。

□□□ 福祉用具とは、障害のある人や高齢者を対象に、特別な配慮をした用具のことである。

□□□ ISO による福祉用具の定義は、生活機能の改善に役立つものであれば、共用品や汎用製品をも含む幅広い解釈となっている。

□□□ 対象者の心身の状況は変化するので、そのときの状況に合った福祉用具を選択する必要がある。特に、進行性疾患の場合は、症状の進行に合わせて適切な福祉用具を適切な時期に導入するようにしなければならない。

□□□ 福祉用具に頼りすぎると、廃用症候群（生活不活発病）につながる可能性がある。また、使用方法を誤ると事故につながるおそれもあるので、認知症高齢者の場合は、安全面への配慮が特に重要である。

□□□ 福祉用具を導入するだけで、すべての生活上の問題点を解決することは困難である。福祉用具を福祉住環境整備の方法の一つととらえて有効な活用方法を考えることが重要である。

□□□ C字型つえは、握りの部分の形状がC字になっているつえで、体重をかけたときの安定性に欠けるため、下肢の機能がやや低下した高齢者が軽い支えとして用いるのに適している。

□□□ T字型つえは、握りの部分の形状がT字になっているつえで、C字型つえよりも体重をかけやすく、脳血管障害などにより下肢の機能が低下している人や、片麻痺の人が用いるのに適している。

□□□ 多脚つえ（多点つえ）は、つえ先が3～5脚に分かれているつえで、支持面積が広く安定性にすぐれ、体重を十分に負荷できる。接地面が平らでない場合は安定しないので、屋内、屋外とも使用する場所を考慮する必要がある。

□□□ ロフストランド・クラッチは、上部に前腕を支えるためのカフがあり、前腕と握りの2点で支持できるので、握力の弱さを補うことができる。

□□□ つえの高さは、握りの部分が手首の位置、あるいは足の付け根にある大腿骨大転子の高さにくるのが適当である。

□□□ 歩行器・歩行車は、つえを使用する場合よりもさらに歩行の安定性が低下している場合や、回復期につえ歩行に移行する前の段階に用いる。

□□□ 固定型歩行器は、フレーム全体を持ち上げて前方に下ろすことにより前進する。握力が低下している場合は適応が困難である。

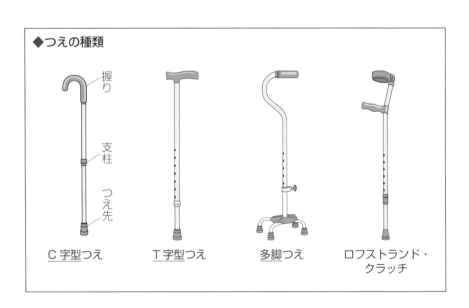

◆つえの種類

握り

支柱

つえ先

C字型つえ　　　　T字型つえ　　　　多脚つえ　　　　ロフストランド・
　　　　　　　　　　　　　　　　　　　　　　　　　　クラッチ

□□□ 交互型歩行器は、フレームに可動性があり、フレーム全体が斜めに変形する。片側ずつ交互に前方に押し出しながら前進するので、固定型歩行器のようにフレーム全体を持ち上げる必要はないが、片麻痺の人には適さない。

□□□ 歩行車は、二輪以上の車輪を備え、両手で前に押し出して操作する。移動中にも体重を支えることができるので、転倒のおそれがある場合に有効である。

□□□ シルバーカーは、高齢者が、主に買い物や散歩のときなどに使用する手押し車で、自立歩行ができる人が補助的に用いるのに適している。体重を保持する機能が必要な場合は、歩行車を選択する。

□□□ 自走用（自操用）標準形車椅子は、ハンドリムで車輪を動かすことにより使用者が自ら操作することを前提としてつくられているが、手押しハンドルやティッピングレバーを使って介助者が操作することもできる。

□□□ 介助用標準形車椅子は、介助者が押して操作する車椅子で、車輪は小さく、ハンドリムが付いていない。自走用標準形車椅子にくらべて寸法は小さめで、収納や持ち運びがしやすいが、フレームの強固さに欠ける。

□□□ 座位変換形車椅子には、座面が昇降するものや、シートとバックサポートの角度を保ったまま全体を傾けるティルト機構、バックサポートを倒すリクライニング機構をもつものなどがある。

□□□ 標準形電動車椅子は、通常肘当ての前方にあるコントロールボックスのジョイスティックレバーで操作する。手で操作するのが困難な場合は、顎を使って操作できる位置にコントロールボックスを設置する。

□□□ ハンドル形電動車椅子は、両手でハンドルを持って操作するもので、高齢者が外出や買い物の際に、スクーター代わりに使用する。重量が重く、もっぱら屋外で使用される。

□□□ 福祉用具である可搬型のスロープは、工事をともなわずに簡易に設置でき、屋内と屋外のアプローチや玄関の上がりがまちなどの、あまり大きくない段差を解消する場合に使用される。

□□□ 段差解消機は、人や車椅子を乗せた台を垂直に昇降させる装置で、屋内と屋外、道路と敷地などの比較的大きな段差を解消する場合に使用される。比較的狭い場所にも設置できるので、スロープが設置できない場合に有効である。

□□□ 固定型階段昇降機は、階段に固定されたレールに沿って、駆動装置の付いた椅子が昇降するもので、安定した座位をとれることが適応の条件となる。

□□□ 可搬型（自走式）階段昇降機は、車椅子や人を乗せて階段を昇降するもので、エレベーターのない共同住宅の階段などで用いられる。

□□□ 介助者が安全指導員による指導を受け、操作に習熟していることなどが、介護保険制度による可搬型（自走式）階段昇降機の貸与のための条件とされている。

□□□ 床走行式リフトは、使用者の身体の下に吊り具を敷き込み、ハンガー部分に引っかけて、アームを上げることにより身体を持ち上げ、床の上を移動するものである。主にベッドから車椅子への移乗用に用いられる。

□□□ 固定式（設置式）リフトには、床面や壁面に固定する住宅設置式リフトと、ベッドや浴槽に設置する機器設置式リフトがある。可動範囲は、垂直の昇降と支柱を中心とした回転の範囲である。

□□□ レール走行式リフトには、架台の上に組み立てられたレールの範囲を走行する据置式リフトと、天井面に敷設したレールに沿って走行する天井走行式リフトがある。天井走行式リフトは、レールの設置工事が必要である。

□□□ 特殊寝台（介護用ベッド）は、背上げ、膝上げや、高さ調節の機能を備え、高齢者や障害者の寝返り、起き上がり、立ち上がりなどの動作を補助する福祉用具である。

□□□ 特殊寝台（介護用ベッド）は、ベッド上で脚を投げ出して座る長座位から、ベッドの端に腰かける端座位を経て、寝たきりから解放されることを目標として使用することが望ましい。

□□□ スライディングボードは、表面が滑りやすい素材で作られた板状の用具で、ボードの上で身体を滑らせることで、身体の位置や向きを変える動作をしやすくする。主に、ベッドから車椅子に座位のまま移乗するときに使用する。

□□□ スライディングマット、スライディングシーツは、筒状に縫い合わされたマット、シーツで、裏面（筒の内側）が滑りやすい素材でできている。身体の下に敷き込んで、ベッド上を滑らせたり、寝返りを打たせたりする。

□□□ 床ずれ防止用具には、ゲル状のものや、ウォーターマットレス、エアマットレス、ウレタンマットレス、医療用のムートンなど、さまざまな素材のものがあり、いずれも、身体にかかる圧力を分散させる体圧分散機能がある。

□□□ 以前は褥瘡予防の目的でよく使われていた円座は、現在は使用されなくなっている。

□□□ ポータブルトイレの使用に当たっては、ベッドから移乗するときや、便座から立ち上がるときに転倒するおそれがあるので注意する。伝い歩きや介助による歩行が可能な場合は、日中はできる限りトイレを使用するようにする。

□□□ 補高便座は、洋式便器の上に置いて座面を高くし、立ち座りの動作を容易にするものである。

□□□ 立ち上がり補助便座は、便座を電動で昇降させることにより立ち座りを補助するものである。

□□□ 据置式便座（床置き式補高便座）は、和式便器にかぶせることで、洋式便器のような腰かけ式に変換するものである。

□□□ 入浴用椅子は、洗体の際に身体を安定させるために使用する。座面の高さを調節できるものが多く、座面を浴槽の縁の高さに揃えると、入浴台（ベンチ型シャワー椅子）として使用できる。

□□□ シャワー用車椅子は、歩行が困難な人が、脱衣場と浴室の間を移動する場合に使用する。一般の車椅子よりも小さく、浴室に乗り入れた後は、そのまま洗体用の椅子として使用できる。

□□□ バスボードは、浴槽への出入り動作を安全に行うための用具で、浴槽の縁に掛け渡して設置する。

□□□ 入浴台（ベンチ型シャワー椅子）は、浴槽の縁から外側に向けて取り付けるもので、腰かけて身体を洗ったり、腰かけたまま身体をずらしていって浴槽にまたぎこんだりするために使用する。

□□□ 浴槽用手すりは、浴槽の縁をはさむようにして設置し、浴槽をまたぐときに軽く体重を支えるために使用する。

□□□ 携帯用会話補助装置は、発声、発語が困難な人のコミュニケーションを支援する用具で、文字盤で入力した文字を表示する機能と、音声により出力する機能を備えている。

□□□ 自助具は、関節可動域に制限がある人や、筋力の低下により、物を固定したり保持したりすることが困難な人、手指の巧緻性に障害がある人、片麻痺の人などが、日常的な動作を自力で行えるように工夫された用具である。

□□□ 自助具には、整容・更衣、食事などの動作に用いられるものが多く、市販の製品から個別に製作されるものまで、さまざまなものが作られている。

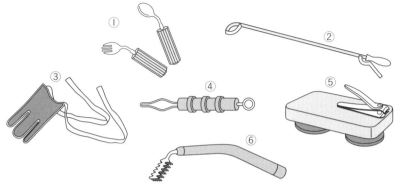

◆整容・更衣・食事動作に関係する自助具

①太柄・曲がりスプーン、フォーク
　握力が弱い人や、手や指が不自由
　な人でも持つことができる。

②リーチャー
　長い柄の先に閉じ開きのできる
　フックがあり、遠くの物をつかん
　で引き寄せることができる。

③ストッキングエイド
　本体に靴下をかぶせて足を差し入
　れ、ひもで本体を引き抜くと、前
　傾姿勢をとらずに靴下がはける。

④ボタンエイド
　柄の先に付いた針金をボタン穴に
　通し、片手でボタンを留めること
　ができる。

⑤固定式爪切り
　爪切りが台に固定されているため、
　爪切りを持たずに手のひらや肘で
　押すだけで爪が切れる。

⑥長柄ブラシ
　腕を高く持ち上げなくても整髪で
　きる。

□□□ 福祉用具は、利用者の身体機能や要介護度の変化に合わせて、そのときの状
　　　況によく合ったものを使用することが必要であることなどから、介護保険制
　　　度による福祉用具の給付は貸与が原則とされている。

□□□ 他人が使用したものを再利用することに心理的抵抗があるものや、再利用が
　　　困難な福祉用具は、特定福祉用具として購入費支給（販売）の対象になって
　　　いる。

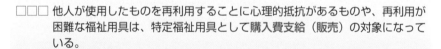

□□□ 福祉用具の貸与については、貸与する事業者の福祉用具専門相談員が、機能
　　　や価格帯の異なる複数の商品を提示すること、貸与価格と全国平均貸与価格
　　　を利用者に説明することなどが義務づけられている。

□□□ 道路から玄関までの段差を解消するスロープの勾配はなるべく緩やかなほうがよく、少なくとも、、スロープは 1/12 の勾配を確保できるようにする。

□□□ 建築基準法により、1 階居室の木造床面は、原則として直下の地面から450mm 以上高くするよう定められている。

□□□ 床下部分に防湿土間コンクリートを敷設した場合や、建物の基礎をべた基礎にするなど、地面からの湿気の影響を受けないようにした場合は、1 階居室の床面を 450mm より低い高さにすることができる。

□□□ 一般に、住宅内の和室の床面は、洋室の床面よりも 10 ～ 40mm 程度高くなっている。和室と洋室の床面の段差を解消する最も簡便な方法は、ミニスロープを設置する方法である。

□□□ 和室と洋室の床面の高さを揃えるには、低いほう（洋室）の既存の床面の上に高さを調整するための合板や木材などを張ってかさ上げし、その上に新しい床を仕上げる方法もある。

□□□ 引き戸の敷居部分の段差を解消するには、床面にフラットレールを設置する方法や、V 溝レールを埋め込む方法がある。いずれの場合も、敷居段差が5mm 以下になるようにする。

□□□ フラットレールは施工が容易で、誤差が生じにくい。V 溝レールは、床仕上げ材との接合面にすき間が生じないように施工するよう注意する。

□□□ 異なる階への移動が困難になっている場合は、階段昇降機やホームエレベーターを設置する方法がある。ただし、これらの機器の設置は、介護保険による住宅改修費の支給対象にはなっていない。

□□□ 住宅内の床材の選択において重要なことは、滑りにくさと強さである。

□□□ フローリング材の多くは、合板の上に仕上げ用のつき板を張り付けたものである。屋外で使用した車椅子の車輪についた砂ぼこりなどで床面を傷つけることがあるので、つき板の厚さが 1mm 以上あるものを選択する。

□□□ ハンドレールは、屋外の通路・階段、屋内の廊下・階段などに設置され、歩行時に身体の移動と同時に手を滑らせながら使用する手すりで、直径は32〜36mm程度が適当である。

□□□ グラブバーは、トイレや浴室などに設置され、立ち座りや移乗の動作の際にしっかりつかまって、身体を安定させるために使用する手すりで、直径は28〜32mm程度が適当である。

□□□ 柱と柱の間にある間柱の幅は35〜40mm程度しかなく、手すり受け金具を留める木ネジが利きにくいので、しっかり留めることができない。

□□□ 工事をともなわずに設置できる福祉用具の手すりに、浴槽の縁にはめ込むタイプの浴槽用手すりがある。浴槽への出入りや、浴槽内での身体の保持のために用いられるが、手すりに全体重をかけてしまうとずれるおそれがある。

□□□ トイレに設置する据置式の手すりで設置工事をともなわないものは、介護保険制度による貸与の対象になる。ただし、床面に手すりを固定する程度の簡易な工事であっても建築工事とみなされ、その場合は貸与の対象にならない。

□□□ 介助用車椅子で直角に曲がって出入り口を通過することを考慮すると、開口部の有効寸法を750mm以上にすることが必要である。

◆介助用車椅子が通行可能な有効寸法

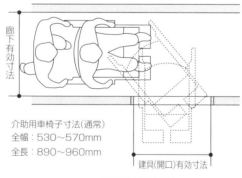

廊下有効寸法

介助用車椅子寸法(通常)
全幅：530〜570mm
全長：890〜960mm

建具(開口)有効寸法

介助用車椅子の場合
廊下幅:780mm、建具幅:750mm

廊下有効寸法が780mmであれば、開口有効寸法は、少なくとも750mmが必要。
介助用車椅子の寸法や操作能力などを検討して有効な寸法を割り出すこと。

□□□ 建具には、開き戸や引き戸などの種類がある。開き戸は、開閉の際に身体を前後に大きく動かさなければならず、バランスをくずしやすいので、高齢者や障害者には引き戸のほうが適している。

□□□ 建具の把手で、開閉時にノブを握って回すタイプの把手は、手指の巧緻性が低い場合は操作しにくくなる。そのような場合は、レバーハンドル型のようなより操作しやすいものに変更することを検討する。

□□□ 軸組構法による木造住宅は、尺貫法の影響から、多くの場合、廊下、階段、トイレなどの幅員は、柱芯一芯で910mm（3尺）になるように造られている。

□□□ 柱芯一芯が910mmの場合、廊下などの有効寸法は最大で780mmになる。この寸法では、介助を受けながら廊下を移動することは困難で、車椅子で屋内を移動する場合も、困難をともなうことがある。

□□□ 必要な幅やスペースを確保するために有効な方法の一つは、既存の壁や柱を取り外すことで、既存の住宅を部分的に増改築する場合に適している。

□□□ 筋かいの入っている壁のように、建物の構造を支えている壁や柱を取り外すことはできない。改造しようとする部分に上階があるときも、壁や柱を撤去することは困難な場合が多い。

□□□ 必要な幅やスペースを確保するためにモジュールをずらす方法は、新築や大規模な増改築を行う場合に適している。

□□□ 椅子を選ぶときは、立ち座りのしやすさ、座位姿勢の保持のしやすさ、清掃のしやすさなどを考慮する。立ち座りのしやすさは、椅子の形状や、座面の高さ、座面の硬さ、肘かけの有無、安定性などに影響される。

□□□ 机・テーブルを選ぶときは、天板の高さや厚さなどを検討する。車椅子を使用する場合、車椅子のアームサポートが天板に当たらないか、机の脚が車椅子を入れる際にじゃまにならないかも確認する。

□□□ 収納の奥行きが600mm以上ある場合は、中に足を踏み入れられるように、戸の下枠段差を設けないようにする。

□□□ 収納の高さは、腰から肩の高さあたりまでが使いやすいので、頻繁に出し入れする物はその範囲の高さに収納する。

□□□ 収納の扉は、開閉動作の際に身体の動きが少ない引き戸が適している。開き戸は開閉時に身体が前後に大きく動くので、身体があおられないか確認する。

□□□ 折れ戸は、開き戸ほど身体の動きは大きくないが、折れた戸の部分に指をはさむことがあるので注意する。

□□□ 視機能が低下した高齢者は、同じ部屋の中に床面の色が異なる部分があると、床に段差があるように見間違えてしまうことがあるので、そのような床仕上げは避ける。

□□□ 洗面器や便器の色は、痰、大便、尿の色を確認できるように、白色を基本とする。

□□□ 冬場の夜間などは、暖房がきいている部屋と、廊下やトイレ、洗面・脱衣室などとの温度差が大きくなる。部屋を移動したときに大きな温度差にさらされると血圧が急激に上下し、心筋梗塞や脳血管障害のリスクを高める。

□□□ 暖かい部屋から寒い部屋に移動したときに、身体がぞくぞくすることがある。このように、急激な温度変化が身体に及ぼす影響を、ヒートショックと呼ぶ。

□□□ 輻射暖房は、放熱体の放射効果を利用して暖房する方式で、床暖房やパネルヒーターなどが代表的である。輻射暖房は、立ち上がりに時間がかかるが、室内の上下温度差が小さく、ほこりがたたない。

□□□ 対流暖房は、暖めた空気で直接室内を暖房する方式で、エアコンやファンヒーターなどが代表的である。対流暖房は、比較的短時間で室内を暖められるが、足もとの床面付近が暖まりにくく、室内の上下温度差が大きくなる。

□□□ 寒冷地では、各部屋を個別に暖房すると費用が高くつくので、中央暖房式を使った全室暖房を行うことがある。

□□□ 火災が起きたときへの備えとして、新築、既存住宅にかかわらず、すべての住戸に住宅用火災警報器を設置することが義務づけられている。消火器の設置もあわせて検討する。

□□□ ホームエレベーターや階段昇降機、段差解消機などの設備機器を導入する場合は、設備を設置するためのイニシャルコストのほかに、月々の電気代やメンテナンス費用などのランニングコストがかかる。

□□□ ホームエレベーターや階段昇降機、段差解消機などの機器は、安全に使用するために定期的な点検を行う。

□□□ 道路と玄関の間の敷地がせまく、スロープを設置できない場合、車椅子の使用者は居室の掃き出し窓から出入りすることにし、そちらにスロープを設ける方法もある。

□□□ スロープを設置する場合、出入り口の前には、車椅子の方向転換などの操作が行えるように、1,500mm × 1,500mm 以上の平坦部を確保する。

□□□ スロープの平坦部には、雨水などが流れ落ちるように、若干の水勾配を設けることがあるが、車椅子の操作に支障が生じないように、1/100 程度の勾配に留める。

□□□ スロープの両端には、車椅子の脱輪防止のために、縁石に 50mm 程度の立ち上がりを設ける。

□□□ アプローチに階段を設置する場合、階段の寸法は、踏面 300 〜 330mm 程度、蹴上げ 110 〜 160mm 程度とし、なるべく勾配を緩やかにする。

□□□ 階段には、必ず手すりを設置する。手すりは両側に設置することが望ましいが、片側にしか設置できない場合は、階段を下りるときに、手すりが利き手側にくるようにする。

□□□ アプローチの通路面に 5mm 以上の段差があるとつまずくおそれがあるので、通路面は凹凸のない平坦なものとし、コンクリートの平板などを敷く場合は、目地幅をできるだけ小さくする。

□□□ 踏台を設置して上がりがまちの段差を解消する場合は、踏台は階段 1 段分よりも広くし、進行方向から見て幅 500mm 以上、奥行き 400mm 以上になるようにする。

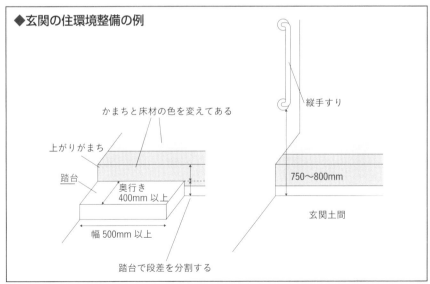

◆玄関の住環境整備の例

かまちと床材の色を変えてある

上がりがまち

踏台

奥行き 400mm 以上

幅 500mm 以上

踏台で段差を分割する

縦手すり

750〜800mm

玄関土間

□□□ 上がりがまちの塗装色は、通常は屋内の床面と色使いを合わせるが、視力が低下している高齢者に配慮して、段差の位置を認識しやすくするために、かまちと床の色を変えてもよい。

□□□ 外出時に車椅子を使用する場合は、車椅子が入るように玄関土間の奥行きを少なくとも 1,200mm 以上確保しなければならない。

□□□ テラスから庭へ下りるスロープを設置する場合は、スロープに曲線状の部分を設けると、車椅子での昇降時に操作が困難になることがあるので、スロープの傾斜部分は直線形状になるようにする。

□□□ 自走用車椅子を使用する場合、廊下の有効寸法が 780mm とすると、廊下に面した出入り口の開口部の有効寸法は 950mm 以上必要である。

□□□ 廊下の壁面に車椅子のフットサポートなどがぶつかって傷付くことがあるので、壁面に幅木を数枚張り上げて通常より高くするなどの工夫をする。

□□□ 寝室が 2 階以上にある場合、夜間にトイレに行くときに誤って階段から転落しないように、寝室とトイレを結ぶ動線の途中に階段がある配置を避ける。トイレの出入り口と階段の下り口を隣接させることは絶対に避ける。

□□□ 階段の手すりは、踊り場の部分も含めて、できる限り連続するように設置する。手すりが途切れる部分でも、手すりの端部間の距離が 400mm 以下になるようにする。

□□□ 手すりの端部は、壁側に曲げ込んで収める。手すりの端部をエンドキャップで覆うだけでは、衣服の袖口を引っかけたり、身体をぶつけたりするおそれがある。

◆横手すり端部の処理

○

×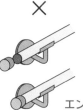

端部を<u>壁側</u>に曲げ込む。

<u>エンドキャップ</u>をかぶせるだけでは、衣類の袖口などが引っかかりやすい。

□□□ 排泄時に介助を必要とする場合は、便器の側方および前方に、500mm 以上の介助スペースを確保する。

□□□ 便器の背後に洗浄タンクがないタンクレストイレは、全長が 650mm 程度と、通常のものより 100mm ほど短く、便器の前方に介助スペースを確保しやすい。

□□□ 介助スペースの確保には、トイレと洗面・脱衣室の間の壁を撤去してスペースを確保する方法もある。トイレと洗面・脱衣室をあらかじめワンルーム化しておき、可動壁で仕切っておいてもよい。

□□□ トイレに設置する立ち座り用の縦手すりは、通常は、便器の先端より 250 〜 300mm 前方の側面に設置する。身体機能が低下してくると、縦手すりが便器から遠く、低い位置にあるほうが使いやすくなる。

□□□ トイレに設置する座位保持用の横手すりは、便器の中心線から左右に 350mm ずつ振り分けた位置に、左右対称に設置する。

□□□ トイレに設置する座位保持用の横手すりの取り付け高さは、便器の座面から 220 〜 250mm 程度上方とする。車椅子から便器に移乗する場合は、横手すりを車椅子のアームサポートと同じ高さに揃える。

□□□ トイレの出入り口の戸は、開閉動作がしやすい引き戸にすることが望ましい。開き戸にする場合は、必ず外開きにする。内開きの開き戸では、高齢者や障害者が万一トイレの中で倒れたときに救助が困難になる場合がある。

□□□ 浴室の出入り口の段差は 20mm 以下とされているが、シャワー用車椅子で浴室に乗り入れる場合は、5mm 以下に抑えることが望ましい。

□□□ 浴室の出入り口の段差を解消する最も簡易な方法は、浴室の洗い場にすのこを敷くことである。

□□□ 浴室の洗い場の床面をコンクリートでかさ上げして洗面・脱衣室と同じ高さにする場合、洗い場で使用する湯水が洗面・脱衣室に流れ出ないように、洗い場の床面の水勾配は、出入り口と反対側に水が流れるようにする。

□□□ 洗い場の床面を高くした場合は、浴槽縁の洗い場側の高さが低くなり、浴槽の底面との高低差が大きくなるので、またぎ越しが支障なく行えるかどうか確認する。洗い場の水栓金具の位置が低くなることにも注意する。

□□□ 浴槽の形状には、和式浴槽、洋式浴槽、和洋折衷式浴槽があるが、高齢者や障害者には和洋折衷式浴槽が適している。

□□□ 浴槽の長さは、入浴時につま先が浴槽壁に届くようにすると座位が安定し、楽な姿勢ととりやすくなる。

□□□ 浴槽縁の高さは、洗い場の床面から 400 ～ 450mm 程度にする。浴室内で使用する入浴用椅子やシャワー用車椅子、介助用車椅子の座面と浴槽縁の高さを同じにすると、浴槽への出入りがしやすい。

□□□ 浴槽の縁の幅が厚すぎると、またぎ越しがしにくくなり、バランスをくずしやすい。

□□□ 現在市販されているキッチンカウンターは、高さ 800mm のものと 850mm、および 900mm の 3 種類が標準的であるが、多くのキッチンは、下部の台輪（下枠）の部分で高さが調節できるようになっている。

□□□ 車椅子で調理作業を行う場合、キッチンカウンターは 740 ～ 800mm 程度の高さが適している。

□□□ 車椅子に対応したキッチンは、シンクの深さが 120 ～ 150mm 程度と浅く、シンクの下に膝を入れやすくしてある。水はねを防止するために、水栓金具は泡沫水栓にする。

□□□ 電気調理器は、天板の加熱部分が熱せられるので、鍋を下ろした後も余熱が残り、誤って触れるとやけどをするおそれがある。電磁調理器は、鍋自体を発熱させるので、天板には余熱が残らない。

□□□ 寝室のスペースは 1 人用で 6 ～ 8 畳（車椅子を使用する場合は 8 畳）、夫婦用なら 8 ～ 12 畳確保することが望ましい。

□□□ 介護保険制度による住宅改修費の支給限度基準額は 20 万円で、その 9 割の 18 万円（自己負担が 1 割の場合）までが償還払いで支給される（自己負担が 2 割の場合の支給額は 16 万円、自己負担が 3 割の場合は 14 万円まで）。

□□□ 介護保険を利用して住宅改修を行えるのは、支給限度基準額の範囲に限られるが、例外として、要介護度が一定以上重くなった場合、または転居した場合は、再び 20 万円までの支給限度基準額が設定される。

第5章 安心できる住生活とまちづくり

□□□ かつての日本では、農林水産業を営む家庭を中心に、二世代、三世代の家族が同じ住居で暮らす、多世代同居が多くみられた。

□□□ 高度経済成長期に産業構造が大きく変化し、人口の都市部への流出が進んだことなどにより、家族のライフスタイルは大きく変化し、大家族の一体感はしだいに薄らいできた。

□□□ 高度経済成長期には、夫婦のみ、または親と子どもだけで構成される核家族が増加した。

□□□ 若い世代の多くが核家族となり、昭和30年代に登場した住宅団地で暮らすようになった。住宅団地にはダイニングキッチンが取り入れられ、寝食分離や椅子座での食事などの新しいライフスタイルが定着した。

□□□ 核家族の家庭の多くは、高齢者の夫婦のみの世帯になり、現在は、高齢者の一人暮らし（独居高齢者）の世帯が増えている。親子ともに高齢者の二世代の世帯も少なくない。

□□□ 初期に建設された住宅団地は、4～5階建てでエレベーターのないものが多く、住民も高齢化しているために住環境の問題が生じている。

□□□ リバースモーゲージ（死亡時一括償還型融資）とは、土地や住宅などの資産を担保として民間金融機関の融資を受け、本人の生存中は利息のみを返済するしくみである。

□□□ 都市近郊の住宅地では、経済的な理由などから、同一敷地内に親世代と子世代の二世代が暮らす二世帯住宅も増えている。

□□□ 隣居と呼ばれる居住形態には、同一敷地内に2棟の住宅を建てて、二世代が別々に生活する敷地共有型、建物としては1棟だが、生活空間は完全に分かれている躯体共有型などがある。

□□□ 非家族同居とは、血縁関係にない者どうしが同じ住居で生活することをいい、賃貸契約では、ルームシェアリング、ハウスシェアリングなどと呼ばれる。

□□□ 血縁関係にない者どうしが協力し合って生活する居住形態を、グループリビングという。

□□□ 一般定期借地権とは、土地利用に関する権利形態の一つで、50年以上とい
う長期間にわたり、継続して土地を使用する権利を借り受けるものである。
契約期間が終了したときは、土地を更地にして返却しなければならない。

□□□ 集合住宅は、交通機関や商業施設へのアクセスがよい便利な場所に立地して
いることが多く、利便性を求めて、都心部の集合住宅に住み替える高齢者も
増えている。

□□□ 自己所有の集合住宅の場合、所有者になると同時に管理組合のメンバーにな
り、共有部分の管理や修繕積立金の管理、長期修繕計画の立案などを、住民
どうしで協力して行う。

□□□ 住宅品確法に基づく住宅性能表示制度では、性能表示事項の一つとして「高
齢者等への配慮に関すること」が設けられ、住宅内の移動の安全性や介助の
しやすさなどが、5段階の等級で表示される。

□□□ 高齢者住宅改造費助成事業は、おおむね65歳以上の要介護・要支援等の高
齢者に対し、介護保険制度による給付対象となるもの以外の住宅改修につい
て、市町村が一定の費用を助成するものである。

□□□ 公営住宅では、以前は原則として同居親族がいることが入居の要件とされ、
単身入居は高齢者、身体障害者にしか認められていなかったが、2006（平
成18）年度から知的障害者、精神障害者の単身入居も認められた。

□□□ サービス付き高齢者向け住宅は、バリアフリー構造で一定の住戸面積と設備
を有し、高齢者への配慮がなされているほか、サービス面では少なくとも安
否確認、生活相談サービスが付いている賃貸住宅である。

□□□ サービス付き高齢者向け住宅は、元気な高齢者も入居でき、介護が必要になっ
ても、訪問介護や訪問看護、通所介護などの介護保険のサービスを利用しな
がら住み続けることができる。

□□□ シルバーハウジングは、高齢者に配慮した一定のバリアフリー仕様の公的賃
貸住宅で、安否の確認、緊急時の対応、一時的な家事援助などを行う生活援
助員（LSA：ライフサポートアドバイザー）が配置される。

□□□ 都市計画マスタープランとは、市町村が定める都市計画に関する基本的な方
針のことである。

□□□ 建築協定とは、建築基準法が定める建築物に関する一般的制限のほかに、一定区域内で関係者全員の合意の下に締結される、建築物の敷地、位置、構造、用途、形態、意匠または建築設備に関する基準についての協定である。

□□□ 福祉のまちづくり条例は、地方自治法の規定に基づいて市町村や都道府県が定める条例で、公共建築物、民間建築物、交通機関、道路、公園など、日常生活のほぼすべてにかかわる施設のバリアフリー化を図るものである。

□□□ 福祉のまちづくり条例は、対象施設と整備の項目により構成される。地方自治法では、条例に定める内容までは規定されておらず、対象施設の種別などは、地域の実情に応じて、各自治体の条例において独自に定められている。

□□□ 福祉のまちづくり条例は、各自治体の独自性を示すことができ、制定の過程で市民の意見を反映することもできる半面、手続きや罰則の規定を設けている例はほとんどなく、法的な強制力が弱い点が課題となっている。

◆まちづくりに関する法制度

まちづくり3法

都市計画法
住民の意見を反映した
まちづくり

大規模小売店舗立地法
生活環境への影響を
抑える

中心市街地活性化法
中心市街地の空洞化対策

バリアフリー法

地方自治法

福祉のまちづくり条例

法的強制力
は弱い

建築物、交通機関、その他の施設のバリアフリー化の推進

建築基準法　建築物の敷地、構造、設備及び用途に関する最低の基準を定める

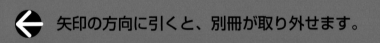 矢印の方向に引くと、別冊が取り外せます。